Éloges pour les romans de l'Éveil

« Une nouvelle voix dans le roman paranormal obscur, Regan Hastings apporte du pétillant et de la magie au genre. »

— Christina Dodd, auteure à succès du *New York Times*

Tout

Son contact ouvrit quelque chose en elle. Elle sentait la plus petite lueur de reconnaissance au plus profond d'elle. Cette impression de familiarité était de retour, et elle savait, au fond de son âme, qu'il disait la vérité. Peut-être qu'elle finirait par se souvenir de lui. Mais la question était la suivante : de quoi exactement se souviendrait-elle ? Lui ferait-elle confiance, comme il le disait ? Ou bien ses souvenirs lui diraient-ils de s'éloigner le plus possible de cet homme d'une grande puissance sexuelle ?

— Non, dit-elle avec douceur, croisant son étrange regard gris. Je ne vous connais pas. Je ne veux pas vous connaître. Tout ce que je veux, c'est partir.

— Pour aller où ?

Il fit glisser ses mains vers le haut de son corps jusqu'à ce qu'il ait pris ses joues dans ses grandes paumes. Elle sentit l'élan écrasant de la chaleur de son corps vers le sien et elle trembla devant cette force.

Mais elle n'allait pas céder à quelque chose q[...] aucun sens pour elle.

— Ça ne vous regarde pas.

— Tout ce qui vous concerne me regarde aus[...]

Lorsqu'elle aspira une goulée d'air, la peur qu'elle goûta était sombre et amère.

— Que voulez-vous de moi?

— Tout, admit-il, et je n'accepterai rien de moins.

Un roman de l'Éveil

VISIONS DE MAGIE

Un roman de l'Éveil

VISIONS DE MAGIE

Regan Hastings

Traduit de l'anglais par
Renée Thivierge

A·D·A
éditions

Copyright © 2011 Maureen Child

Titre original anglais : An Awakening Novel: Visions of Magic

Copyright © 2014 Éditions AdA Inc. pour la traduction française

Cette publication est publiée en accord avec New American Library, une division de Penguin Group Inc.

Tous droits réservés. Aucune partie de ce livre ne peut être reproduite sous quelque forme que ce soit sans la permission écrite de l'éditeur, sauf dans le cas d'une critique littéraire.

Éditeur : François Doucet

Traduction : Renée Thivierge

Révision linguistique : Féminin pluriel

Correction d'épreuves : Nancy Coulombe, Katherine Lacombe

Conception de la couverture : Mathieu C. Dandurand

Photo de la couverture : © Juliana Kolesova

Mise en pages : Sébastien Michaud

ISBN papier 978-2-89733-722-3

ISBN PDF numérique 978-2-89733-723-0

ISBN ePub 978-2-89733-724-7

Première impression : 2014

Dépôt légal : 2014

Bibliothèque et Archives nationales du Québec

Bibliothèque Nationale du Canada

Éditions AdA Inc.

1385, boul. Lionel-Boulet

Varennes, Québec, Canada, J3X 1P7

Téléphone : 450-929-0296

Télécopieur : 450-929-0220

www.ada-inc.com

info@ada-inc.com

Diffusion

Canada :	Éditions AdA Inc.
France :	D.G. Diffusion
	Z.I. des Bogues
	31750 Escalquens — France
	Téléphone : 05.61.00.09.99
Suisse :	Transat — 23.42.77.40
Belgique :	D.G. Diffusion — 05.61.00.09.99

Imprimé au Canada

Participation de la SODEC. $\int$ODEC

Nous reconnaissons l'aide financière du gouvernement du Canada par l'entremise du Fonds du livre du Canada (FLC) pour nos activités d'édition.

Gouvernement du Québec — Programme de crédit d'impôt pour l'édition de livres — Gestion SODEC.

Catalogage avant publication de Bibliothèque et Archives nationales du Québec et Bibliothèque et Archives Canada

Hastings, Regan

[Visions of Magic. Français]
Visions de magie
(Série L'éveil; 1)
Traduction de : Visions of Magic.
ISBN 978-2-89733-722-3
I. Thivierge, Renée, 1942- . II. Titre. III. Titre : Visions of Magic. Français.

PS3561.A468V5714 2014   813'.54   C2014-940151-5

À Mark, parce que d'une façon ou d'une autre,
tous les livres te sont destinés.

REMERCIEMENTS

Il y a de nombreuses personnes que j'adorerais mentionner ici, mais alors la page de remerciements serait aussi longue que le livre… Mais je dois nommer quelques noms.

Mon mari et ma famille, je vous remercie énormément de me supporter quand je suis près d'une heure de tombée et de toujours croire en moi.

Mes très grandes amies Susan Mallery, Kate Carlisle, Christine Rimmer et Teresa Southwick — comme groupe d'intrigue, vous êtes toutes extraordinaires! Comme amies, vous êtes toutes irremplaçables. Merci de m'avoir aidée à garder le cap…

Merci aux adeptes pratiquants de la Wicca avec qui j'ai parlé pendant ma recherche. J'apprécie tout le temps que vous m'avez consacré, de même que vos conseils. Et merci de comprendre qu'un auteur de fiction prend les faits et ensuite les interprète suivant les besoins de son histoire.

Plusieurs mercis à mon agente, Donna Bagdasarian, qui a adoré cette histoire et m'a poussée à en faire quelque chose de beaucoup plus important — et a ensuite pris des risques et s'est battue pour elle.

Et un grand merci à Kerry Donovan, mon éditrice, qui en posant toujours les bonnes questions m'a aidée à rendre ce livre le meilleur qu'il puisse être. À Claire Zion et à tout le monde à NAL pour leur travail acharné et leur croyance en cette série. Et au département artistique pour l'incroyable couverture — merci à tous.

Prologue

Après une attente longue de plusieurs siècles, la patience de Torin était éteinte depuis longtemps. La femme qu'il convoitait était, enfin, presque sienne. Pendant des centaines d'années, il avait erré aux confins du globe, une ombre dans la vie de sa femme, toujours en alerte pour des signes d'agitation magique. Maintenant que le moment tant attendu était arrivé, être frappé par l'Éveil dans une coquette rue de banlieue à Long Beach, en Californie, semblait presque une blague. Une plaisanterie qui ne l'amusait pas du tout.

De l'autre côté de la rue, une cloche sonna, et comme des fourmis qui descendaient d'une colline, des centaines d'écoliers sortirent d'un bâtiment de stuc vert pâle. Leurs rires lumineux semblaient aigus pour un homme déjà sur la corde raide. Ses yeux gris se plissèrent derrière ses lunettes noires pendant qu'il observait les enfants qui se dispersaient dans la lumière du soleil. Le dernier obstacle entre sa femme et lui était tombé. Sa peau semblait électrifiée par la montée d'énergie dans l'air. Son sang grondait, et s'il avait eu un battement de cœur, il aurait tonné dans sa poitrine.

Une femme se précipita devant lui pour ramasser son enfant et elle lui lança un rapide coup d'œil, l'évaluant. Ses pas se firent plus rapides, son regard se détourna de lui, et elle encouragea son enfant à se déplacer plus vite, comme s'ils étaient pourchassés par des démons.

Il savait ce que voyaient les gens quand ils le regardaient.

Plus grand que la plupart des hommes, il avait de longs cheveux noirs qui tombaient librement sur ses épaules. Il portait un t-shirt noir qui s'accrochait aux muscles durs de sa poitrine et de ses abdominaux. Ses jeans noirs et ses rangers éraflés achevaient l'image menaçante. Son visage était mince et dur, et ses traits nets étaient sculptés avec des plans et des angles aigus. Ses yeux gris ne révélaient aucune de ses pensées.

Il avait exactement l'apparence de ce qu'il était.

Un guerrier.

Un tueur.

Un Éternel dont la seconde chance était enfin arrivée — et cette fois, il irait jusqu'au bout.

Chapitre 1

— Ils sont venus chercher ma mère, la nuit dernière.

Shea Jameson aurait voulu verrouiller la porte de sa salle de classe et s'en aller. C'était la seule chose sensée à faire. Mais le tremblement dans la voix de son élève la retint. La journée était terminée à la Lincoln Middle School, et les couloirs auraient dû être vides. Shea le savait parce qu'elle attendait toujours que tout le monde ait quitté l'immeuble avant de partir pour rentrer à la maison. Chaque fois qu'elle le pouvait, elle se faisait un devoir d'éviter les foules. Comme enseignante, elle était confrontée chaque jour à des classes remplies d'enfants, mais ils ne la dérangeaient pas. C'étaient les parents de ces enfants qui l'inquiétaient.

Elle baissa les yeux vers Amanda Hall et elle ressentit de la compassion pour elle. Shea avait entendu les rumeurs, les chuchotements. Elle avait observé que les enseignants avaient à contrecœur protégé Amanda de ceux qui hier avaient été ses amis. Et elle savait que la situation de la jeune fille risquait d'empirer.

— Mlle Jameson, je ne sais pas quoi faire.

Elle eut le cœur brisé pour la jeune fille blonde appuyée contre une rangée de casiers fermés dans le couloir vide et calme de l'école. Le visage de l'enfant était strié de larmes, ses yeux bleus y nageant. Ses bras étaient croisés sur sa taille, comme si elle essayait de se consoler. Quand elle leva les yeux sur Shea, une détresse et une panique extrêmes étaient gravées sur ses petits traits.

Malgré les risques, elle ne pouvait pas tourner le dos à la jeune fille, songea Shea tout en soupirant intérieurement. Comment pourrait-elle faire cela et vivre en paix avec sa conscience?

— Je suis tellement désolée, Amanda.

Elle jeta un coup d'œil par-dessus son épaule pour s'assurer qu'il n'y avait personne à proximité. Mais à part le léger reniflement d'Amanda, nulle âme autour, et le silence était assourdissant. Les murs beiges étaient décorés d'affiches annonçant le prochain festival d'automne, et le regard de Shea se détourna des dessins de sorcières recouvertes de verrues qui ricanaient alors qu'elles brûlaient sur le bûcher.

Les petits poils à l'arrière de son cou se dressèrent, et elle aurait juré que quelqu'un à proximité la regardait. Un frisson glissa le long de la colonne vertébrale de Shea, comme si quelque chose de glacial y descendait; mais les couloirs étaient toujours vides. Pour l'instant.

Elle n'aurait pas dû s'arrêter, souffla une voix dans son esprit. Elle n'aurait pas dû parler à la jeune fille. Personne ne savait mieux que Shea qu'il y avait des espions partout. Que personne n'était plus en sécurité. Si quelqu'un la voyait parler à cette enfant maintenant, son cirque cauchemardesque personnel recommencerait, et rien ne garantissait qu'elle y survivrait cette fois-ci.

Mais comment pourrait-elle s'éloigner d'une enfant désespérément dans le besoin? Surtout qu'elle savait exactement ce que traversait Amanda. Déplaçant ses livres et ses papiers dans ses bras, Shea posa sa main libre sur l'épaule de la fillette et essaya de penser à quelque chose de réconfortant à lui dire. Mais des mensonges ne lui feraient aucun bien, et la vérité était bien trop terrifiante.

Si la mère d'Amanda avait vraiment été emmenée, elle ne reviendrait pas. En fait, ce n'était probablement qu'une question de temps avant que les autorités viennent aussi se saisir d'Amanda. Et cette prise de conscience la poussa à parler.

— Amanda, demanda doucement Shea, y a-t-il quelqu'un avec qui tu peux rester ?

La jeune fille hocha la tête.

— Ma grand-mère. La police m'a emmenée chez elle, la nuit dernière. Grand-mère ne voulait pas que je vienne à l'école aujourd'hui, mais je l'ai fait quand même, et tout le monde a été tellement méchant...

Elle secoua la tête et fronça les sourcils en dépit de ses larmes. Un éclair éblouit ses yeux humides.

— Ma mère n'est pas le diable. Je me moque de ce qu'ils disent. Elle n'a rien fait de mal. Je le saurais.

Shea n'était pas si certaine de cela. Ces derniers temps, les secrets étaient la seule manière pour certaines femmes de demeurer en vie. Mais même si Amanda avait raison et que sa mère était innocente, il y avait peu de chances qu'elle soit libérée. Pourtant, ce qui importait maintenant, c'était la sécurité d'Amanda. La jeune fille avait déjà appris une dure leçon aujourd'hui — *ne faire confiance à personne*. Ses amis s'étaient retournés contre elle, et bientôt, ce serait le cas de tous les autres. Une fois qu'on saurait que sa mère avait été emmenée, le danger guetterait la jeune fille de tant de directions différentes, qu'elle ne réussirait jamais à trouver un abri.

— Amanda, chuchota farouchement Shea, ne reviens pas à l'école demain. Va chez ta grand-mère et restes-y.

— Mais je dois aider ma mère, fit valoir la jeune fille. J'ai pensé que vous pourriez m'accompagner chez la directrice et que nous pourrions lui dire que ma mère n'est pas ce qu'ils pensent. Ma mère est la présidente de l'APM!

Shea grimaça lorsque la voix de la jeune fille s'éleva. Elle ne pouvait pas se permettre que quiconque les voie. Elle ne pouvait risquer d'être vue aidant l'enfant d'une détenue. Se penchant, elle croisa le regard d'Amanda.

— Ta mère aurait voulu que tu sois en sécurité, n'est-ce pas?

— Ouais...

— Alors, c'est la meilleure chose que tu puisses faire pour elle.

— Je ne sais pas...

— Amanda, écoute-moi, dit Shea, ses mots sortant plus vite maintenant que la sensation insidieuse d'être observée l'envahissait à nouveau. Il n'y a rien que nous puissions faire pour aider ta maman en ce moment. La meilleure chose pour tout le monde, c'est de sortir d'ici et de te rendre directement chez ta grand-mère. D'accord? Tu ne t'arrêtes pas. Tu ne parles à personne.

— Mais...

Une porte s'ouvrit dans le couloir, et Shea jeta un coup d'œil vers le bruit. Ses nerfs firent tanguer son estomac alors qu'elle repérait la directrice de l'école qui sortait de son bureau. Les yeux de Lindsay Talbot se plissèrent alors qu'elle remarquait Amanda et Shea très proches l'une de l'autre, parlant à voix basse. Instantanément, Mme Talbot retourna précipitamment dans son bureau.

— Pars immédiatement, Amanda, dit-elle en serrant rapidement l'épaule de la jeune fille. Vas-y maintenant.

La jeune fille détecta l'urgence dans la voix de Shea, hocha brièvement la tête, se retourna et courut dans le couloir vers la porte arrière. Une fois qu'elle eut disparu, Shea prit une profonde inspiration, s'arma de courage et se dirigea dans la direction opposée. Ses talons claquaient sur le carrelage alors qu'elle s'approchait de la paroi de verre du bureau de l'école. La porte d'entrée se trouvait seulement à quelques mètres, et l'après-midi ensoleillé brillait comme un phare sécuritaire. Elle partait, peu importe ce qui arrivait, pensa-t-elle, mais elle devait savoir ce que faisait Mme Talbot.

Shea jeta un coup d'œil à travers les fenêtres du bureau juste à temps pour voir la directrice raccrocher le téléphone. Puis, la femme se retourna, croisa le regard de Shea, et lui fit un sourire de chat qui venait d'attraper sa proie.

Aussi simplement, elle sut que c'était terminé.

Tout.

Shea avait été heureuse ici. Pendant un certain temps. Elle avait aimé passer ses journées avec les enfants. Elle s'était convaincue au cours de la dernière année et demie qu'elle avait enfin trouvé la sécurité. Que son comportement normal et son don pour l'enseignement étaient suffisants pour prouver à tout le monde qu'elle n'était rien de plus que ce qu'elle prétendait être. Un professeur de sciences de sixième année.

Mais en croisant le regard dur de Lindsay Talbot, elle avait ressenti une vieille sensation familière de panique. La peur l'envahit, lui barattant l'estomac, rendant ses mains humides et sa bouche sèche. Elle devait s'enfuir.

Encore.

Elle laissa ses papiers tomber sur le sol dans un doux bruissement de sons, puis resserra son emprise sur son sac à l'épaule et courut vers la porte d'entrée. Comme sa main poussait la barre d'acier froide, elle entendit Lindsay Talbot crier derrière elle.

— Vous ne réussirez pas à vous enfuir. Ils arrivent.

— Je sais, murmura Shea, mais elle courut quand même.

Que pouvait-elle faire d'autre ? Si elle restait, elle finirait avec la mère d'Amanda. Juste une autre femme enfermée sans espoir de pouvoir sortir un jour.

Dehors, elle plissa les yeux sous les rayons de soleil qui descendaient dans ses yeux, et elle descendit les marches vers le trottoir à une vitesse folle. Elle fouillait dans son sac à main en même temps qu'elle tournait vers le parc de stationnement, tâtonnant pour trouver ses clés. Son seul espoir était de disparaître avant l'arrivée des PM. Il leur faudrait du temps pour la trouver, et pendant ce temps, elle disparaîtrait. Elle l'avait déjà fait et elle pouvait le faire à nouveau. Teindre ses cheveux, changer son nom, trouver une nouvelle identité et se perdre dans une autre ville.

Elle ne retournerait pas à son appartement. Ils s'attendraient à ce qu'elle s'y rende. Mais elle n'était pas si stupide. D'ailleurs, elle n'avait pas besoin de quoi que ce soit de sa maison. Elle voyageait léger ces temps-ci. Une femme constamment en mouvement ne pouvait pas se permettre de traîner des souvenirs d'une place à l'autre. Au lieu de cela, elle gardait une valise remplie dans le coffre de sa voiture et une réserve de liquidités d'urgence dissimulée dans son soutien-gorge en tout temps, au cas où elle devrait partir précipitamment.

Un vent froid souffla sur elle, libérant ses longs cheveux du nœud qui les avait retenus. Des nuages gris ardoise arrivaient de l'océan, et les mouettes tournaient au-dessus de sa tête. Elle les remarqua à peine. Les parents fourmillaient toujours à l'avant, venant chercher leurs enfants, mais Shea les dépassa en courant, ignorant ceux qui lui parlaient.

Sa voiture était à l'autre bout du parc de stationnement, le plus proche possible de la sortie arrière. Elle était toujours préparée à s'enfuir — à disparaître — tandis que ses poursuivants arrivaient à l'avant. Elle sprintait maintenant, son cœur battant dans sa poitrine, sa respiration saccadée. Elle tenait ses clés si serré que les extrémités en dents de scie creusaient sa paume.

Les semelles de ses chaussures glissaient précairement sur l'asphalte additionné de gravier, mais elle continuait à avancer. Une pensée vibrait dans son esprit.

« Cours, cours, et ne regarde pas en arrière. »

Alors que son regard était fixé sur sa petite voiture quelconque à deux portes de couleur beige, elle ne vit jamais l'homme qui bondit de derrière une autre voiture. Il la poussa au sol, et ses genoux cognèrent l'asphalte dans un glissement mordant qui lui déchira la peau. Elle sentit la douleur éclater dans ses jambes.

Les mains de l'homme se tendirent vers elle alors qu'une voix grave murmurait :

— Donne-moi le sac à main, et tu pourras partir.

Distraitement, elle entendit s'élever au loin les voix des parents qui avaient vu l'homme l'attaquer.

«Oh, mon Dieu, pas maintenant», pensa-t-elle alors qu'elle se retournait et fixait les yeux sauvages d'un toxicomane qui avait désespérément besoin d'argent.

Elle ne pouvait pas affronter cela maintenant. Il y avait trop d'attention sur elle.

Il sortit un couteau comme s'il sentait qu'elle hésitait.

— Donne-moi l'argent immédiatement.

Shea hocha la tête, et quand il tendit à nouveau le bras vers elle, elle leva instinctivement les deux mains pour le repousser. Mais il n'y eut aucun contact avec l'homme. Une poussée d'énergie vibra soudainement à travers elle et sortit de ses doigts. Alors qu'un *zoom* éclatait, l'homme devant elle s'enflamma.

Shea le regarda, horrifiée par ce qui se passait. Par ce qu'elle avait *fait*. Ses hurlements déchirèrent l'air alors qu'il essayait de s'éloigner du feu en courant. Mais cela ne fit qu'alimenter les flammes qui le consommaient et alors que ses cris se faisaient de plus en plus forts, Shea chancela sur ses pieds, baissa les yeux sur ses mains et frissonna.

C'est alors qu'elle l'entendit.

Le chant monocorde.

Au-dessus des cris du mourant, des voix rugirent ensemble, devenant de plus en plus fortes à mesure qu'on l'entourait. Un mot se mit à tonner autour d'elle, martelant son esprit et son âme, la réduisant à une terreur qu'elle n'avait pas connue depuis dix ans.

Elle leva les yeux vers les parents de ses élèves qui l'avaient encerclée. Des gens qu'elle connaissait. Des gens qu'elle aimait. Mais maintenant, elle arrivait à peine à les reconnaître. Leurs traits étaient tordus en masques de haine et de panique, et leurs voix s'unissaient pour crier leur accusation.

— *Sorcière! Sorcière! Sorcière!*

Shea lutta pour reprendre son souffle alors que la foule se serrait autour d'elle. Il n'y avait plus d'issue à présent. Elle allait mourir. Et si la foule ne la tuait pas, alors dès qu'ils arriveraient, la PM allait l'emmener, et elle ne serait pas mieux que morte. C'était terminé. Les années de terreur et d'effroi, la dissimulation, la prière, la constante inquiétude de survie.

— Arrêtez! cria-t-elle, sa voix rauque témoignant de son horreur devant ce qu'elle avait fait.

Devant ce qu'ils lui feraient.

— Je n'ai rien fait!

Un argument inutile, car ils avaient tous vu ce qui s'était passé. Mais comment? Comment avait-elle fait cela? Elle n'était pas une sorcière. Elle était juste… elle.

— Si j'avais ce pouvoir, ne l'utiliserais-je pas maintenant?

Certains des gens autour d'elle semblaient y songer, et leurs expressions reflétaient l'inquiétude. Ce n'était pas ce qu'avait cherché Shea. S'ils étaient inquiets pour leur propre sécurité, ils auraient d'autant plus envie de la tuer.

Sa tête passa de gauche à droite, cherchant désespérément un moyen de s'en sortir. Mais elle n'en trouvait pas un.

Au loin, elle entendit le hurlement des sirènes qui signalaient l'arrivée imminente de la PM. Et la police de la magie n'allait pas la laisser partir. Ils pourraient la sauver de la foule. D'autre part, ils pourraient reculer et laisser ces gens ordinaires, ces gens de tous les jours résoudre leur problème eux-mêmes.

Hors d'elle, elle reculait en trébuchant tandis que la foule s'avançait — jusqu'à ce qu'elle se rende compte qu'ils s'attroupaient pour la pousser de plus en plus vers l'homme en flammes allongé sur l'asphalte. La chaleur dégagée par les flammes l'atteignait. L'odeur de la chair brûlée souillait l'air. Shea regarda l'homme décédé, puis la foule et de nouveau l'homme, et elle sut que peu importe ce qui arriverait ensuite, elle l'aurait mérité.

Le feu éclata soudainement, grandissant de plus en plus, jusqu'à ce que des langues affamées d'orange et de jaune bondissent et sautent à deux mètres de haut. Quelqu'un dans la foule se mit à hurler. Shea sursauta. Des voitures noires avec des feux jaunes clignotants foncèrent dans l'allée, puis s'arrêtèrent dans un crissement de pneus. Des hommes en uniforme noir sortirent pêle-mêle et pointèrent des revolvers, mais ils étaient maintenant le moindre de ses problèmes.

Des flammes se tendaient vers Shea. L'engloutissaient. Le rugissement du feu grandissant rapidement assourdit les autres bruits autour d'elle. Elle se mit à hurler et leva les yeux vers une paire de yeux gris pâle qui reflétaient les couleurs changeantes des flammes. Elle sentit des bras forts et fermes l'entourer alors qu'une voix grave murmurait :

— Fermez les yeux.

— Bonne idée, répondit-elle, puis elle s'évanouit pour la première fois de sa vie.

Chapitre 2

Lorsque Shea se réveilla, il faisait sombre à l'extérieur. Une lampe allumée était posée sur la table de chevet, et l'abat-jour en verre Tiffany projetait des motifs légèrement colorés au plafond. Shea se redressa, appuyant ses mains contre la courtepointe soyeuse en dessous d'elle. Ce qui signifiait qu'elle se trouvait sur un lit. Quel lit ?

Certainement pas le sien. Elle baissa les yeux et soupira avec gratitude alors qu'elle voyait qu'elle portait encore son chemisier blanc et sa jupe noire. Ses genoux égratignés avaient été traités, et ses chaussures noires à talons plats étaient toujours dans ses pieds.

Puis son regard fit le tour de la pièce. Elle était grande, magnifique et remplie d'ombres. Une fébrilité nerveuse dans le creux de son estomac, elle se leva du matelas, s'approcha de la fenêtre la plus proche et jeta un coup d'œil dans l'obscurité. Le clair de lune se déversait sur l'océan, peignant d'une étrange lueur phosphorescente les vagues qui venaient s'écraser. Il y avait un balcon à l'extérieur de sa fenêtre, et lorsqu'elle ouvrit les portes pour sortir, elle remarqua le jardin au-dessous. Le rugissement des vagues qui claquaient sur les falaises ressemblait au battement de cœur d'un géant et réglait le sien sur un rythme trépidant.

— Où diable suis-je et comment y suis-je arrivée?

Elle était incapable de penser. Elle ne pouvait se souvenir de ce qui lui était arrivé. Puis, soudain, précipitamment, des images se déversèrent dans son esprit, et elle se souvint de s'être sentie entourée de chaleur. Des flammes qui bondissaient dans les airs, lui léchant la peau. Des bras puissants autour de sa taille. De la voix grave qui bourdonnait dans ses oreilles.

C'était pire encore que ce qu'elle avait imaginé.

Qui que ce soit — quoi que ce soit — qui l'avait sortie du parc de stationnement était probablement tout près. Ce qui voulait dire quoi, exactement? De toute évidence, elle n'était pas en prison ou dans l'un des camps d'internement mis en place à travers le pays. Elle avait entendu suffisamment de rumeurs sur ces lieux pour savoir qu'ils n'étaient guère aussi luxueux. Il est clair que les PM ne l'avaient pas emmenée. Alors, qui l'avait fait? Et pour aller où?

L'océan ne lui donnait aucun indice. Après tout, la côte était vaste. Elle regarda par-dessus le bord du balcon et envisagea de grimper par-dessus le rail, de se laisser suspendre par les mains et de se laisser tomber. Les buissons amortiraient sa chute. Probablement. Elle pourrait le faire. Ce n'était pas *si* loin.

— Vous ne sauterez pas.

Shea sursauta et se retourna au son de la voix. Un homme se tenait au milieu de la pièce. Bien au-delà d'un mètre quatre-vingts, il paraissait dur, dangereux et trop sacrément attrayant. Mais ce qui attira son attention, ce n'était pas seulement l'énergie sexuelle brute qui chatoyait

de sa personne par vagues épaisses. C'était le sentiment de... familiarité qu'elle ressentait. Comme si elle le
connaissait. Comme si elle l'*avait* connu. Ses cheveux noirs
pendaient sur ses épaules, sa large poitrine était couverte
d'un chandail rouge sang, et son jean noir délavé s'accrochait à des cuisses musclées. Ses bras étaient croisés sur sa
poitrine, et ses yeux gris pâle étaient fixés sur elle.

— C'est vous, dit-elle, se souvenant maintenant de la
façon dont le reflet des flammes qui l'engloutissaient avait
dansé dans ses yeux.

Cela explique la familiarité, se dit-elle.

— Vous qui étiez là. Vous m'avez éloignée de cette foule.

— En effet.

— Pourquoi? Ce n'est pas que je n'en sois pas reconnaissante, mais pourquoi avoir fait ça pour une étrangère?

— Vous n'êtes pas une étrangère, dit-il, sa voix grave
grondant à travers la pièce avec toute la puissance des
vagues qui venaient s'écraser au-dessous.

— Mais je ne vous connais pas.

Il fit un pas vers elle, et Shea recula instinctivement jusqu'à ce qu'elle sente la balustrade froide et humide
cogner contre le bas de son dos.

— Vous me connaissez, insista-t-il, ne la quittant jamais
de ses yeux fascinants. Votre corps reconnaît le mien, même
si votre esprit est encore fermé à moi.

Shea fut obligée d'admettre qu'il avait raison sur ce
point. Son impression de reconnaissance à son égard allait
plus loin que le simple incident de cet après-midi. Elle ne
pouvait le comprendre. Elle était certaine de ne jamais
l'avoir vu, et pourtant il y avait... quelque chose. Plus il
se rapprochait, plus son corps bourdonnait presque

d'impatience. Mais elle l'ignora délibérément. Pour l'instant, le sexe ne prenait pas la première place dans son esprit. La terreur remplaçait tout le reste.

Shea déglutit.

— Qui êtes-vous ? demanda-t-elle.

— Torin.

— Ça ne me dit rien, dit-elle. Votre nom n'explique pas qui vous êtes ni pourquoi et comment je suis arrivée ici.

— Vous savez comment. C'est moi qui vous ai emmenée ici.

— Oui, c'est vrai, dit-elle, se rappelant les flammes qui l'entouraient. Mais pourquoi ?

Il fourra ses mains dans les poches arrière de son jean et haussa les épaules.

— C'était ça ou laisser la foule vous tuer. Auriez-vous préféré cette deuxième option ?

— Non. Non.

Shea inspira lentement, puis laissa l'air se glisser hors de ses poumons. Elle se souvenait de la foule qui l'encerclait, et il avait raison. Ils l'auraient tuée — avec la bénédiction de la PM. Après tout, une sorcière morte, ça voulait dire pas de paperasse.

— Vous n'avez aucune raison de me craindre, dit-il. Vous le savez certainement.

— Comment pourrais-je le savoir ?

Elle secoua la tête et se concentra sur l'humidité glaciale de la balustrade qui s'infiltrait dans son corps. Au moins, c'était tangible. Réel. Rien d'autre ne semblait l'être en ce moment.

— Une minute, je suis sur le point de me faire lapider à mort, ou quelque chose de semblable, et le moment suivant je suis dans le feu et vous...

Elle frotta ses mains de haut en bas le long de ses bras dans une vaine tentative de se débarrasser du froid qui imprégnait son corps.

— Oh, mon Dieu. Vous étiez *dans* le feu.

— Oui.

— Comme moi ! Mais vous ne brûliez pas.

Elle regarda ses mains comme pour s'assurer une fois de plus que sa peau n'était pas boursouflée ou carbonisée.

— Moi non plus. Comment est-ce possible ?

— Longue histoire, dit-il. Mais nous aurons du temps pour les explications plus tard. Maintenant que vous êtes ici...

— Où que soit « ici », murmura-t-elle.

— Ma maison. Vous êtes à Malibu. Vous êtes en sécurité.

— Et je devrais vous croire sur parole ?

— Je vous ai sauvée, n'est-ce pas ?

Sa bouche pencha brièvement sur un côté en un sourire qui vécut et mourut en un instant.

— Ça devrait m'octroyer des points.

— Si un tigre affamé me sauve d'un ours, devrais-je me sentir soulagée ?

Elle secoua la tête et poursuivit.

— Non, je ne le pense pas. Et qu'est-il arrivé à l'homme qui m'a empoignée dans le parc de stationnement et...

Sa mémoire ressortit les images horrifiantes.

— J'ai... Je...

— ... l'ai mis en flammes, termina-t-il à sa place.

— Oh mon Dieu, je l'ai fait…

Elle retint son souffle, puis fixa son regard sur lui.

— Comme tante Mairi. Mais je ne voulais pas le faire. Je n'ai même pas essayé. Comment aurais-je su que ça arriverait?

— Vous avez fait les rêves, dit-il, s'approchant encore plus près d'elle, jusqu'à ce qu'elle ne fut plus qu'à portée de bras. Vous avez senti les changements qui ondulaient à travers votre corps. Je le sais parce que l'Éveil est sur vous.

— L'Éveil?

Elle connaissait ce mot. Mais comment? Et était-ce vraiment le facteur le plus important à l'heure actuelle?

— On a prédit l'Éveil il y a des siècles. Lorsque la dernière grande assemblée de sorcières a jeté un sort d'expiation.

«Expiation.» Elle frissonna en l'écoutant, ses mots créant des images dans son cerveau. Des images à la fois étrangères et familières.

— Chaque sorcière devait vivre sans magie à travers de nombreuses vies jusqu'à cette année. Cette période.

— Non, murmura-t-elle, mais tout en elle disait «oui».

— Chacune de vous se réveillera à son tour, poursuivit-il.

Il était impossible d'ignorer sa voix, le pouvoir semblait tourbillonner dans ses yeux pâles.

— Une tous les trente jours jusqu'à ce que l'expiation soit complétée et que toutes vos tâches soient accomplies.

— Des tâches?

Shea secoua la tête — tout ceci n'était que pure folie. Tout.

« Alors pourquoi, demandait quelque chose en elle, cela paraît-il si juste ? »

— Vous êtes la première, Shea. Vous êtes l'espoir de l'assemblée des sorcières.

— Vous vous trompez. C'est une astuce. La PM essaie de me faire paraître coupable, et vous y participez, en quelque sorte.

Ses traits se glacèrent et se durcirent, et sa voix baissa de plusieurs crans.

— Je ne travaille pas avec la police de la magie. Vous pensez que je leur remettrais une femme ?

— Peut-être, fit valoir Shea, même si quelque chose lui disait qu'elle se trompait à ce sujet. Qu'elle devait lui faire confiance. Pourtant, ces temps-ci, c'était une entreprise dangereuse que de faire confiance aux gens.

Et ce qu'il lui avait raconté ne pouvait être vrai. Ce devait être un complot élaboré. Des machinations du gouvernement fédéral.

C'était le procès des sorcières de Salem qui allait recommencer. Mais cette fois, l'hystérie s'était propagée jusqu'à faire le tour de la planète. Chaque pays du monde poursuivait activement des femmes qui « pourraient » être des sorcières. Et que Dieu aide celles qui l'étaient vraiment.

— Rien de tout ça n'a de sens, chuchota-t-elle, plus pour elle-même que pour lui. Je ne suis pas une sorcière. Je n'en suis *pas* une.

— Le déni ne changera rien. Vous êtes celle que vous avez toujours été censée être.

Elle jeta sa tête en arrière et lui lança un regard furieux.

— Et qu'est-ce que c'est ?

— Mienne, dit-il.

«Oui», répondit son corps.

Elle eut l'impression que son sang était épais et chaud dans ses veines, et son cœur battait follement dans sa poitrine. Fixer ses yeux gris pâle la perturbait, et elle se demanda s'il en était conscient et s'il en jouait. Combien d'autres femmes avait-il emmenées ici? Combien d'autres avant elle avait-il attrapées et enlevées?

— Je ne vous appartiens pas. Je ne suis pas la propriété de quiconque, dit-elle alors qu'elle se déplaçait de côté, tentant de placer une certaine distance entre eux.

Ce que ressentait son corps n'était pas important; son esprit était responsable et il resterait ainsi.

— Et je ne suis pas une sorcière. Ce n'est pas moi qui ai mis le feu à cet homme.

— C'est vous, répondit-il de sa voix grave et régulière. Vous êtes une sorcière par hérédité, Shea Jameson. C'est un pouvoir qui est héréditaire. Votre tante, votre mère, vous. Même maintenant, je peux sentir votre pouvoir émergent. Il augmente de plus en plus. Vous le sentez aussi.

— Non, dit-elle, secouant sauvagement la tête et regardant autour d'elle pour chercher une évasion qui n'était tout simplement pas possible. Écoutez, depuis que ma tante Mairi a été… brûlée sur le bûcher, les gens m'ont surveillée. La PM, le Bureau de la sorcellerie. Juste après sa mort, j'ai même changé de nom et je me suis cachée pendant un certain temps. Même le Bureau a semblé ne plus s'intéresser à moi. Il y a maintenant dix ans que Mairi est morte, et je n'ai *jamais* montré de signe de pouvoir. Et je ne ressens absolument rien.

— Vous mentez. À moi. Et à vous-même.

Il appuya fortement ses mains sur la rambarde de chaque côté d'elle, la piégeant effectivement et la maintenant en place.

— J'étais à l'école. J'ai vu l'homme s'approcher. J'ai attendu que votre pouvoir éclate. Pour que votre instinct de survie vous oblige à vous rappeler qui et ce que vous êtes.

Shea le dévisagea.

— Vous regardiez ? Vous avez vu que l'homme m'attaquait et vous n'avez rien fait ?

— Il était nécessaire pour moi de ne pas intervenir pendant que vous débloquiez vos pouvoirs. Vous vous battiez depuis trop longtemps contre leur apparition.

— Cet homme est *mort* !

— Il n'était rien, répondit Torin avec un ricanement à peine dissimulé. Un prédateur. Un homme qui vivait sa vie sur la misère des autres. Si vous ne l'aviez pas arrêté, il aurait brutalisé d'autres femmes comme il l'avait fait pour d'autres avant vous.

— Ce n'est pas important, soutint-elle, se rendant compte qu'elle ne pourrait jamais se défaire des images mentales de ce qu'elle avait fait à cet homme. Ça ne me donne pas le droit de...

— Survivre ?

Il lui avait lancé le mot brusquement, et Shea poussa sur sa large poitrine dans un effort inutile. Il ne bougea même pas. Mais le contact entre eux lança une chaleur dans son corps, comme une fièvre soudaine, suffisamment pour qu'elle sente le besoin de prendre une grande respiration avant de se sentir assez forte pour dire :

— Je n'avais pas l'intention de le tuer.

— Alors, maîtrisez vos pouvoirs avant que ça ne se reproduise.

— Maîtriser quelque chose que je ne savais pas posséder jusqu'à aujourd'hui?

Elle rit amèrement et sentit le son lui gratter la gorge.

— Bien sûr. Pourquoi n'y avais-je pas pensé?

Elle soupira, sentant le poids écrasant de cet ô malheureux jour tomber sur elle.

— Vous n'êtes pas seule, dit-il doucement, attirant à nouveau son regard vers le sien. Comme je vous l'ai dit, je suis Torin. Votre Éternel.

— Mon Éternel, répéta-t-elle avec lassitude. Qu'est-ce que ça veut dire exactement?

— Ça signifie que vous êtes exactement là où vous êtes censée être, Shea Jameson.

Il lui toucha la joue, et elle aurait juré qu'elle sentait la chaleur des flammes s'élever à nouveau en elle.

— Je ne vous laisserai pas tomber.

Dieu qu'il était tentant de le croire. De lui faire confiance. De penser qu'elle ne serait pas seule pour supporter peu importe ce qui se passerait ensuite. Mais elle en était incapable. Impossible de prendre le risque. Bien que son corps le réclamât, même si ses mains démangeaient de se tendre et de le toucher, elle refusa. Elle était forcée de combattre sa propre attirance pour l'homme simplement pour que son esprit reste clair.

— Je suis simplement censée vous faire confiance?

Elle était partie de sérieux pétrins à l'école pour se retrouver dans une situation qui la dépassait complètement.

— Je ne sais même pas où vous m'avez emmenée.

— Nous ne sommes pas des étrangers, répondit-il, chaque mot tendu, chargé d'émotions. Votre âme me connaît. Et votre volonté aussi. Vos souvenirs commenceront à revenir maintenant que votre pouvoir augmente.

— C'est ça. Des souvenirs.

Elle mordit fort sa lèvre inférieure, essayant de se convaincre qu'elle était en train de rêver. Mais la douleur qui transperça sa bouche était une preuve suffisante que tout cela était vrai.

Sa peau s'anima à sa proximité, comme si elle réagissait à une charge électrique. La couleur de ses yeux semblait tourbillonner comme des nuages gris dans un vent fort. Ses lèvres fermes et pleines étaient figées en une mince ligne de tristesse qui lui disait qu'il ne se sentait pas plus heureux qu'elle.

— Ce n'est pas un rêve, lui dit-il, comme s'il savait exactement ce qu'elle pensait.

— Un cauchemar, alors ?

— Demandez-vous pourquoi vous n'avez pas peur de moi.

— Qui a dit que je n'ai pas peur ?

Elle releva le menton, le provoquant pour qu'il la contredise.

— Moi, je le dis. Ce n'est pas la peur que je sens en vous, mais l'excitation.

Elle ne répliqua même pas.

— Je vous semble familier, non ? demanda-t-il, et il lui prit les bras en une prise ferme.

Son contact ouvrit quelque chose en elle. Elle sentait la plus petite lueur de reconnaissance au plus profond d'elle. Cette impression de familiarité était de retour, et elle savait, au fond de son âme, qu'il disait la vérité. Il y avait un lien entre eux. Peut-être qu'elle finirait par se souvenir de lui. Mais la question était la suivante : de quoi exactement se souviendrait-elle ? Lui ferait-elle confiance, comme il le disait ? Ou bien ses souvenirs lui diraient-ils de s'éloigner le plus possible de cet homme d'une grande puissance sexuelle ?

— Non, dit-elle avec douceur, croisant son étrange regard gris. Je ne vous connais pas. Je ne veux pas vous connaître. Tout ce que je veux, c'est partir.

— Pour aller où ?

Il fit glisser ses mains vers le haut de son corps jusqu'à ce qu'il ait pris ses joues dans ses grandes paumes. Elle sentit l'élan écrasant de la chaleur de son corps vers le sien, et elle trembla devant cette force.

Mais elle n'allait pas céder à quelque chose qui n'avait aucun sens pour elle. C'était un bizarre jeu d'esprit. Et il était le maître de la marionnette. Depuis les années où la sorcellerie avait été révélée au monde, les fous étaient vraiment sortis du placard.

— Ça ne vous regarde pas.

— Tout ce qui vous concerne me regarde aussi, Shea.

Lorsqu'elle aspira une goulée d'air, la peur qu'elle goûta était sombre et amère.

— Que voulez-vous de moi ?

— Tout, admit-il, et je n'accepterai rien de moins.

— Qui diable êtes-vous ?

— Je suis celui qui a sauvé votre très joli cul de cette foule.

— Bizarre, dit-elle doucement, je ne me sens pas « sauvée ». Je me sens prise au piège.

Elle se dégagea de son étreinte, même si son corps désira instantanément son contact. Rapidement, elle se déplaça d'un côté pour qu'il ne puisse pas tendre le bras et s'approcher de nouveau.

— Et comment avez-vous fait ce truc de feu sans que nous soyons carbonisés tous les deux ?

Les sourcils froncés, il leva les deux bras, et le feu se mit à danser à travers sa peau. Des flammes craquantes et sifflantes s'élancèrent sur son corps, l'enveloppant dans une couverture de feu vivante.

— Oh, mon Dieu…

Elle déglutit et recula jusqu'à ce qu'elle percute à nouveau la rambarde.

— Je *suis* le feu, Shea Jameson.

Les flammes sur son corps disparurent, laissant sa peau sans marques et intacte. La magie entre eux scintillait dans l'air.

— Tout comme je *suis* votre autre moitié.

Elle leva les yeux vers lui alors que le clair de lune brillait sur son visage, lui donnant une apparence ombragée et maléfique qui envoya son cœur en chute libre vers la plante de ses pieds.

— Vous êtes fou.

— Non, dit-il, sa voix saccadée. Mais ma patience est à bout. J'ai attendu ce jour depuis des siècles. Et je n'attendrai pas plus longtemps.

Il tendit la main, la prit dans ses bras, et avant qu'elle puisse émettre un cri de protestation, il la ramena dans la chambre et la jeta sur le lit.

— Il vous est impossible d'échapper à votre destin, Shea. C'est ce soir que ça commence.

Elle se débattit pour s'éloigner de lui, n'osant jamais détourner son regard du sien.

— Quoi? Qu'est-ce qui commence ce soir?

Torin traversa la pièce, ouvrit la porte et sortit. Avant de la refermer, il lui envoya un long regard.

— Le rituel d'accouplement, lui dit-il simplement.

Chapitre 3

Torin quitta la chambre après un dernier regard vers Shea. Tout en lui brûlait. Les flammes qui faisaient partie de lui semblaient aussi lécher ses entrailles, le consumant en un feu qui ne pouvait être étouffé. Il ferma fermement la porte, puis il longea le corridor d'un pas raide et s'arrêta en haut de l'escalier. L'éclairage était faible, des ombres se déversant des coins. Sa gouvernante, une vieille femme nommée Anna, leva les yeux vers lui.

— Personne n'entre dans cette pièce.

Il jeta à nouveau un coup d'œil vers le long couloir et vers la porte fermée. Il voulait que Shea accepte le lieu où elle se trouvait et qu'elle ne parte pas. S'il lui donnait une heure ou deux de solitude avec elle-même, il ne doutait nullement qu'elle en arriverait à prendre conscience que les routes qui les reliaient étaient désormais gravées dans la pierre. Qu'ils ne pourraient pas échapper au destin qu'ils avaient tous les deux poursuivi depuis des siècles. Un peu de temps seule la rendrait plus réceptive quand il reviendrait la trouver.

Enfin, il retourna à nouveau sa tête vers l'arrière pour croiser le regard de la vieille femme.

— Personne n'entre dans cette pièce, répéta-t-il. Je lui apporterai de la nourriture plus tard.

— Compris, dit Anna, puis elle s'assit dans le fauteuil à proximité pour continuer de surveiller.

Torin fit un bref sourire. Il avait tout à fait confiance en la loyauté d'Anna. Cette femme et sa famille avaient été avec lui depuis des générations, voyageant d'un pays à un autre alors qu'il suivait sa sorcière dans ses nombreuses incarnations. Ils étaient honorables et inconditionnels, et il leur vouait une confiance qu'il ne pouvait accorder qu'à peu d'autres personnes.

Laissant Anna aux aguets, Torin descendit l'escalier vers l'étage principal de la maison et se dirigea tout droit vers la bibliothèque. Des kilomètres de livres l'entouraient. Du sol au plafond, des bibliothèques encerclaient la pièce, séparées seulement par de grandes fenêtres qui offraient la pelouse paysagée à la vue. Dans cette pièce aussi, l'éclairage était faible, comme si Torin préférait les ténèbres à la lumière. Et peut-être était-ce le cas depuis les dernières centaines d'années. Mais maintenant, il avait changé, se dit-il. Maintenant, il y aurait de la lumière. Il y aurait de la *vie*.

Tout ce à quoi pouvait penser Torin, c'est que Shea était finalement là. À l'endroit où il avait besoin — voulait — qu'elle soit. Son corps se languissait d'elle. Son esprit cherchait des pensées d'elle, comme un baume pour son âme fragmentée. Avec l'achèvement du rituel, ils seraient un. Son corps, son âme s'ouvriraient pour lui — et les siens, pour elle. Comme cela avait été destiné depuis toujours.

Et ce qui autrefois s'était terminé par un tel désastre allait enfin être réparé.

Chaque centimètre carré de son corps bourdonnait d'une sensation de besoin, et il lui coûtait beaucoup de demeurer séparé d'elle. Mais il s'adressa à son immense volonté et promit de lui donner une heure ou deux de solitude. Pour qu'elle s'adapte à la situation. Pour qu'elle se rende compte qu'elle n'avait pas le choix. L'Éveil était sur elle, et il était grand temps pour eux de commencer le rituel.

Maudit soit-il s'il lui fallait attendre encore une nuit pour réclamer ce qui lui revenait de droit.

L'esprit en alerte, il s'arrêta devant l'une des fenêtres et jeta un coup d'œil sur une cour baignée de noirceur. Il n'y avait pas de projecteurs sur sa propriété. Torin n'en avait pas besoin. Sa vue était aussi vive dans l'obscurité qu'en plein jour. L'éclairage incandescent n'aurait servi que ses ennemis. Il en avait beaucoup.

Et maintenant que l'Éveil avait commencé, ses ennemis allaient se réunir.

— Se souvient-elle ?

Il secoua la tête, réservant à peine un regard à l'homme qui se tenait dans l'ombre et qui le regardait. Mesurant plus d'un mètre quatre-vingt-quinze, Rune était lui aussi un Éternel. Ses longs cheveux bruns étaient attachés par une bande de cuir brut à l'arrière de son cou. Ses traits étaient anguleux, et le pouvoir tourbillonnait dans ses yeux. Il portait son uniforme standard composé d'un t-shirt noir et de jeans noirs, et les pointes d'acier de ses bottes étincelaient à la lumière de la lampe.

— Non, lui dit Torin d'un air dégoûté. Elle me regarde et elle ne voit que du danger. Ses souvenirs sont toujours bloqués. Mais son corps se souvient, se rassura-t-il, se souvenant de la sensation de son corps lorsqu'elle était roulée en boule contre lui. Ça suffit pour le moment.

Rune se rapprocha, l'expression de son visage devenant de plus en plus renfrognée.

— Avec l'Éveil, son esprit aurait dû s'ouvrir aussi. Comment allons-nous les revendiquer, si elles ne se souviennent pas?

Torin tourna la tête pour dévisager son vieil ami.

— Nous allons faire ce qu'il faut pour qu'elles se souviennent. Rappelle-toi tout ce qui s'est passé avant. Nous avons attendu des siècles pour ça, et dans mon cas du moins, l'attente est terminée.

Rune croisa les bras sur sa poitrine alors que leurs regards furieux se croisaient.

— Je sais ce qui doit venir, de même que tout autre Éternel. Mais ta femme est la première à se réveiller. C'est à toi de tracer le chemin. Si ça ne fonctionne pas, nous sommes tous foutus.

Torin renifla. Il n'avait pas besoin de se faire dire que leurs objectifs communs se tenaient dans un équilibre précaire au-dessus d'un dangereux précipice. Chaque Éternel avait fait du surplace au cours des siècles jusqu'au moment de l'arrivée de l'Éveil. S'ils échouaient maintenant, tout aurait été inutile. C'est pourquoi il ne devait pas échouer.

— Je sais exactement ce qui est en jeu ici. Il n'y aura pas de problèmes.

Croyant son ami sur parole, Rune hocha la tête.

— Ma sorcière n'est toujours pas au courant de ce qui s'en vient. Jusqu'au jour où elle se réveillera, je resterai ici et je t'aiderai.

Torin sourit, se surprenant lui-même. Combien de temps s'était-il écoulé depuis qu'il s'était produit quelque chose qui lui donne une raison de sourire ? À combien de siècles de terribles souffrances avait-il survécu, à regarder sa femme en étant incapable de la réclamer ? Pendant des lustres, la brûlure constante d'un besoin insatiable l'avait accompagné. Mais maintenant, il entrevoyait la fin. Le moment où toute cette attente serait récompensée.

— Quand ai-je eu besoin d'aide pour avoir une femme dans mon lit ?

Mais même si les mots avaient quitté sa bouche, Torin savait que cette femme était différente. C'était plus que quelques heures de plaisir. C'était l'éternité. Et à moins que Shea ne se donne à lui avec cette connaissance, cette totale acceptation, rien ne changerait, et leur chance serait perdue.

— Comment vas-tu éveiller les souvenirs ? demanda Rune.

— Elle a déjà des visions, lui répondit Torin.

Il l'avait observée pendant des années. Il savait que pour Shea, l'exécution de sa tante avait ouvert un étroit sentier vers son passé. Il l'avait vue se réveiller en hurlant à cause de cauchemars qui, à son insu, étaient en fait des souvenirs. Il l'avait observée pendant qu'elle luttait pour maintenir une « normalité ». En secret, il l'avait protégée chaque fois qu'elle s'enfuyait des ennemis réels et imaginés.

Et il avait été affamé. Tout comme il l'était maintenant.

Vie après vie, Torin avait brûlé pour elle et seulement pour elle.

— Elle doit se rappeler le passé. Cette vie-là.

— Elle le fera.

Elle devait le faire. Torin tourna son regard vers le paysage sombre pendant que ses pensées dérivaient vers une époque lointaine, il y avait très longtemps. Jusqu'au moment où tout avait changé pour eux. Des images traversèrent son esprit, claires et distinctes. Il sentit le pouvoir augmenter. Il ressentit le choc de l'échec, la terreur et la douleur brute du regret.

Ils avaient renoncé à tellement de choses cette nuit-là.

Tout cela pour avoir réclamé trop de pouvoir.

Il poussa ses deux mains à travers ses cheveux et recentra son regard sur sa propre image dans le miroir. Il était un homme et il n'en était pas un. Une légende, et pourtant, plus encore. Il était, pour l'essentiel, pris dans un flux de temps qui ne se définissait pas.

Jusqu'à maintenant.

Son regard se porta sur l'homme à côté de lui. Un Éternel. Un frère. Moins qu'humain, mais plus que mortel. Il y en avait aussi d'autres comme eux. Des êtres qui avaient survécu à travers des siècles et qui avaient maintenant une chance pour quelque chose de plus.

Tout ce qui était requis, c'était que leurs sorcières acceptent leurs destins.

Et qu'elles les acceptent *eux*.

Chapitre 4

Shea attendit quelques minutes après le départ de son superbe ravisseur avant d'ouvrir doucement la porte de la chambre. Le long couloir était sombre, à part quelques lampes encastrées dans le mur. L'éclairage qu'elles fournissaient valait à peine la lueur d'une bougie. Au moins six portes donnaient sur le couloir, et au bout, près du haut de l'escalier, Shea aperçut une femme aux cheveux gris acier assise sur une chaise avec la colonne vertébrale droite comme un bâton. La vieille femme lisait un livre, mais Shea n'était pas dupe. La femme n'était pas en pause.

Elle était de garde.

« Merde. »

Refermant la porte avec un léger clic, Shea chercha vainement une serrure, puis admit silencieusement que même s'il y en avait eu une, elle n'aurait pas tenu contre l'homme qui venait de partir. Elle n'avait jamais vu un homme plus... puissamment *masculin*. Ce n'était pas que ses muscles, même s'ils étaient plutôt impressionnants. Il y avait quelque chose d'autre qui alimentait le truc mâle indomptable. Il était entouré d'une sorte d'aura. Une aura qui disait « danger » pour quelqu'un d'assez stupide pour le défier.

Ce qu'elle avait tout à fait l'intention de faire.

« Un rituel d'accouplement ? »

Il n'en était pas question.

Mais alors même que cette pensée explosait dans son esprit, son corps réagissait d'une manière complètement différente. Le désir coursait à travers elle, et sa peau lui semblait se chauffer et se serrer. Son esprit lui criait de courir, et son corps la pressait de rester.

Après tout, il l'avait sauvée.

Il l'avait sauvée d'une foule qui l'aurait tuée si on lui avait donné la moitié d'une chance de le faire.

« Mais il n'est même pas humain. »

Difficile d'oublier comment les flammes sautaient et dansaient sur sa peau. Difficile aussi d'oublier l'éclat de quelque chose de dangereux dans ses yeux gris pâle.

Shea souffla et s'efforça de concilier ce qui lui était arrivé en l'espace de quelques heures. Une seule chose était certaine : il fallait qu'elle s'échappe. De l'homme qui lui en demandait trop et des ennemis qui, elle le savait, la suivraient sans relâche.

Il fallait qu'elle disparaisse.

Encore une fois.

Elle s'appuya contre la porte fermée, en même temps que son regard balayait la chambre douillette. Elle devait rendre justice à son ravisseur. Au moins, il l'avait emmenée dans un fichu palais. Mais un piège élégamment aménagé était toujours un piège.

— Où diable suis-je, au juste ?

Malibu, se souvint-elle tout à coup, sachant tout de même que cela ne l'aidait pas beaucoup de savoir où elle était. Long Beach, sa maison, sa voiture, se trouvaient à environ une cinquantaine de kilomètres. Il l'avait emportée d'une foule meurtrière et l'avait emmenée d'un lieu où tout lui était familier pour la déposer au milieu de l'inconnu.

« Très bien », se dit-elle en hochant la tête.

Ce n'était pas la première fois qu'elle se retrouvait dans des situations difficiles. Elle savait trop bien comment gérer les menaces. Elle s'occupait de sa propre sécurité depuis des années. Mais dans son cas à *lui*, elle manquait d'indices pour lui faire face.

« Torin. »

La seule pensée de son nom envoya des vagues de conscience en elle. Elle ferma les yeux contre la sensation que… *quelque chose* était imminent. Ce quelque chose, elle était incapable de le nommer. Mais au moment où elle le fit, des images remontant d'un coin éloigné de son esprit clignotèrent à l'arrière de ses yeux comme un diaporama kaléidoscopique. Des visages, des lieux, des voix se présentaient dans un flot impressionnant qui n'avait absolument aucun sens. C'était comme si les souvenirs de quelqu'un d'autre se précipitaient dans son esprit, mais si c'était vrai, pourquoi était-ce *elle* qui les voyait ?

Elle vit des feux en train de brûler, elle entendit un cri qui semblait tiré des profondeurs d'une âme. Elle entrevit une noirceur efflorescente qui s'étendait et s'étirait comme une fleur noire s'élevant du jardin de la mort.

Instantanément, Shea ouvrit les yeux, cherchant son souffle pendant que son estomac effectuait une rapide embardée. Elle ferma ses lèvres très serré et avala convulsivement pour lutter contre la soudaine envie de vomir. Les choses allaient déjà assez mal sans qu'elle soit malade en plus de tout le reste. Elle savait qu'elle ne pouvait se permettre de céder aux sensations qui l'envahissaient. Pour le moment, il lui fallait envisager des choses plus importantes. Les nerfs à vif, l'esprit encore sous le choc, elle s'éloigna de la porte, traversa la chambre vers le balcon et sortit.

Soulevant son visage vers le vent froid qui l'agressait, elle espéra que les images encore fraîches dans son esprit s'estompent. Depuis des mois, elle faisait des rêves remplis de formes et de sons effrayants. Elle ne pouvait jamais s'en souvenir au réveil, mais plus d'une fois, elle avait été tirée de son lit, cherchant désespérément un souffle qui n'arrivait pas. Mais maintenant, ces collages d'images mentales étaient plus forts, plus nets. Elle ignorait ce qui se passait, mais quoi qu'il en soit, elle était convaincue que cela avait quelque chose à voir avec Torin.

Donc, plus vite elle lui échapperait, mieux ce serait.

La brise glaciale de l'océan la poussa comme si elle essayait de la ramener à nouveau dans la chambre. Mais Shea ne se leurrait aucunement. Elle ne pouvait rester ici. Oui, il l'avait sauvée de la foule, mais il ne l'avait pas laissée partir. Et elle n'allait pas rester dans les parages pour voir ce qu'il avait prévu pour elle.

La seule à qui elle savait pouvoir faire confiance, c'était à elle-même.

Son regard se concentra sur le monde au-delà de la cour clôturée qui l'entourait. Il y avait des dangers là-bas, elle le savait. N'avait-elle pas été en cavale pendant les dix dernières années de sa vie? Elle savait que la PM et le Bureau de la sorcellerie la surveillaient de quelque part. Elle savait également que les civils, comme ceux remplis de peur et de haine qui l'avaient entourée l'après-midi même à l'école étaient peut-être plus dangereux que les autorités fédérales.

Et tout de même, il y avait peu de choix. Elle devait prendre un risque.

Elle ne pouvait demeurer avec son geôlier. Sa présence avait des effets sur elle. Et elle ne pouvait risquer de demeurer dans les parages pour découvrir ce qui pourrait survenir. Non seulement cela — il y avait une autre bonne raison de s'enfuir.

— Rite d'accouplement, murmura-t-elle, se souvenant que tous les dangers ne consistaient pas simplement en une menace pour sa vie.

Instantanément, de la chaleur s'épanouit en elle, et son corps se mit à trembler d'être sous, sur et autour de cet incroyable mâle. Mais elle ne pouvait empêcher ses hormones de réagir. Ce n'était que la nature. De la chimie.

Elle était plus que cela.

Elle avait un cerveau et elle allait s'en servir.

Baissant les yeux vers le buisson d'hortensias sous le balcon, Shea réfléchit aux dangers de se blesser si elle tombait dans le buisson.

— Dans le pire des cas, je me casse une jambe et je reste coincée ici, murmura-t-elle, comme si entendre sa propre voix lui infuserait le courage dont elle avait besoin. Dans le meilleur des cas, je suis partie d'ici et en fuite.

Elle n'avait pas la valise qu'elle conservait dans son coffre de voiture, mais une vérification rapide de son soutien-gorge l'informa qu'elle disposait toujours de son magot d'urgence. Elle trouverait un bus ou une gare, achèterait un billet et disparaîtrait.

N'osant pas perdre plus de temps, Shea grimpa sur le rebord du balcon et jeta un dernier regard vers la chambre vide et luxueuse qu'elle laissait derrière elle. Mais la chaleur et le luxe ne suffisaient pas. Parfois la sécurité, c'était la grand-route et un vent froid dans le dos. Elle prit une grande inspiration, puis tourna son esprit vers le problème qui la concernait maintenant. Avec prudence, elle se laissa descendre jusqu'à ce qu'elle atteigne le bord inférieur de la rampe, ses mains agrippant fortement la base du fer tordu. Un froid humide pénétrait ses os et alimentait le froid sombre déjà installé dans le creux de son estomac.

Elle ne pouvait qu'espérer que son geôlier ne se trouve pas en ce moment dans une chambre avec vue sur le buisson d'hortensias. Ses jambes se balancèrent librement, ses pieds hésitant pour trouver un point d'appui absent. Elle s'immobilisa pour compter lentement jusqu'à cinq, se mordit la lèvre, ferma les yeux et se laissa aller.

Un bref, mais apparemment interminable laps de temps s'écoula, puis elle tomba sur le buisson. De lourdes branches et des bouquets de fleurs couleur lilas brisèrent sa chute, mais l'air sortit précipitamment de ses poumons sous l'impact. Grimaçant au bruit de sa chute, elle attendit pour voir s'il y aurait un cri de protestation, si quelqu'un dans la maison avait entendu le vacarme et s'il était même en train de courir vers elle pour la capturer de nouveau.

Mais comme il n'y eut rien, elle prit une grande inspiration et fit un rapide inventaire mental. Rien de cassé, Dieu merci. Endolorie, meurtrie sans doute, mais prête à courir. Elle leva les yeux vers les épaisses feuilles sombres et autour de celles-ci et fut soulagée de voir que le buisson qui l'entourait donnait contre un mur de la maison. Pas de fenêtres. Donc impossible pour Torin d'avoir été témoin de sa chute.

Maintenant, tout ce qu'il lui restait à faire, c'était de fuir avant qu'il ne découvre qu'elle avait disparu.

Décollant d'urgence, Shea réussit à se libérer de la dense plante, puis chancela sur ses pieds. Instantanément, elle se dirigea vers les ombres les plus sombres sur la pelouse. Elle savait qu'il y avait un mur élevé autour de la propriété, mais elle avait déjà remarqué que de robustes arbres centenaires bordaient le périmètre. Certainement que l'un d'eux serait assez près du mur, et qu'avec un peu de chance, elle pourrait l'utiliser pour se hisser par-dessus et prendre la voie de la liberté.

« Liberté. »

Ce mot était comme un talisman. Elle devait rester libre. Et pas seulement de Torin, mais des organismes qui la poursuivaient. Libre des civils qui seraient sans doute sur leurs gardes à son égard. Elle devait trouver un moyen de se cacher assez profondément pour que le monde finisse par l'oublier.

Shea s'accrocha aux ombres, continuant à se baisser, s'attendant à tout moment à entendre un cri. À sentir des bras musclés couverts de flammes l'entourer. À lever les yeux dans des yeux gris aussi impitoyables qu'envoûtants. Elle prit une grande inspiration et plongea sous la branche basse d'un chêne qui semblait avoir existé à cet endroit pendant un siècle ou plus. Après avoir enlevé ses chaussures, elle les inséra dans la ceinture de sa jupe. Il serait plus facile de grimper pieds nus. Une dense voûte de feuilles la cachait de la vue alors qu'elle levait sa jupe jusqu'à ses cuisses, attrapait une branche épaisse et se hissait vers le haut. Ses genoux blessés éraflèrent l'écorce, et une douleur à laquelle elle n'avait pas le temps de prêter attention la transperça.

Shea jeta un rapide coup d'œil à travers les feuilles vers la maison éclairée derrière elle.

Aucun signe de poursuivant. Pourtant. S'accrochant à une branche, elle prit ses chaussures et les lança l'une après l'autre, par-dessus le mur. Ses pieds nus marchèrent sur les lourdes branches du chêne jusqu'à ce qu'elle soit à la portée du sommet du mur. Se penchant, elle accrocha fermement l'arbre d'une main, et tendit le bras vers le mur de l'autre.

«Ne regarde pas en bas», se dit-elle, se concentrant uniquement sur le haut du mur de parpaing. Elle ravala sa peur, lâcha l'arbre et grimpa sur le mur, s'étendant de tout son long sur le dessus. Elle jeta un rapide coup d'œil sur la rue plus bas.

La maison de Torin était située en retrait de la route principale où les réverbères jetaient de légers cercles dorés de lumière. Ici, près du mur, il n'y avait que plus d'obscurité.

«Encore mieux», pensa-t-elle.

Rester loin de la lumière l'aiderait à se dissimuler. Elle se balança sur le bord, enfonça ses orteils dans le mur, puis elle se laissa tomber prudemment au sol. À tâtons, elle chercha ses chaussures, les enfila, et se précipita vers la route.

Elle détestait devoir se retrouver près de la rue principale, car Torin la suivrait bientôt. Mais quel choix lui restait-il? Elle n'était même pas certaine de l'endroit où elle était.

Ses talons frappaient légèrement sur l'asphalte, et elle grinça des dents même à ce léger bruit. Mais il valait mieux risquer le bruit que de marcher sur quelque chose et se blesser avant de réussir à prendre une longueur d'avance.

Sa respiration était haletante et inégale, et ses longs cheveux roux tombaient en boucles autour de ses épaules. Son regard balayait constamment son environnement, et elle sursautait à chaque bruissement du vent dans un buisson. Quelque part sur la route, un chien se mit à hurler, et Shea frissonna.

Au-dessus de sa tête, des nuages traversaient le ciel. Le vent omniprésent balayait ses cheveux et ses vêtements de ses doigts glacés, et à travers tout le bruit, le battement rythmique de l'océan résonnait dans l'air.

Au coin, Shea repoussa ses cheveux de son visage et s'arrêta dans l'ombre, son regard balayant la route devant elle. Pas beaucoup de circulation. Il devait être plus tard qu'elle l'avait cru. Les résidents étaient tous à l'abri derrière les clôtures opaques entourant leur propriété, en sécurité dans leurs élégantes demeures. Et avec un peu de chance, aucun d'entre eux ne saurait jamais qu'elle avait été là.

Elle entra dans la rue, évitant les cercles de lumière projetés par les réverbères à l'ancienne. Heureusement, cette partie de Malibu préférait de toute évidence la forme à la fonction. Si l'éclairage avait été plus moderne, elle aurait eu beaucoup plus de mal à rester invisible. Dans le cas présent, elle devait se déplacer rapidement, marcher sur l'herbe et le gravier, essayer de mettre autant de distance que possible entre elle et Torin. Ensuite, elle serait libre de se perdre dans une autre identité.

La tension dans sa poitrine diminuait à chaque pas. Elle allait survivre. Elle l'avait déjà fait. Elle pourrait y arriver de nouveau. Cette fois-ci, ce n'était pas différent.

Mais c'était différent.

La dernière fois qu'elle avait disparu, elle n'était pas une meurtrière. Maintenant, elle l'était. Elle avait tué cet homme qui l'avait attaquée. Qu'elle ne l'ait pas voulu n'était pas important. Erreur ou préméditation, il était tout simplement mort. Elle mordit sa lèvre inférieure et se dit que c'était un accident. Jusqu'à aujourd'hui, dans sa vie, elle n'avait jamais fait de mal à personne.

Shea glissa une main sur ses yeux, essuyant la piqûre des larmes avec impatience. Cela ne lui donnerait rien de s'apitoyer. Cela ne changerait rien. Ce qui était arrivé était arrivé, et il était impossible de revenir en arrière.

Alors elle avancerait.

Et qu'en était-il du *feu*? L'impulsion d'énergie qui était sortie du bout de ses doigts? Qu'était-elle censée faire à ce sujet? Pendant dix ans, devant qui voulait l'entendre, elle avait nié être une sorcière. Mais maintenant, cet argument ne fonctionnerait plus, même avec elle-même. Qu'elle le veuille ou non, il y avait de la magie en elle. Et elle ne le voulait vraiment pas.

Il était même dangereux d'être simplement soupçonnée de magie.

Mais être vraiment une sorcière représentait généralement une condamnation à mort.

Fronçant les sourcils devant ses propres pensées éparpillées, Shea se dit qu'elle suivrait les conseils de Torin et qu'elle apprendrait à maîtriser son pouvoir. Le simple fait d'être porteuse de magie ne signifiait pas qu'elle devait s'en servir. Elle ferait cesser la magie. Elle essaierait de tout comprendre. Mais elle le ferait à sa manière et prendrait le temps nécessaire. Elle n'allait pas faire confiance à qui que ce soit. Certainement pas à un homme capable de manifester les flammes qui la terrifiaient.

Toute seule, elle serait en sécurité.

C'était le seul moyen.

Elle sourit, se baissa sous les branches d'un jacaranda, ses feuilles dentelées chatouillant sa peau. Le glissement souple de ses chaussures sur l'herbe était le seul bruit, à part l'océan. Même le chien solitaire avait cessé de hurler. Peut-être que c'était un bon signe, se dit-elle.

Elle était libre. Le danger était derrière elle, et la sécurité se trouvait à portée de la main.

Une voix profonde éclata derrière elle.

— Je te tiens !

Chapitre 5

— Partie?

Torin plissa les yeux vers la gouvernante. Anna vibrait presque tant elle était agitée. Elle détourna le regard pour éviter de le regarder directement, et ses poings étaient si serrés à sa taille que les articulations de ses mains étaient blanches.

Pour gagner du temps, Torin se dirigea vers l'escalier, voulant constater par lui-même que Shea avait effectivement disparu. Il entendit Anna et Rune juste derrière lui, mais il ne prit pas la peine de regarder en arrière. Au lieu de cela, il se contenta de gronder.

— Que voulez-vous dire, elle est partie?

— Exactement ce que je viens de dire. Je sais que vous m'avez expliqué que personne ne devait aller dans sa chambre, dit Anna d'une voix haletante alors qu'elle se dépêchait de le suivre, mais j'ai entendu un bruit bizarre et j'ai pensé qu'il était préférable de vérifier.

— Et...

Il atteignit le haut de l'escalier, vira vers la gauche et sortit dans le couloir, le regard fixé sur la porte ouverte de la chambre de Shea.

— Et, rien, dit la vieille femme. Elle n'était pas là.

— Où, au nom des dieux, peut-elle être partie ?

La question méchamment murmurée par Rune résonna dans l'esprit de Torin. En même temps que sa propre question. Pourquoi serait-elle partie ? Femme insensée. Elle savait qu'elle était en danger. Ne venait-il pas tout juste de la sauver de la foule il y avait quelques heures à peine ? Pourquoi aurait-elle risqué de s'enfuir ?

L'avait-il poussée trop durement, trop rapidement ? S'était-il attendu à trop, trop tôt ? Non, se dit-il fermement. Ça faisait une éternité ! Quelle sorte de patience devait-il démontrer ? Putain de sorcière !

Avec ces questions et d'autres qui traversaient ses pensées, Torin entra dans la chambre de Shea et activa tous les sens dont il disposait. Il ferma les yeux, essayant de l'atteindre, essayant de la retrouver comme il l'avait fait pendant d'innombrables siècles. Il y avait un lien entre un Éternel et sa sorcière, et peu importe à quel point ces chaînes d'attachement se fragilisaient à certains moments, elles n'étaient jamais tout à fait rompues.

À moins…

Il jeta un coup d'œil vers Rune.

— Il n'y a rien. Je ne peux pas la sentir du tout.

— Alors elle a été capturée. Ils ont probablement employé de l'or blanc sur elle pour réduire son pouvoir.

L'or blanc inhibait les pouvoirs magiques. Autant pour un Éternel que pour une sorcière. C'était comme un champ qui affaiblissait, où le pouvoir était étouffé et les connexions, presque impossibles à maintenir. Torin ne pouvait utiliser la magie même qui le liait à Shea pour la retrouver. Une fois que le pouvoir était éteint, son lien avec elle était sinon rompu, du moins amoindri.

Il se dirigea vers le balcon et jeta un coup d'œil à la nuit et au monde au-delà de son enceinte. C'est ici qu'il lui avait offert la sécurité. Il avait offert sa puissance et l'accouplement qui leur ouvriraient la voie, à tous les deux, d'un sombre passé vers un avenir libre de vieux péchés et d'amers regrets.

Et elle s'était enfuie.

— Par les étoiles, murmura-t-il, à quoi a-t-elle pensé ? Se soumettrait-elle vraiment à la compassion des humains ?

Rune arriva près de lui et lui donna une petite tape sur l'épaule dans un geste de camaraderie.

— C'est toi-même qui l'as dit, elle ne se souvient pas. Elle ne sait pas encore qui elle est, et ce que cela représente. Ou ce que tu es pour elle.

Torin se tourna vers lui, bouillonnant de colère.

— Et je devrais être *patient* pour combien de temps encore ? Pendant des siècles, nous avons attendu. Maintenant que le temps est venu, j'aurais dû la prendre dès le moment où elle est entrée dans cette maison. J'ai pensé lui donner le temps de s'adapter. D'accepter que l'accouplement allait commencer.

Il s'éloigna du rail du balcon et secoua à nouveau sa longue chevelure noire.

— Non, la patience n'a servi aucun de nous. Maintenant, je la retrouverai, et nous en finirons. Finalement, et enfin, nous y mettrons fin.

Rune le regarda fixement pendant un long moment avant de faire un geste d'acquiescement. Torin ne se souciait pas de savoir si son compagnon Éternel partageait ou non ses sentiments. Maintenant, plus rien d'autre que Shea Jameson ne comptait. Et que les dieux protègent quiconque tenterait de l'éloigner de lui. Parce que Torin était dépourvu de miséricorde.

Torin posa une main sur la rampe et sauta par-dessus le balcon. Il atterrit doucement, juste au-delà du buisson qui avait manifestement atténué la chute de Shea. Femme idiote, ne se rendait-elle pas compte de ce qu'elle risquait en mettant sa propre vie en danger ? Croyait-elle vraiment que les humains de ce monde étaient plus dignes de confiance que *son Éternel* ?

Chapitre 6

Plus effrayée qu'elle ne l'avait jamais été, Shea se défendit pendant que de solides mains l'attrapaient et la tiraient en lui faisant perdre l'équilibre. Avant qu'elle puisse prendre une grande inspiration pour hurler, une main de fer s'abattit sur sa bouche. Elle essaya de la mordre, mais sans succès.

— Immobilisez-la au sol!

Une voix différente, plus grave, avait murmuré l'ordre. Plus d'un homme tournait autour d'elle, la touchait, essayait de la plaquer au sol.

— Surveillez ses mains! murmura méchamment quelqu'un d'autre.

Ses mains. L'impulsion d'énergie. Le feu. Elle ne voulait blesser personne, mais elle n'allait pas non plus leur permettre de lui faire du mal. Elle leva les deux mains, mais les laissa tomber à nouveau lorsqu'on la gifla si violemment que sa tête claqua sur un côté et que des larmes jaillirent de ses yeux.

Encore et encore, elle donna sauvagement des coups de pied, et dans sa tentative aveugle de se libérer, elle frappa quelqu'un. Elle entendit un grognement de douleur. Puis un autre homme lui saisit les chevilles et l'immobilisa.

Toujours à leur merci, Shea se mit à ruer, se tordant et se débattant, mais ils étaient trop forts et ils étaient tout simplement trop nombreux.

La peur s'élevait rapidement et profondément en elle. Ses pensées se bousculaient, et son cœur battait si frénétiquement qu'elle avait l'impression qu'il sortirait de sa poitrine. On l'avait attrapée. Avant même qu'elle eût parcouru un kilomètre de la maison de Torin, on l'avait trouvée et prise au piège. Et si elle ne pensait pas rapidement, elle allait disparaître entre les mains de quelqu'un d'autre.

Quelque chose de froid se drapa autour de son cou et même si elle se débattait, Shea sentit un poids tomber sur son âme. Elle se sentait lourde, plombée. Son corps n'était pas affecté par ce qu'ils lui faisaient, mais son âme était écrasée. Elle tenta de lever ses mains, mais elle ne put trouver la volonté nécessaire pour y arriver. L'étincelle d'énergie qu'elle avait ressentie cet après-midi lorsqu'elle avait fait face à l'agresseur était bloquée en elle, se débattant, comme elle, pour s'échapper.

— Stupide sorcière, murmura l'un des hommes, si près de son oreille qu'elle sentit son souffle chaud sur sa peau. Vous croyez que nous allons vous donner une chance de nous griller comme vous l'avez fait avec ce pauvre bâtard aujourd'hui?

«Oh mon Dieu.»

— Je n'ai pas…

Quelqu'un la gifla à nouveau, mais elle ne pouvait pas voir celui qui l'avait fait. Ce n'était pas important. Ils étaient tous contre elle. Ils travaillaient tous de concert pour l'empêcher de s'échapper. Ils pourraient tout aussi bien avoir été une seule entité. Dans l'obscurité, les hommes qui l'entouraient étaient à peine des ombres sombres. Ils se déplaçaient, bougeaient constamment, comme s'ils faisaient attention pour ne pas devenir eux-mêmes des cibles.

Elle ne pouvait pas leur faire de mal — et ils le savaient, de sorte que leur prudence provenait bien plus de leur peur sous-jacente. Ce qu'elle comprenait. N'avait-elle pas elle-même vécu avec la peur au ventre pendant plus de dix ans ? N'avait-elle pas tremblé chaque fois qu'on frappait à la porte ? À chaque sonnerie du téléphone ? Et à quoi tout cela avait-il servi ?

Elle s'était tout de même retrouvée ici, une captive allongée dans la boue, avec des mains étrangères se déplaçant sur son corps pendant qu'elle se retrouvait prise au piège. Quel que puisse être son « pouvoir », il était endormi. Et elle espéra vraiment que ce ne fut pas le cas.

Oui, cet après-midi-là, elle avait tué un homme avec cette magie, et ce geste l'avait désolée. Mais maintenant, elle donnerait n'importe quoi pour disposer de ce pouvoir au besoin. Elle devait s'enfuir. Et à présent, elle n'avait aucune chance de s'en sortir. Cette main solide demeurait posée sur sa bouche pendant qu'on la forçait à se placer sur le ventre. Des morceaux de terre et de gravier sillonnaient son visage. Ses bras étaient tirés avec force derrière son dos, et une attache de plastique était fixée autour de ses poignets, creusant douloureusement dans sa peau.

Elle gémit et se tortilla contre les contraintes jusqu'à ce qu'une nouvelle voix entre dans la mêlée et Shea s'immobilisa pour écouter.

— C'est elle, n'est-ce pas ?

La voix d'une femme, excitée, à bout de souffle.

— J'avais raison. Je le savais, j'ai dit à mon mari quand je l'ai vue sur le balcon de cet homme : « C'est la femme des nouvelles. La sorcière qui a tué ce pauvre homme aujourd'hui. »

« Voilà comment on m'a retrouvée », songea Shea avec un gémissement intérieur.

Une civile l'avait repérée et l'avait rapportée. Mais qui étaient ceux qu'avait appelés la femme ? Qui étaient ces hommes et qu'allaient-ils lui faire maintenant ?

— Oui, c'est elle, madame, dit un homme d'une voix rauque de trop de cigarettes. Maintenant, retournez chez vous. Nous nous occuperons d'elle.

« S'en occuper comment ? » se demanda frénétiquement Shea.

Allaient-ils la tuer ? D'abord la torturer et la violer ? Les sorcières n'avaient aucun droit, et elle savait qu'un public reconnaissant épinglerait sans aucun doute une médaille sur toute personne pouvant prouver avoir tué une sorcière.

Tout à coup, Torin paraissait beaucoup mieux à ses yeux. À présent, elle ne voulait rien de plus que de retourner dans cette chambre luxueuse avec le grand homme à l'air féroce se tenant entre elle et le danger. Si cela faisait d'elle une lâche, elle était prête à vivre avec ce jugement. Mais étant donné qu'elle était toute seule, elle devait essayer de raisonner avec les hommes imposants qui l'entouraient.

Combien étaient-ils ? Trois ? Quatre ?

Son pouls tonna dans ses oreilles, et le goût de la peur était fort et amer sur sa langue. Elle se tortillait vainement contre l'homme qui la tenait par-derrière, mais en se tordant, elle réussit à libérer son visage de la main de l'autre homme.

— Arrêtez, s'il vous plaît… Je ne suis pas ce que vous pensez.

Des mensonges. Elle était exactement ce qu'ils croyaient qu'elle était. Ce qu'elle avait nié pendant dix longues années. Et le pire? Ils le savaient.

— Vous entendez ça? dit un homme à sa droite, puis il se moqua sur un ton de fausset. «S'il vous plaît.»

— Ne l'écoute pas, lui dit un autre. Elle pourrait te jeter un sort.

«Si seulement j'en étais capable.»

Quelqu'un se mit à ricaner, puis ordonna :

— Va chercher la camionnette.

«Camionnette?»

Ils l'emmenaient quelque part. Et comment Torin pourrait-il la retrouver?

Elle secoua la tête, désespérée de trouver une façon d'atteindre ces hommes.

— Je ne sais pas comment jeter des sorts. Vraiment. Je ne suis pas ce que vous pensez. Je suis professeure de sciences de sixième année. Voilà tout. C'est une énorme erreur.

Son seul espoir était de convaincre ces hommes qu'elle était innocente. Mais, se souvint-elle, des erreurs se produisaient continuellement ces jours-ci, et des femmes continuaient de disparaître.

— Bâillonnez-la.

— Non!

Elle était déjà attachée, s'ils la bâillonnaient en plus, elle ne croyait pas pouvoir le supporter. Shea poussa une respiration profonde et terrifiée. Elle manquait de temps, et même d'espoir. Personne ne courait à sa rescousse. Il n'y avait pas de cavalerie, et elle venait tout juste de s'enfuir de la seule personne qui aurait pu la garder en sécurité.

Elle était en train de tomber dans un trou qu'elle avait elle-même creusé et maintenant, elle était impuissante à l'empêcher de s'agrandir encore plus. On la bascula sur le dos, et malgré ses supplications, l'un des hommes se pencha pour lui fixer un bâillon sur la bouche. Et elle réussit à obtenir son premier bon coup d'œil sur ses ravisseurs.

Uniformes noirs. Brassards jaunes. Insignes dorés qui brillaient à la faible lumière.

La police de la magie l'avait finalement rattrapée.

Chapitre 7

Torin avait remarqué que Rune avait sauté pour le suivre, mais il n'attendit pas son vieil ami. Au lieu de cela, il suivit l'odeur déclinante de sa femme et se précipita dans la cour vers le mur. Mêlé à une rage aveugle et à un besoin urgent de la retrouver, un soupçon d'admiration montait en lui.

Elle avait grimpé sur ce maudit arbre et escaladé le mur pour lui échapper. Shea Jameson était une femme forte. Une sorcière d'une grande puissance. Une sorcière dont la volonté était assez solide pour prendre des risques qu'elle n'avait aucun droit d'envisager. Alors que d'un côté, il éprouvait du respect pour sa formidable volonté, d'un autre, il lui reprochait d'avoir risqué sa vie plutôt que de lui avoir fait confiance pour la protéger.

Lorsqu'il la retrouverait, il s'assurerait de la convaincre de ne plus jamais le défier. Elle lui ferait confiance parce que c'était quelque chose qu'elle lui devait. N'avait-il pas été à ses côtés lorsque la mort l'avait réclamée, une vie après l'autre ? N'avait-il pas attendu que son âme renaisse pour pouvoir porter à nouveau la cape de protecteur ?

Tout cela ne prouverait-il pas à cette femme qu'il avait gagné sa place à côté d'elle?

Une fois dans la rue, il suivit sa piste, courant dans l'obscurité, à l'aise avec les ombres comme nulle part ailleurs. Le grondement de l'océan tonnait à l'arrière-plan alors que les vagues allaient s'écraser contre les falaises. Les lumières flamboyaient dans les maisons qu'il dépassait, mais il ne leur accorda aucune pensée. Que lui importaient les civils, quand son esprit était concentré uniquement sur sa sorcière?

Torin s'arrêta net, lorsque le parfum de Shea se dissipa brusquement. Il ne capta aucun signe d'elle dans le vent et n'obtint rien même en accédant aux sens profonds d'un Éternel. Shea avait disparu aussi complètement que si elle était entrée dans un trou dans la terre. Marmonnant des menaces dans sa barbe, il mit un genou au sol pour examiner de plus près.

Il y avait eu une bagarre ici. Une lutte. Elle avait été plaquée au sol par trois — *quatre* hommes. Et une femme. Torin fronça les sourcils pour lui-même lorsqu'il reconnut l'odeur de l'une de ses voisines. Une vieille femme qui fourrait son nez partout dans le monde à l'extérieur de sa propre maison. Elle devait avoir vu Shea chez lui et l'avait rapportée. Ce qui signifiait que ceux qui avaient attrapé Shea étaient sans aucun doute des agents officiels.

C'était au moins quelque chose, se dit-il, alors même qu'une envie sauvage et effrénée de la retrouver le submergeait. Les fonctionnaires, même s'ils étaient cruels, tuaient rarement sur le coup la femme qu'ils capturaient. Ils l'emmèneraient dans un camp. Quelque part où ils pourraient l'interroger. L'enfermer. Loin de lui.

La rage qui boursouflait déjà les entrailles de Torin se transforma en un brasier qui le consumait alors qu'il sentait les traces persistantes de la peur et de la panique de Shea. Il leva les yeux, ses longs cheveux se soulevant dans le vent pendant que ses yeux se plissaient, fixant la route sombre qui s'étendait devant lui. Des mâles humains avaient attrapé sa femme et s'ils lui avaient fait du mal, se dit-il, alors ils feraient mieux d'espérer que leur Dieu soit prêt à les protéger.

Alors que Torin se tenait là, Rune courut se joindre à lui. Une fureur froide et vicieuse le brûlait, étranglait chaque souffle, l'inondait d'un froid glacial aussi noir que la nuit qui les entourait.

— Disparue, dit-il, ce seul mot lui raclant la gorge comme du verre brisé.

Son corps se raidit, ses énormes mains se serrant pour former des poings à ses côtés. Il ne pouvait la sentir. Impossible de sentir sa présence nulle part. Et cela signifiait une seule chose.

Celui qui l'avait prise avait verrouillé ses pouvoirs.

— Où?

Torin tourna la tête pour jeter un bref regard à son ami.

— Je ne peux pas le dire. Je ne peux plus la sentir.

Rune jura à voix basse, puis il se calma, rassemblant ses forces pour ce qui se passerait ensuite, peu importe ce que c'était.

Torin sentit la chaleur de la solidarité qui commençait à dissiper le froid glacial en lui.

— Nous suivons les odeurs de ses ravisseurs aussi loin que nous en sommes capables.

Il savait que même la puanteur humaine se dissipait avec le vent et la distance. Mais il fallait commencer quelque part.

Il leva les bras et permit au feu — son essence même — de se manifester. Des flammes dansèrent et léchèrent sa peau jusqu'à ce que chaque centimètre de son corps bourdonne de l'énergie magique qui l'envahissait. Il sentait ses forces se gonfler et se développer jusqu'à ce qu'elles finissent par éclater, remplissant chacune de ses cellules du pouvoir qu'il avait commandé pendant des siècles.

Ça lui était égal que la vieille femme ou l'un de ses autres voisins regarde par la fenêtre et le voie. Torin ne se préoccupait pas de se déguiser lui-même ou de dissimuler sa vraie nature. Les humains n'avaient aucun pouvoir sur lui, et il n'avait pas le temps de se camoufler simplement pour les empêcher d'avoir à admettre l'existence d'encore plus de magie.

Il concentrait maintenant son esprit sur une chose.

Trouver les hommes qui lui avaient enlevé Shea.

Leurs odeurs étaient encore nettes pour lui, teintant l'air de traces qui leur étaient particulières. Il capta facilement le sentiment persistant de la peur et de l'excitation des hommes. Ces hommes aimaient leur travail, saisit-il avec tristesse — ils aimaient capturer et tourmenter les femmes, qu'elles soient des sorcières ou pas. Bientôt, songea Torin, il leur montrerait qu'ils avaient tort d'agir ainsi. Mais il les utiliserait d'abord comme ils avaient utilisé les femmes qu'ils avaient capturées pour assouvir leurs propres instincts élémentaires.

Il laisserait ces hommes le guider vers la seule femme au monde qui comptait pour lui.

Il regarda de nouveau Rune et il vit que lui aussi était enveloppé de flammes vivantes, l'âme immortelle de chaque Éternel. Avec la force du feu se répandant à travers eux, ils pouvaient parcourir de courtes distances dans l'espace d'un souffle. Leur magie était moins complexe que celle des sorcières auxquelles ils étaient liés. Mais leur force physique et leur talent au combat compensaient largement la différence.

La magie coulait à travers les Éternels, mais aussi puissants qu'ils puissent être, ils étaient confrontés à des limites qui pourraient les rendre vulnérables à un ennemi. Se transporter à travers de grandes distances en un éclair avait un prix et finirait par épuiser les pouvoirs mêmes dont ils dépendaient.

Lorsqu'ils emmenaient quelqu'un d'autre pour le trajet, leurs pouvoirs étaient taxés encore plus rapidement.

Pour restaurer les énergies de leur corps, les Éternels avaient besoin de repos ou de la magie du sexe. Mais Torin ne pouvait se permettre de gaspiller du temps à se soucier de savoir s'il serait assez fort pour libérer Shea une fois qu'il l'aurait retrouvée. Au lieu de cela, il se rendrait jusqu'à l'extrême limite de ses capacités. Et si un ennemi l'attrapait pendant un moment de faiblesse ? Il trouverait bien un moyen de s'en sortir.

Pour Shea, il n'y avait rien qu'il ne ferait pas.

Ne risquerait pas.

— Nous partons maintenant, ordonna-t-il.

Rune hocha la tête.

Et en un instant, les flammes disparurent, et tout ce qui resta sur la route fut les ombres qui continuaient de se déployer.

Chapitre 8

— Ce n'était pas si difficile, dit l'un des hommes à l'arrière de la camionnette.

Shea était étendue à ses pieds, allongée sur un tapis gris malodorant. Il n'y avait aucun éclairage intérieur dans ce qui devait être un fourgon de cargaison. Une rangée de sièges longeait chaque côté du véhicule. Elle gisait comme une offrande sur l'autel devant les hommes célébrant sa capture. Trois d'entre eux l'accompagnaient à l'arrière, et l'autre conduisait.

Ils avaient envoyé quatre hommes pour capturer une sorcière.

Elle ignorait si elle devait se sentir amusée, flattée, ou encore plus effrayée. De toute évidence, la peur de la magie qui se répandait dans le monde était en pleine croissance. Ils ne prenaient plus de risques.

Les ombres étaient denses à l'intérieur de la camionnette, mais alors qu'ils filaient à toute vitesse le long de l'autoroute, les lumières extérieures clignotaient sur les visages de ses ravisseurs comme un stroboscope rythmique, douloureusement brillant.

Elle ne fut pas réconfortée par ce qu'elle vit.

Ces hommes paraissaient durs et froids. Leurs traits étaient tendus, et une crainte mêlée d'admiration se lisait dans leurs yeux brillants. Ce n'était pas de bon augure pour elle. Les plus âgés l'observaient avec méfiance, tandis que le regard de la jeune recrue du peloton brillait avec plus que de la curiosité. Il y avait là une faim brute. Shea s'éloigna légèrement de lui.

Les hommes remarquèrent son léger mouvement, et un pied botté descendit sur son ventre.

— Vous restez étendue là, sorcière. N'essayez pas de sale truc. Vous avez compris?

Elle frissonna, hocha la tête et évita de croiser à nouveau leurs regards; ne voulant pas leur donner de raison d'être plus rudes avec elle qu'ils ne l'étaient déjà. La police de la magie. «Des harceleurs légaux», songea-t-elle, essayant d'empêcher que ses traits trahissent ses pensées.

La police de la magie était l'un des premiers organismes à avoir surgi lorsque la magie avait été démasquée dans le monde. Des manchettes de partout sur la planète avaient claironné que tous ces sordides journaux tabloïds avaient eu raison depuis le début. La magie existait vraiment. Les protestations du public demandant d'être protégé des soi-disant déviants avaient eu comme conséquence que chaque nation avait fait voter des lois visant à identifier les supposées sorcières d'une façon quelconque, pour les protéger. À l'époque, cela avait semblé raisonnable même pour Shea, malgré le fait que sa propre tante Mairi avait été la première sorcière à être capturée aux États-Unis.

Localiser et mettre à l'abri les femmes de pouvoir avait semblé une réponse logique. Il était évident qu'il serait plus sécuritaire d'examiner ces femmes et de les empêcher de nuire à quelqu'un d'autre. Sa tante n'avait pas voulu tuer qui que ce soit, pas plus que Shea elle-même.

Pendant que la population générale fulminait à propos de la sécurité publique, le Congrès et les autres organismes semblables avaient gardé la tête froide, ne parlant que de sécurité.

Mais au fil du temps, même certaines des lois écrites avec les meilleures intentions étaient devenues des entités entièrement différentes. L'exécution de Mairi avait annoncé le premier changement. Et au cours des dix dernières années, les organismes formés pour garder les sorcières hors d'état de nuire étaient plutôt devenus des geôliers et des bourreaux. Le tout sous un sceau d'approbation légal du gouvernement.

Les gens ne se souciaient pas de ce qui arrivait à une sorcière — pourvu qu'elle n'habite pas *leur* quartier.

Mais comme pour n'importe quoi d'autre, il existait des mouvements clandestins au sein des mouvements. Tout comme le Bureau de la sorcellerie et la police de la magie avaient gagné en autorité et en popularité, d'autres groupes, à leur manière, étaient tout aussi dévoués à trouver les sorcières. Des fanatiques religieux voyaient le pouvoir d'une sorcière comme un affront à Dieu. Les Chercheurs chassaient les sorcières dans l'espoir de trouver un moyen de s'approprier leurs pouvoirs pour eux-mêmes. Le MDS — mouvement pour les droits des sorcières — luttait et combattait au moyen du système judiciaire, affirmant qu'une sorcière avait droit aux droits fondamentaux de l'homme.

Tout le monde voulait quelque chose de la communauté de la magie. Mais cette communauté était si profondément dans la clandestinité que la plupart des femmes capturées par les chasseurs étaient des humaines ordinaires qui ne possédaient aucun pouvoir. Tout comme dans le cas des procès des sorcières de Salem, il y avait si longtemps, il suffisait d'insinuation, de rumeur ou d'un ennemi rancunier, et toute femme pouvait se retrouver enfermée avec peu d'espoir de libération.

Shea n'arrivait toujours pas à comprendre comment tout cela pouvait se produire — pas en général, mais dans son cas en particulier. Il était assez difficile d'accepter que la magie soit bel et bien vivante. Mais reconnaître qu'elle était une sorcière était encore plus difficile à accepter. Depuis plusieurs années, elle avait nié cette possibilité. Depuis l'exécution publique de sa tante Mairi.

L'esprit de Shea la transporta brusquement à cette dernière journée avec sa tante, sa seule famille. On lui avait accordé une visite «privée» avec Mairi, dans une salle ouvertement mise sur écoute, principalement parce que la police de la magie et le Bureau de la sorcellerie espéraient attraper Shea à dire quelque chose qui pourrait l'incriminer.

Mais ils avaient été déçus. Elle et Mairi avaient pleuré ensemble, elles avaient essayé de donner un sens à ce qui s'était passé, puis elles avaient prié, en vain s'était-il avéré, pour une grâce présidentielle.

Il était impossible de trouver de l'espoir. Pas quand il y avait des dizaines de témoins prêts à affirmer qu'ils avaient vu le feu bondir des mains de Mairi pour engloutir l'ex-mari violent qui essayait de l'entraîner hors de sa maison. Le principe de l'autodéfense n'avait même pas été mentionné dans le procès. Une *sorcière*, disaient les gens, n'avait rien à craindre et était elle-même une arme vivante, une arme qui respirait. Mairi, abasourdie par ce qu'elle avait fait, incapable de comprendre comment cela s'était passé, n'avait pas été en mesure d'expliquer quoi que ce soit. Elle avait été trop traumatisée pour même essayer de sauver sa propre vie.

De toute façon, le grand public n'avait pas voulu d'explication. Ce que les gens voulaient, c'était du sang. Œil pour œil, dent pour dent. Ils citaient la Bible — «Une magicienne, tu ne la laisseras pas vivre.». Comme elle était la seule parente de Mairi, des reporters suivaient Shea, attendant qu'elle affiche le même genre de pouvoir. C'était héréditaire, prétendaient des pseudo-scientifiques sur chaque débat télévisé de fin de soirée. C'était dans le sang. Si Mairi était une sorcière, alors il allait de soi que sa nièce en soit une aussi.

Et Shea avait été profondément inquiète qu'ils aient raison.

Quand Mairi avait été attachée au poteau en acier très moderne au milieu d'une grille à gaz, Shea se tenait là, regardant sa tante dans les yeux. Tous ses instincts lui criaient de courir. De s'éloigner le plus possible de ce qui se produisait. Mais elle en était incapable. Elle devait rester. Pour Mairi. Pour que sa tante puisse mourir en sachant que ce n'était pas *tout le monde* dans la salle qui savourait sa souffrance.

Lorsque le garde avait appuyé sur un seul commutateur, le gaz s'était précipité hors des conduites sous les pieds de Mairi. Puis, un autre interrupteur avait fourni l'étincelle qui avait allumé un embrasement. En quelques secondes, Mairi s'était trouvée au milieu d'un brasier.

Ses cris résonnaient encore dans les rêves de Shea.

Après cela, Shea avait disparu. Elle avait abandonné tout ce qu'elle connaissait. Elle avait quitté son travail, son appartement. Elle n'avait aucun ami à perdre, puisqu'ils s'étaient éclipsés dès l'arrestation de Mairi. Shea avait coupé ses cheveux roux foncé, les avait teints d'une teinte presque invisible de blond foncé et avait joint les rangs des personnes à qui elle avait l'habitude de donner des billets d'un dollar lorsqu'elle passait dans la rue. Pendant un certain temps, elle avait demeuré dans des refuges, ne faisant pas suffisamment confiance à une ville quelconque assez longtemps pour demeurer au même endroit pendant plus d'une nuit ou deux.

Mais après un an ou deux, elle avait pris un emploi comme serveuse, travaillant pour de l'argent, sans qu'on lui pose de questions. Elle louait une chambre de son patron et, brièvement, s'était même fait un ami. Pendant six mois, elle avait vécu comme une personne normale. Puis, une émission de nouvelles avait diffusé un segment «Qu'est-il arrivé à...» qui la mettait en vedette. Ils avaient montré des extraits de l'exécution et des prises de Shea en larmes qui défendait sa tante devant des médias qui ne s'en souciaient guère.

Elle s'était remise à courir ce soir-là.

Et elle s'était cachée dans une grande ville après l'autre. Elle avait réussi à demeurer sous le radar en évitant le Bureau de la sorcellerie et la police de la magie, gardant toujours une longueur d'avance sur eux pendant qu'elle conservait une façade de normalité. Enfin, il y a un an et demi, elle avait repris son nom et accepté un travail où elle pouvait faire ce qu'elle aimait. Elle avait cru, à l'époque, que la directrice qui l'avait embauchée avait un esprit assez ouvert pour ne pas se préoccuper du fait que la tante de Shea eut été

exécutée comme sorcière. Elle devait se demander maintenant si peut-être Mme Talbot ne l'avait pas embauchée
comme une faveur au Bureau de la sorcellerie afin qu'ils
puissent la tenir à l'œil.

Que ce soit vrai ou non, tout cela était fini.

Maintenant, elle savait qu'elle était ce qu'ils avaient
longtemps soupçonné. Les accusations étaient fondées
sur la vérité. Ils savaient ce dont elle était capable. Et elle
aussi.

— Nous ne sommes pas encore arrivés, dit une voix
grave. Ne baissez pas la garde jusqu'à ce que nous l'ayons
livrée. On ne sait pas ce qu'une sorcière emprisonnée peut
faire.

« Emprisonnée. »

Elle l'était vraiment. Elle était toute seule.

Dans d'autres circonstances, elle aurait trouvé la situation risible, puisque c'était la raison pour laquelle elle avait
quitté la maison de Torin — pour être autonome, pour ne
faire confiance à personne sauf à elle-même.

Cela s'était vraiment bien passé.

— L'or blanc stoppe vraiment leur pouvoir ?

Oh, mon Dieu, c'était ce qu'il avait mis autour de son cou
au moment où ils l'avaient attrapée. De l'or blanc. Pas étonnant qu'elle ait l'impression qu'un poids de plomb écrasait
son âme.

Shea tourna la tête vers celui qui parlait ; le plus jeune, le
plus excité du groupe. Il se pencha en avant, appuyant ses
avant-bras sur ses cuisses, et il la regarda comme s'il s'attendait à ce que sa tête commence à tournoyer. Comme s'il
avait hâte de le voir. Il se lécha les lèvres d'impatience, et
elle frissonna à nouveau avant de détourner la tête.

— Ouais, dit quelqu'un d'autre, et Shea ferma les yeux. L'or blanc stoppe leur pouvoir et le met à plat. Je ne sais pas vraiment pourquoi. Il est question d'un élément de la terre ou d'un autre sacré truc.

Il renifla, et Shea soupira.

— C'est le Docteur Fender qui a découvert ça il y a environ huit ou neuf ans; et depuis nous nous en servons pour piéger ces chiennes et les amadouer.

— Y en a-t-il qui ont brisé la barrière? demanda le jeune homme. Je veux dire, vous savez, faire de la magie avec la chaîne d'or blanc autour du cou?

Shea écoutait attentivement, aspirant à une lueur d'espoir. Elle fut déçue.

— Pas une seule. L'or blanc les éteint, les rend aussi impuissantes que des chatons.

Il prit une profonde inspiration et expira.

— C'est censé agir comme une couverture, et ça recouvre ce qu'elles peuvent faire.

— Alors, pourquoi l'avons-nous attachée et bâillonnée?

— Même si elle ne peut se servir de magie, ça ne veut pas dire qu'elle ne peut pas t'arracher les yeux ou te donner un coup de pied dans les couilles pour te les faire remonter jusque dans la gorge. Tu veux prendre le risque?

Dégoûtée de ne pas avoir fait exactement cela au moment de sa capture, Shea essaya d'ignorer la conversation qui se déroulait autour d'elle. Elle ne se préoccupa plus de ce qu'ils avaient à dire. Ils n'étaient que des hommes de main. Des types qui faisaient le sale boulot pour le Bureau de la sorcellerie. C'était plutôt le Bureau de la sorcellerie qui l'inquiétait.

La police de la magie allait probablement l'emmener dans un lieu d'internement. Si elle avait de la chance. Sinon, elle disparaîtrait tout simplement jusqu'à ce qu'on découvre son corps dans un caniveau quelque part. Mais non, songea-t-elle, s'ils avaient voulu la tuer, ils l'auraient déjà fait.

Elle regarda par la fenêtre arrière de la camionnette et gémit lorsque les roues frappèrent quelque chose sur la route. Elle fut bousculée et ressentit la douleur sur chaque centimètre de son corps. Mais la douleur n'était pas importante. Ce qu'elle voulait savoir, c'était où on l'emmenait et ce à quoi elle pouvait s'attendre.

Était-ce hier après-midi seulement qu'elle avait averti son élève Amanda Hall de s'enfuir parce que sa mère ne quitterait pas de si tôt le camp où elle avait été enfermée? Maintenant... moins de vingt-quatre heures plus tard, Shea elle-même se trouvait dans la même situation. Ironie? Ou juste punition?

Après tout, elle avait bel et bien tué quelqu'un. Elle ne pouvait pas le nier.

À l'extérieur de la camionnette, les lumières de l'autoroute brillaient, et le grondement de la circulation ressemblait à celui d'une bête en cage qui essayait de pénétrer à l'intérieur du fourgon.

— A-t-elle vraiment tué un homme aujourd'hui? demanda la jeune voix. Elle paraît tellement... impuissante.

— Impuissante? Peu probable, grogna quelqu'un. La chienne a montré un doigt d'honneur à ce pauvre fils de pute, et il s'est enflammé comme une torche tiki pendant un barbecue.

Quelques-uns des hommes se mirent à rire, et Shea ferma les yeux alors qu'une vague de tristesse l'envahissait. Elle devrait vivre avec ce qu'elle avait fait, si elle était même autorisée à vivre.

— Tais-toi, Dave.

La voix la plus forte avait repris la parole. Puis, il se pencha au-dessus de Shea pour qu'elle puisse voir son visage.

Il avait des yeux brun foncé, des cheveux bruns courts et une mâchoire qui semblait avoir été sculptée dans le granite. Le nom qui était cousu sur son uniforme se lisait « L. Harper ». Dans une autre vie, elle aurait pu le trouver séduisant, jusqu'à ce qu'elle regarde assez longtemps dans ses yeux. Ses yeux sombres étaient remplis de haine. Il n'y avait rien de doux ou de miséricordieux chez lui, et alors que ses yeux croisèrent les siens, elle essaya de se recroqueviller pour éviter le regard dur.

— Ne te laisse pas berner par l'apparence d'une sorcière, le jeune, dit-il en parlant à l'autre homme pendant qu'il regardait dans les yeux de Shea. Elles sont toutes maléfiques. Jusqu'au tréfonds. Elles vous tuent aussitôt qu'elles vous regardent et font ce qu'elles ont à faire pour s'enfuir.

Shea secoua vivement la tête, essayant d'argumenter en silence avec lui, mais il ne s'y laissa pas prendre.

— N'essayez pas ces grands yeux tristes sur moi, sorcière, murmura-t-il, se penchant pour parler à voix basse. J'ai vu ce que votre espèce peut faire. Et je ne me reposerai pas jusqu'à ce que vous soyez toutes enfermées ou brûlées sur le bûcher. Avec un peu de chance, vous finirez comme votre tante.

Des larmes coulèrent des coins de ses yeux et filèrent dans ses cheveux, mais Shea ne pouvait pas les arrêter. La peur griffait sa poitrine, lui grattait la gorge. Ses yeux rencontrèrent ceux de l'homme, et elle y vit le verdict de sa propre mort.

Et même s'il était bien trop tard, elle cria en silence vers la seule personne qu'elle croyait pouvoir la sauver.

« Torin ! »

Chapitre 9

Torin faisait face à une triste vérité. Il n'avait aucune idée de l'endroit où l'on avait emmené Shea. Elle se trouvait peut-être dans l'un des nombreux camps d'internement ou peut-être l'avait-on simplement tuée.

Mais alors même que cette pensée se manifestait, il la rejeta. Bien qu'il ne puisse pas la sentir, il n'avait aucun doute que si elle était morte, son corps aurait senti son absence. C'était ainsi dans le passé, et il n'avait aucune raison de soupçonner que cela eut changé. Elle était vivante. Mais où était-elle ?

— Qu'essayons-nous d'abord ?

La voix de Rune — où Torin perçut la même irritation qu'il ressentait — interrompit ses pensées.

Grimaçant dans la nuit, Torin considéra leurs options. Ils avaient déjà suivi l'odeur des ravisseurs de Shea aussi loin qu'ils le pouvaient. Mais la piste s'était terminée sur l'autoroute 405, assez proche d'une fourche que la voiture transportant Shea loin de lui aurait pu prendre dans n'importe laquelle des deux directions.

Il fallait prendre une décision. Toute action était préférable à une impasse.

La difficulté résidait dans ce qu'il fallait s'obliger à penser comme un humain. Leurs esprits étaient complexes; et rarement logiques. Les mortels qu'il avait connus au cours des siècles étaient menés par la peur — ce qui les menait à des choix aberrants; Torin se demandait souvent comment ils avaient réussi à survivre en tant qu'espèce. Mais maintenant, pour retrouver sa femme, il devait concevoir un moyen de deviner ce que ces humains feraient ensuite.

Il y avait deux camps d'internement à distance de voiture de Malibu. Le premier était situé profondément dans la forêt nationale d'Angeles, entouré de centaines d'hectares de vide. Isolé, loin de toute ville, ce serait le plus difficile des deux à infiltrer, car il n'y avait rien d'autre que l'espace ouvert autour du camp lui-même, et quiconque s'approchait était facilement visible pour les gardiens qui montaient la garde.

L'autre était situé sur Terminal Island, à Long Beach. Plus près, et beaucoup plus facile de trouver un moyen d'y entrer. Avec la ville qui l'entourait et la circulation intense d'un port, Rune et lui se feraient à peine remarquer. Jadis une prison, les installations avaient été transformées en camp de détention lorsqu'on avait découvert les premières sorcières. Les camps étaient tous fortement gardés, il le savait. Et de l'or blanc était entrelacé dans leurs clôtures; ce qui taxerait les pouvoirs des Éternels. Il leur fallait maintenant choisir l'endroit à essayer en premier.

Il fut tenté de prendre la route la plus proche, d'aller examiner le camp de Long Beach. Mais si Shea n'y était pas, sa visite mettrait les autorités sur un pied d'alerte, et la sécurité de tous les camps serait renforcée, rendant le camp de la forêt d'Angeles d'autant plus difficile à pénétrer. Ce serait la même chose une fois que Rune et lui auraient envahi l'ancien camp FEMA dans les bois, mais même en état d'alerte, Long Beach serait plus facile à déjouer.

— Nous allons à la forêt d'Angeles, finit-il par dire.

La décision était prise. Mais avant de partir, il jeta un autre long regard sur l'autoroute qui s'étendait en direction de Long Beach.

Il la retrouverait. Peu importe où elle se trouvait.

Personne ne pouvait l'empêcher de l'atteindre.

Chapitre 10

Le camp d'internement de Terminal Island avait déjà été une prison fédérale. Il occupait une île artificielle entre les ports de Los Angeles et de Long Beach. À l'époque où la Californie était encore un territoire espagnol, l'île n'était pas grand-chose de plus qu'une vasière connue par les gens de la place comme Rattlesnake Island. Mais au début du XXᵉ siècle, le gouvernement fédéral y avait construit une prison et lui avait donné le nom de Terminal Island. Cette appellation avait toujours donné à Shea une impression funeste. Mais elle n'y avait jamais vraiment prêté attention à moins de traverser le pont Vincent Thomas vers San Pedro.

Mais maintenant, tout avait changé. Lorsque la sorcellerie avait été exposée au grand jour, l'île avait été vidée des criminels ordinaires et elle abritait à présent des centaines de femmes accusées de sorcellerie. Il s'avérait que les gens avaient bien plus peur des femmes qui pouvaient jeter des sorts magiques que des meurtriers ordinaires.

— Ce que ce fait dit à propos des gens, je ne le sais pas, murmura Shea pour elle-même, tandis qu'elle transportait un ensemble de draps et une couverture élimée dans ses bras.

Elle marchait derrière une gardienne lourdement armée et deux autres prisonnières. Elle n'était pas la seule sorcière à avoir été capturée ce soir.

Les lampes fluorescentes jetaient une vilaine lumière sur les murs d'un vert blafard et sur les visages des femmes qui regardaient à travers les portes de leurs cellules grillagées. Shea estima que des dizaines de regards étaient fixés sur elle et elle ne pouvait que supposer que le seul divertissement de ces femmes, c'était d'observer l'arrivée de nouvelles prisonnières.

Elle pencha la tête en arrière pour regarder autour d'elle, et elle constata qu'au-dessus d'elle, il y avait un autre plancher entier de cellules. Elle se demanda combien de femmes avaient été envoyées dans cette prison et oubliées. Elle eut un haut-le-cœur, et la lourdeur de son âme lui parut pire qu'avant. La chaîne en or blanc autour de son cou ne cessait d'envoyer des fils glacials de souffrance dans tout son corps, comme si elle lui rappelait qu'il n'y avait rien qu'elle puisse faire pour se libérer.

Elle prit une profonde inspiration et lança des regards furtifs vers les cellules devant lesquelles elle passait. Des femmes de tous âges et de toutes races lui rendirent son regard, le désespoir étincelant dans leurs yeux à la vue des dernières arrivées.

Bientôt, songea Shea, elle deviendrait l'une de ces femmes. Juste un autre rat dans une cage, enfermée jusqu'à ce que quelqu'un, quelque part, décide ce qu'il fallait faire avec elle. Et même si l'idée d'être enfermée derrière les barreaux lui faisait peur, le bruit dans la prison était ce qui l'effrayait le plus.

Le claquement incessant des barres d'acier que l'on fermait. Les sanglots désespérés, et derrière tout cela, le doux crépitement des voix des femmes qui s'élevait et baissait au rythme de la mer juste au-delà des murs de la prison. Une garde cria, une femme cria aussi, et quelque part tout près, une autre prisonnière gémit comme si elle était en train de mourir.

Le désespoir s'accrochait aux murs et teintait chacune des respirations de Shea. La panique envahissante lui contractait la gorge et l'empêchait presque de respirer, remplissant ses yeux de larmes qu'elle refusait de verser. Elle ne voulait pas donner à ses geôlières la satisfaction de voir à quel point elle était profondément effrayée.

La garde poussa la première femme de leur file dans une cellule et claqua la porte. Le bruit métallique résonnant secoua Shea de ses pensées et envoya une boule de plomb froide chuter dans le creux de son estomac. Elles continuèrent à marcher devant les rangées de cellules, leurs pas rythmés noyés dans la cacophonie des bruits.

L'esprit de Shea continua de se tourner vers l'homme féroce qui l'avait sauvée il y avait moins d'une journée auparavant. Elle s'était enfuie de lui, croyant qu'il était trop dangereux. Trop relié aux visions qui la hantaient. Sa situation aurait-elle été pire si elle était restée avec lui ? À l'heure actuelle, elle ne pouvait l'imaginer.

La garde s'arrêta, et la prisonnière qui était devant Shea entra dans une cellule, la porte de métal coulissante se refermant derrière elle avec une finalité à en briser l'âme. Puis, il ne resta que Shea à suivre la gardienne au visage sinistre.

Il y avait environ une heure, les hommes qui l'avaient capturée l'avaient remise à contrecœur aux gardiens de prison, et Shea en avait presque été reconnaissante. Oui, c'était la prison, et Dieu savait quand — ou si — elle en sortirait. Mais au moins, se disait-elle, elle était loin de la menace physique plus imminente que présentaient les hommes.

Elle serra les bras autour de son fardeau, et l'odeur d'eau de Javel flotta vers elle à partir des tissus bien lavés. Elle portait une combinaison bleu pâle et des chaussures blanches sans lacets. Elle avait les cheveux lâches et encore humides de la douche supervisée qu'elle avait été forcée de prendre à l'arrivée.

Les petites humiliations qui s'étaient amoncelées sur elle rendaient tout cela encore plus surréaliste. Une gardienne de prison à l'air ennuyé avait passé ses doigts à travers les longs cheveux épais de Shea, à la recherche d'armes cachées. Une autre gardienne avait regardé Shea pendant qu'elle se déshabillait, puis elle avait fouillé les vêtements qu'elle avait enlevés. Elle tentait de ne pas se rappeler à quel point il était dégradant de se faire fouiller à nu. Et penser à l'inoculation que l'infirmière avait effectuée le plus douloureusement possible ne faisait que lui donner envie de pleurer, ce qui ne servait à rien. Puis, il y avait eu la douche dans une zone ouverte qui avait presque rappelé à Shea les cours de gym du secondaire, jusqu'à ce que l'eau d'un froid glacial arrive. Deux gardes de sexe féminin avaient surveillé pendant que Shea s'était lavée aussi rapidement qu'elle le pouvait, puis elle s'était elle-même séchée à l'aide d'une serviette blanche rugueuse.

Le seul article qu'elle avait été autorisée à conserver était la chaîne en or blanc autour de son cou, reposant contre sa peau comme de la glace. Les sensations froides s'enfoncèrent profondément dans son esprit ; recouvrant tout ce qu'elle était ou aurait pu être.

C'était maintenant sa vie, songea-t-elle en regardant dans les cellules devant lesquelles elle passait, regardant une femme après l'autre croiser son regard, puis détourner les yeux. Quelques-unes levaient le menton, la défiant en silence, mais elles étaient minoritaires. La plupart avaient été battues, émotionnellement sinon physiquement. Elles étaient, comme elle, piégées dans une cage conçue pour les retenir à jamais.

Il n'y avait pas de présomption d'innocence pour une sorcière.

— Entrez.

Shea regarda la gardienne devant elle, puis tourna la tête vers la porte de la cellule ouverte. Avalant le goût amer de la peur et du regret, Shea entra dans la pièce étroite et triste. Des murs vert pâle, ici aussi, dans une cellule pas plus grande qu'un mètre quatre-vingts de long par un mètre cinquante de large. Il y avait une couchette étroite recouverte d'un matelas mince, une toilette nue et un petit évier avec des boutons plutôt que des poignées de robinet. Une chaise dure unique était la seule autre décoration dans la nouvelle maison de Shea. Jetant un regard autour d'elle, un puits de désolation sans fond s'éleva en elle. Elle laissa échapper un long soupir et se tourna lentement pour regarder la gardienne fermer la porte de la cellule, l'y enfermant.

Souriant, la gardienne s'approcha près des barreaux, et Shea recula de deux pas, chassée par la lueur froide dans les yeux de la garde.

— J'ai entendu parler de vous, dit la femme, sa voix presque perdue dans la houle de bruits qui l'entourait. Vous avez tué un homme aujourd'hui, n'est-ce pas ? Ça vous a plu ?

— Bien sûr que non, dit Shea, serrant le paquet de draps.

— Bien sûr, je vous crois.

Le sarcasme était audible dans sa voix, et les yeux de la femme étincelèrent d'une lueur dangereuse.

— Tout le monde est au courant de ce qui s'est passé. Les rumeurs se répandent rapidement dans un endroit comme celui-ci. Vous avez utilisé la magie pour tuer un homme.

Une pointe acérée de regret monta subitement en elle, mais elle se défendit quand même.

— Il était en train de m'attaquer.

— Il vous avait découverte, n'est-ce pas ? railla la garde. Il savait ce que vous étiez, et alors, vous avez dû le tuer. Vous n'auriez pas dû le faire devant des témoins. C'était stupide.

Shea prit une profonde inspiration.

— Ce n'est pas ce qui s'est passé.

Personne ne la croirait. Personne n'entendrait jamais sa version de l'histoire. Chaque jour, de nouvelles lois étaient précipitamment édictées par le Congrès. Des lois qui disaient que les sorcières dangereuses n'avaient pas droit à un procès par leurs pairs, parce que leurs pairs étaient en prison. Aucun jury composé d'humains ne participerait à un procès pour sorcellerie, car ils craignaient bien trop des représailles.

Par conséquent, les procès étaient inexistants.

Les sorcières étaient désormais emprisonnées sur-le-champ et exécutées si cela était jugé justifié.

— C'est exactement ce qui s'est passé, dit la femme. Vous ne valez pas mieux que votre tante. Et si vous ne portiez pas cette chaîne autour du cou, vous me tueriez sans hésiter pour vous échapper, alors ne perdez pas votre temps à me raconter des mensonges.

Les insultes au sujet de sa tante la piquèrent. Mairi avait été l'une des personnes les plus aimables et les plus douces que Shea avait connues. Et en un horrible instant, elle était devenue l'ennemie publique numéro un.

Le regard de Shea tomba vers l'insigne où était inscrit le nom de la gardienne. Jacobs. Lorsque Shea parla encore, ce fut sur un ton calme et rationnel. Si elle pouvait gagner la sympathie de cette femme, peut-être même se faire une amie ici, il y avait une chance qu'elle puisse faire en sorte que sa nouvelle vie soit un peu moins hideuse.

— Agent Jacobs…

— Ne prononcez pas mon nom! cria-t-elle, ses joues perdant toute couleur alors qu'elle tirait une matraque de sa ceinture et frappait durement contre les barreaux d'or blanc, faisant bondir Shea encore plus vers l'arrière alors qu'elle laissait tomber les draps et les couvertures à ses pieds sur le plancher de linoléum froid et fissuré.

Le dur coup avait fait figer tout le monde à proximité. Le silence était presque aussi énervant que l'avait été le vacarme précédent.

— Ne prononcez jamais mon nom, dit la femme, les yeux écarquillés, la bouche tordue en un rictus sauvage. Vous essayez de me jeter un sort, sorcière, et vous ne vivrez pas assez longtemps pour voir votre exécution légale. Vous mourrez ici même.

Le regard de Shea fixa celui de la gardienne, et ce qu'elle lut dans les yeux brun foncé la fit frissonner. Il n'y avait plus de sécurité nulle part maintenant, songea-t-elle, se rendant compte que les gardes avaient ici un pouvoir total sur les détenues. Et une mort « accidentelle » ne ferait même pas lever un sourcil.

— Ne me poussez pas à bout, sorcière. Compris ?

Shea hocha la tête, retenant son souffle, se méfiant même de *penser* à argumenter, de peur que cela paraisse sur son visage. Lentement, les femmes qui les entouraient se réanimèrent et chuchotèrent à nouveau à voix basse dans l'air vicié. Des secondes s'écoulèrent, et l'activité dans la prison continua comme si rien d'extraordinaire ne s'était passé — et c'était probablement le cas.

Les menaces et les coups n'avaient rien de nouveau dans le système carcéral, se dit Shea. Et même l'ACLU[1] n'était pas prête à se lever pour défendre une sorcière.

Elle était seule ici.

« Expiation », avait dit Torin. Est-ce que ça en faisait partie ? Était-elle punie maintenant pour quelque chose qui s'était passé dans un autre monde, une autre vie ?

Seule, elle frissonna à ses propres pensées, et une crainte vide la remplit.

---

1. N.d.T.: American Civil Liberties Union (ACLU), union pour défendre et préserver les droits et libertés individuelles aux États-Unis.

Comme la gardienne s'éloignait avec un dernier regard fulminant, Shea se dirigea lentement vers la porte de la cellule pour examiner sa nouvelle maison. Elle ressentit profondément la nouvelle lutte intérieure imposée par le froid de l'or blanc.

— On ferme les lumières ! cria quelqu'un au loin.

Les uns après les autres, les plafonniers clignotèrent et s'éteignirent alors que Shea regardait les dizaines de femmes dans les cellules correspondantes à proximité. L'obscurité se glissa le long du bloc cellulaire, et les visages de ces femmes se retirèrent dans l'ombre.

Alors que s'éteignait la dernière lumière, Shea comprit une horrible vérité.

Elles étaient *toutes* seules.

Chapitre 11

Deux hommes n'auraient eu aucune chance de s'infiltrer dans le camp d'internement niché au fond de la forêt.

Par contre, deux Éternels n'eurent aucun mal à le faire.

Torin sentit que ses pouvoirs diminuaient à proximité de l'or blanc qui avait été pulvérisé à travers la clôture en grillage entourant le camp. Bien que ses pouvoirs magiques aient été affaiblis par l'élément d'origine humaine, sa force physique demeurait intacte. Lui et ses collègues Éternels avaient été créés pour être forts, presque invincibles. Comme si, ayant prévu qu'un jour l'homme trouverait un moyen d'estropier leur magie, le demi-dieu qui était leur créateur avait veillé à ce que les Éternels ne soient jamais complètement sans défense.

Torin et les autres de son espèce étaient dotés d'une force et d'une endurance surhumaines. Leur magie n'était pas aussi étendue que celle des sorcières qu'ils protégeaient, mais leurs capacités physiques valaient bien celles des ennemis des sorcières.

Les gardes de cette prison ne l'empêcheraient pas de trouver Shea.

À l'aise dans l'ombre comme il ne le serait jamais à la lumière, Torin se déplaçait avec discrétion, concentré uniquement sur les prisonnières enfermées à l'intérieur des murs sombres. Des gardes armés patrouillaient dans le périmètre, et des lumières blanches mobiles parfaitement coordonnées balayaient l'espace dégagé devant le camp.

Cela jouait en leur faveur.

Il ne fallut que quelques minutes à Torin pour découvrir le rythme des lumières et comprendre comment les éviter. Il jeta un regard à Rune, à sa droite, et hocha la tête. Ensemble, les deux s'approchèrent de l'enceinte, se déplaçant si rapidement que l'œil humain pouvait à peine les suivre.

Les gardes n'étaient pas conscients de leur présence, et cela resterait ainsi le plus longtemps possible. Torin s'approcha du mur, alla chercher en lui le pouvoir des flammes et se retrouva instantanément à l'intérieur du camp. Autant l'extérieur était brillamment éclairé, ici, il faisait noir comme dans un four. Activer son pouvoir du feu avait été un risque calculé. À l'occasion, la lueur d'un faisceau de lumière tranchait l'obscurité alors que des gardes se déplaçaient à travers la prison pendant leurs rondes.

— *Je trouverai les cellules. Toi, tu localises la salle des archives. Regarde si on n'y fait pas mention de nouvelles prisonnières.*

Communiquant avec Rune par télépathie, Torin se sépara de son ami quelques instants plus tard. Il avait une mission plus importante à remplir.

L'or blanc posé à travers toute la prison freinait ses pouvoirs, mais ne les bloquait pas complètement. Issue de la terre, une sorcière était plus directement touchée. Un

Éternel était engendré par le soleil. Créés à partir des feux mêmes de l'étoile, les Éternels pouvaient plus facilement résister à l'attraction envahissante de l'or blanc. Mais même les Éternels ne pouvaient résister trop longtemps à sa proximité.

Les sens bien aiguisés de Torin étaient réglés sur Shea. Sur le bourdonnement particulier de son esprit, de ses émotions. De son âme inchangeable. Après des siècles passés près d'elle, il connaissait la vibration des énergies de sa vie aussi bien que la sienne propre ; il sut donc presque instantanément qu'elle n'était pas là. Pourtant, il devait s'en assurer.

Le bloc cellulaire ne fut pas difficile à localiser. Un grand bâtiment au centre d'une cour dénudée. Des barreaux étaient installés aux fenêtres élevées, et un garde était posté à la porte d'acier. Pas de problème, puisqu'il n'utiliserait pas l'entrée.

Encore une fois, les flammes explosèrent à travers sa peau, et cette fois, Torin savait qu'il ne passerait pas inaperçu. Il était à l'intérieur de la vraie prison. Les gardiens verraient l'éclair de lumière alors que ses pouvoirs, même s'ils étaient freinés, éclataient librement ; mais ils n'auraient pas assez de temps pour l'arrêter.

Instantanément, il disparut et se matérialisa de nouveau à l'intérieur du bloc cellulaire. À l'extérieur, des sirènes d'alerte commençaient à hurler alors que la rumeur de sa présence se propageait. Il ne leur prêta aucune attention.

En entendant le bruit, les femmes dans les cellules se réveillèrent et commencèrent à s'interpeller les unes les autres. Et à appeler Torin. Il essaya de détecter une seule voix en particulier et ne fut pas surpris de ne pas l'entendre. Le temps de la discrétion était passé ; il s'écria donc :

— Shea Jameson ! Êtes-vous ici ?

— Sortez-nous d'ici, répondit une femme en criant.

D'autres voix se joignirent au refrain.

— Qui êtes-vous ?

— *Qu'êtes*-vous ?

— Au secours !

Ses longues jambes dévorèrent le vaste couloir qui séparait deux rangées de cellules. L'or blanc continuait de l'affecter, mais sa présence n'était pas assez forte pour le neutraliser. Il sentit la contrainte sur ses pouvoirs, mais il refusa de s'y abandonner, appelant sa propre force intérieure pour continuer. Rien dans ce monde ou dans l'autre ne pourrait l'empêcher d'atteindre sa femme.

— Shea Jameson est-elle ici ?

Il soupçonnait qu'elle n'y était pas et pourtant, il cria, déterminé à ne négliger aucun détail. Son cri tonna au-dessus des cris moins puissants des femmes, et pendant une fraction de seconde, le silence suivit.

— Je ne sais pas qui elle est, lui répondit une femme dans la dernière cellule, sa voix brisant le silence avec confiance.

Elle s'avança vers les barreaux, s'y agrippa et les secoua en vain.

— Pouvez-vous nous sortir d'ici ?

Il s'arrêta pour regarder dans ses yeux bleu pâle où se lisaient la peur et la frustration. Elle chercha à l'agripper, cette prisonnière sans nom. Comme elles le faisaient toutes. S'il avait pu, il les aurait toutes libérées. Il était un Éternel, créé pour protéger et défendre, et que n'importe quelle femme — surtout une sorcière — soit blessée de quelque façon que ce soit allait à l'encontre de tous ses instincts.

Même avec la chaîne en or blanc autour de son cou et les barreaux qui les séparaient, il sentait son pouvoir, brutalement enfoui en elle. Une fureur envers ceux qui enfermaient des femmes comme elle — telles que Shea — le balaya. Mais il avait une mission. Une mission qui n'incluait pas de devoir jouer les héros.

— Je ne peux pas, dit-il.

Il n'avait pas le temps de s'attarder et il n'avait aucun moyen de réussir à emmener la femme en sécurité s'il l'aidait à s'échapper. Déjà, de précieuses secondes s'étaient écoulées. Rune était probablement en route pour venir le rencontrer, et Torin n'avait pas trouvé Shea. Ni même une trace d'elle.

— Merde, chuchota-t-il en même temps qu'un sentiment de malaise se glissait en lui.

Il perdait son temps pendant que Shea était détenue ailleurs, dans un endroit qui ressemblait bien trop à celui-ci.

La sorcière tendit un bras vers lui à travers les barreaux, mais ne parvint pas à l'atteindre. Ses doigts se refermèrent dans sa paume, impuissants.

— Vous êtes un Éternel, murmura-t-elle dans un soupir.

Sous le choc, Torin plissa les yeux vers elle. Parmi les sorcières, les Éternels étaient une légende, il le savait. Leur existence n'était pas un secret. Mais comment l'avait-elle reconnu en tant que tel ? Lui ne la reconnaissait absolument pas. Un sentiment d'alerte se glissa dans les veines de Torin.

— Comment connaissez-vous notre existence ?

Elle poussa un petit rire.

— Les nouvelles vont vite, lui dit-elle, passant une main dans ses cheveux hérissés courts et noirs. Quand les sorcières se réunissent, nous partageons l'information. Il y a un an ou deux, je suis tombée sur une femme qui m'a parlé des Éternels.

— Comment savez-vous que je suis l'un d'eux ?

Elle haussa les épaules.

— Qui d'autre aurait pu réussir à entrer ici ?

Acceptant sa réponse, il s'approcha et capta son parfum ; un arôme terreux qui lui rappelait tant la forêt et la mer. C'était un mélange de parfums qui s'accrochait habituellement aux femmes dotées de pouvoirs magiques. Comme si, se rassemblant dans le sang de la femme, les éléments eux-mêmes faisaient surface à travers ses pores, lui permettant de ne faire qu'un avec la nature et la terre elle-même qui renforcerait sa magie. Il y avait ici quelque chose d'autre, songea-t-il, essayant de comprendre.

— Qui vous a parlé de nous ?

Y avait-il quelque part une autre sorcière éveillée qu'ils devaient trouver ? Il avait cru que Shea était la première. Et s'il y en avait une autre, où était son Éternel ? Pourquoi ne l'avait-il pas retrouvée ?

Bien qu'il y eût des sorcières partout sur la planète, seulement quelques privilégiées étaient liées à des Éternels. Elles étaient les élues. Membres de l'assemblée des sorcières autrefois puissante, elles avaient payé un prix mortel pour leur arrogance il y a des lustres.

Instantanément, la sorcière derrière les barreaux secoua la tête.

— Je vous le dirai seulement si vous me sortez d'ici, dit-elle, le visage pâle et les yeux lançant des éclairs.

Pourtant, les sirènes hurlaient, fracassant la nuit. Les femmes à travers tout le bloc cellulaire hurlaient et criaient à l'aide. À la fin du long couloir sombre, la porte d'acier s'ouvrit, et une large bande de lumière réduisit les ombres. Des gardes se mirent à crier. Une rafale de coups de feu se mit à claquer à l'extérieur des murs, et en réponse, les femmes en cage hurlèrent et gémirent.

La sorcière aux cheveux foncés ne rompit jamais le contact visuel avec lui.

— Je peux vous dire ce que vous avez besoin de savoir, dit-elle rapidement. Mais pas à moins que vous me sortiez d'ici. Je n'ai pas besoin de votre aide par la suite. Je peux me téléporter.

Les compétences attribuées aux sorcières étaient nombreuses et variées. Si cette sorcière était capable de se téléporter — si elle avait l'habileté de se déplacer sur de longues distances, tout comme un Éternel — alors il pourrait la laisser à elle-même lorsqu'elle serait libre. Et il avait besoin de savoir ce qu'elle savait.

Torin se retint de lancer un autre juron et jeta un coup d'œil dans le couloir vers le groupe de gardes qui se précipitaient à l'intérieur de la prison.

— Faites-moi sortir, et tout ira bien pour moi, dit-elle, les mots sortant en avalanche de sa bouche dans un élan désespéré. Je suis condamnée à être exécutée, et à moins que vous m'aidiez à m'échapper, la connaissance dont vous avez besoin mourra avec moi.

— Au diable toute cette affaire !

Il était coincé. S'il voulait l'information, il devait la libérer. En plus, il perdait son temps à discuter avec elle.

— Reculez.

Ce qu'elle fit à contrecœur.

Torin fit émerger les flammes, luttant contre la résistance de l'or blanc qui l'entourait. Le feu brûlait pour lui, comme toujours, bien que légèrement atténué. Il concentra les flammes sur sa main droite. Le feu vif crépita et cracha alors qu'il tendait la main vers le verrou sur les barreaux en or blanc de la cellule. Il ne disposait que de quelques instants avant que le contact direct avec l'or commence à affecter ses pouvoirs. Si cela prenait trop de temps, il pourrait lui-même être pris au piège comme la sorcière — et serait forcé de se battre pour sortir de cet endroit. Même si cela ne posait pas vraiment de problème, il perdrait du temps qu'il n'avait pas. Mais il devait prendre ce risque, à cause de l'information qu'elle lui offrait. Il posa ses doigts brûlants sur le mécanisme de verrouillage et sentit immédiatement une poussée d'air glacé qui l'inonda à travers les flammes. Torin persista, les yeux fixés sur la serrure, ses pouvoirs concentrés sur la tâche.

Les flammes se battaient contre la glace. La sorcière lui demanda de se hâter. Les prisonnières continuaient à crier et à hurler.

— Arrêtez ! cria un garde, qui courait maintenant, ses pas lourds résonnant dans le hall malgré tout le bruit.

Torin ne lui prêta aucune attention, mais les femmes dans les cellules faisaient tout leur possible pour ralentir les gardes. Destinés aux hommes armés, des morceaux de nourriture, des livres, des magazines volèrent à travers les barreaux. Les prisonnières risquaient tout pour aider l'une des leurs à s'évader. Espérant sans doute qu'un jour, ce serait leur tour.

Rune apparut à ses côtés dans un éclair de flammes en même temps que la serrure cédait.

— Que diable se passe-t-il ? demanda-t-il, regardant Torin, puis la sorcière qui sortait précipitamment de la cellule.

— Pas maintenant, lui dit Torin, tendant le bras vers la sorcière en même temps qu'elle s'élançait dans sa poigne.

Il combattit l'effet modérateur de l'or blanc, appèla une fois de plus les flammes et les laissa engloutir la sorcière et lui alors qu'une grêle mortelle de balles volait vers eux.

Chapitre 12

Alors que les femmes se préparaient pour la nuit, des bruits résonnaient doucement dans la prison caverneuse. Des soupirs, des sanglots et des prières chuchotées devenaient un murmure constant; un peu comme la poussée du vent dans les arbres. L'obscurité avait sa vie propre. Les lumières fluorescentes éteintes, le seul éclairage provenait de la fenêtre étroite de chaque prisonnière. La vitre était sale, et au-delà du volet, il y avait d'épais barreaux que Shea présuma être également recouverts d'or blanc. Au moins, elle pouvait s'accrocher à une petite tranche de l'extérieur.

Seule dans sa cellule, elle faisait de son mieux pour s'isoler du murmure, du désespoir. Son lit fait, elle s'étendit sur le dur matelas et regarda par la fenêtre, souhaitant être n'importe où ailleurs.

Quelque part, Torin était en train de la chercher. Elle en était convaincue. Aucun homme ayant promis aussi sérieusement un rituel d'accouplement ne lui permettrait de lui échapper. Et maintenant qu'elle était en train de prier pour qu'il apparaisse, la question était la suivante : pourrait-il la retrouver?

Elle ferma les yeux et concentra ses pensées sur le grand homme aux yeux gris farouches. Il s'était lui-même appelé

« Éternel ». *Son* Éternel. Pourquoi cela lui paraissait-il familier ? Ce seul mot semblait résonner en elle. Elle visualisa son visage dans son esprit et concentra tout son être sur cette vision.

Comme c'est étrange, remarqua-t-elle distraitement, il y avait seulement quelques heures, c'était lui l'ennemi. Maintenant, il représentait l'espoir. Avant, elle s'était inquiétée qu'il soit en quelque sorte relié aux rêves et aux visions étranges qui l'avaient obsédée. Elle ne s'en souciait plus. Elle accepterait les rêves. Tout ce qu'il avait prévu pour elle devait être mieux que tout cela.

Son image fermement gravée dans son esprit, elle finit par s'endormir, et le rêve se manifesta.

Elle était chez elle, dans une petite maison à l'orée d'une épaisse forêt, avec un torrent à proximité. Un feu de tourbe brûlait dans le foyer, et des herbes étaient suspendues aux chevrons du plafond. Il y avait une grande fenêtre qui donnait sur un jardin qui, même au clair de lune, avait une allure luxuriante. Tout était à sa place. De chaudes couvertures et des coussins reposaient sur la paire de fauteuils tirés près du feu qui crépitait. Des casseroles et des pots tapissaient des étagères où étaient soigneusement empilés plusieurs livres précieux. Le lit était grand et bosselé, recouvert d'une courtepointe qu'elle avait elle-même assemblée.

Dans son rêve, Shea reconnaissait ce lieu. Elle était elle-même et en même temps, elle était quelqu'un d'autre. Quelqu'un à une époque différente. La femme qui habitait ici. Qui travaillait ici. Qui *aimait* ici.

Elle se retourna et croisa son reflet dans le fond brillant d'une casserole de cuivre. Son visage était familier mais étrange. Elle reconnaissait les yeux verts, mais l'épaisse chevelure noire était différente. Son visage était en forme de cœur, et ses lèvres étaient rouges et pleines. Elle était... une autre.

Dans un rêve qui était si réel, elle sentait la fumée de tourbe, et goûtait l'odeur chaude et terreuse sur sa langue. Même dans le sommeil, elle se sentait troublée alors que la confusion régnait dans son esprit. Comment pouvait-elle être aussi à l'aise dans un lieu et une époque qui n'étaient pas les siens ? Comment pouvait-elle savoir qu'il y avait un village à environ un kilomètre à peine ? Et que les herbes suspendues au-dessus de sa tête étaient destinées à des usages médicinaux ?

Elle frotta le front qui n'était pas vraiment le sien et qui pourtant l'était, et elle essaya de comprendre.

Puis, la porte arrière s'ouvrit dans un fracas, claquant contre le mur. Son cœur battant très vite, Shea se retourna pour faire face à un homme géant qui remplissait l'ouverture de la porte. Sa longue chevelure noire était tressée à ses tempes. Il portait une simple chemise de bure et un pantalon de cuir marron rentré dans de lourdes bottes brunes.

Ses yeux gris étaient braqués sur elle. Son cœur battant toujours frénétiquement bondit dans sa poitrine. Elle connaissait ces yeux. Elle les avait déjà connus, songea-t-elle maintenant, à travers d'innombrables vies. Quelque chose en elle se détendit, car même dans le rêve, elle avait l'impression que de nombreuses pièces d'un puzzle se glissaient inexorablement en place. Puis elle ne pensa plus du tout. Chaque centimètre de son corps brûlait d'une faim qu'elle reconnaissait. Qu'elle désirait. Un vent glacial se glissa dans la pièce pour caresser les flammes et les envoyer danser et se tordre, créant des ombres sinueuses sur les murs dégrossis.

— Vous n'attendiez pas au village, l'accusa-t-il.

— Est-ce que j'ai l'air d'une femme à qui l'on donne des ordres ? demanda-t-elle avec de la coquetterie dans sa voix.

— *Vous ressemblez à ma femme, lui dit-il en claquant la porte, se fermant au reste du monde.*

Shea ressentit le frisson de cette simple déclaration la fouetter comme un éclair parasite. Son regard croisa le sien pendant une longue minute, puis elle se précipita vers lui en se jetant contre lui.

Ses bras durs et solides l'entourèrent, la soulevant du sol. Son odeur remplissait ses sens en même temps que sa chaleur s'infiltrait dans ses os et que des feux s'allumaient en elle et semblaient sur le point d'exploser. La transportant, il marcha vers le lit dans le coin, et la posa sur le matelas. Elle enleva ses cheveux de ses yeux, se lécha la lèvre inférieure et leva l'ourlet de sa longue jupe, lui montrant ses jambes, adorant le scintillement dans ses yeux quand il la regardait.

— *Est-ce un combat que vous êtes d'humeur à livrer, Torin ? demanda-t-elle avec un soupir. Ou n'y a-t-il pas quelque chose d'autre que vous trouveriez plus agréable ?*

— *Il y a ceci, dit-il en arrachant ses vêtements pour les lancer sur le sol.*

Shea inspira brusquement, laissant son regard se glisser sur son corps musclé, marqué par les combats. Il était un guerrier incomparable. Elle ne pouvait imaginer son univers sans sa présence. Elle se languissait de lui. De son contact. De sa saveur. Chaque fois qu'il venait à elle, c'était comme la première fois.

C'était magique.

Elle frissonna alors que ce mot dansait dans son esprit avec une assurance qui semblait naturelle. Comme si ce mot faisait autant partie d'elle que ses yeux, son souffle. Une fois de plus, elle eut l'impression qu'il y avait... quelque chose qu'elle devait savoir. Se rappeler. Une image se précipita dans son esprit et disparut en un instant. De hautes falaises. Une grotte. Un feu enfermé à l'intérieur.

Les sourcils froncés, elle tenta de saisir l'image qui lancinait aux confins de son cerveau, taquinant un souvenir qui refusait de naître.

— Qu'y a-t-il ? demanda-t-il, tendant le bras vers elle, puis la redressant pour qu'elle s'assoie à côté de lui.

— Rien. Ce n'est rien, murmura-t-elle, ne voulant pas qu'il la croie folle, et ne souhaitant pas perdre de temps précieux avec lui sur des divagations stupides.

Et pourtant...

— C'est seulement que parfois, j'ai l'impression qu'une partie de moi est perdue quelque part.

Il la dévisagea pendant une longue minute, puis il passa une main sur sa poitrine dans une lente caresse.

— Il me semble que toutes les pièces sont là où elles devraient être.

Elle soupira et se cambra à son contact, avide de ce grésillement de chaleur qui glissait de sa peau à la sienne. Il lui était devenu aussi nécessaire que de respirer, et elle ne voulait rien de plus que de savourer ses mains sur son corps.

— Vous riez, dit-elle doucement, mais il y a quelque chose qui cloche, Torin. Quelque chose que je dois...

— Chut maintenant, jeune fille, dit-il en posant un doigt sur sa bouche. Ne vous inquiétez pas à ce sujet. Quand le moment sera venu, vous le saurez. Vous comprendrez tout. Ce moment n'est pas encore arrivé.

Ses yeux gris pâle fixaient les siens, et Shea aurait juré qu'elle voyait remuer des ombres dans ses profondeurs. Des ombres de choses qui avaient été, de choses qui seraient.

Son souffle se figea tandis que son rythme cardiaque s'accélérait.

Elle secoua la tête, gênée par sa folie et ses élucubrations. Et lorsqu'elle regarda de nouveau dans les yeux familiers, elle ne vit que son propre reflet qui la regardait.

— Qu'en savez-vous, grosse bête? demanda-t-elle en souriant.

Il lui sourit, un coin de sa bouche se soulevant alors qu'il la tirait du lit et l'installait sur ses genoux. Repoussant ses jupes, il la déposa à cheval sur lui, ses cuisses nues sur les siennes.

— Je suis une bête? demanda-t-il, glissant une main sous la chute de sa jupe pour glisser ses doigts sur la longueur de sa jambe et vers son intérieur chaud et humide.

Elle frissonna dans ses bras et soupira en prononçant son nom.

— C'est ce que vous êtes, une bête, dit-elle, si vous ne me donnez pas ce dont nous avons tous les deux besoin.

— Alors, appelez-moi Torin, dit-il, abaissant son corps sur le sien glorieusement dur. Car je ne serai pas une bête.

Il se poussa en elle, et elle accueillit l'invasion de son corps dans le sien. Elle gémit et arqua son corps, faisant pivoter ses hanches pour l'amener plus haut, plus profondément. Son épaisse plénitude la réclamait complètement, comme s'il avait été créé pour joindre son corps au sien.

Ses doigts sur ses hanches, il l'agrippa et l'encouragea à se déplacer sur lui, et c'est ce qu'elle fit, parce que c'était tout ce qu'elle voulait, tout ce dont elle avait besoin. Son corps se mit à chanter sous son toucher, son sang brûla et son âme vola en éclats. Encore et encore, elle le prit profondément et durement, basculant sur lui, fixant un rythme qui lui correspondait et qu'il commandait.

Leurs regards se croisèrent, et lorsque la première vague de plaisir la parcourut, elle regarda dans les yeux de sa bête et trouva presque — presque — ce qu'elle cherchait.

Chapitre 13

— Ils ont tiré sur vous.

Une fois qu'ils eurent atteint la sécurité nébuleuse de la limite des arbres, la sorcière se détacha des bras de Torin et regarda fixement les taches de sang sur sa chemise.

— Ce n'est rien.

Il était sorti de la prison comme un éclair, juste au moment où les balles avaient commencé à voler, mais deux projectiles l'avaient quand même atteint. Les balles l'avaient traversé, causant si peu de dégâts qu'il serait guéri d'ici au matin. Torin ne s'inquiétait aucunement de quelques trous de balle dans sa chair. Comparé à la tranche d'une épée longue, c'était à peine plus que des piqûres d'insectes. Au lieu de cela, il se concentra sur la situation.

Oui, ils étaient libérés de la prison, mais pas hors de danger. Les gardes se déverseraient bientôt du camp et commenceraient à chercher dans les bois environnants. Il fallait qu'ils soient alors partis sans aucune trace.

Avant qu'il ne puisse dire quoi que ce soit d'autre, Rune prit la parole.

— Tu veux m'expliquer pourquoi tu l'as sauvée ?

— Elle connaît une autre sorcière éveillée.

Rune lança un regard dédaigneux vers la femme.

— Impossible. Elle ment. La tienne est la première.

— Ça montre bien votre ignorance, dit brusquement la sorcière.

Elle jeta un coup d'œil par-dessus son épaule, vers le camp, alors que d'autres lumières s'allumaient, jusqu'à ce que tout le complexe flambe comme un soleil dans l'obscurité.

Torin n'avait aucune patience pour supporter un débat entre Rune et une sorcière. Il restait peu de temps, et chaque seconde importait. Il ne pouvait supporter la pensée de Shea dans un endroit comme celui-ci. Entourée d'ennemis, sans personne à qui s'adresser. Il devait la retrouver.

— Vous dites que vous savez qui nous sommes, dit-il. Alors, vous devez être au courant que les Éternels peuvent sentir l'Éveil. Nous ressentons la vibration changeante dans la trame de l'univers lorsqu'une des personnes choisies acquiert ses pouvoirs.

— Apparemment, répliqua-t-elle, le clair de lune brillant dans ses yeux, vous n'en savez pas autant que vous aimeriez le croire.

— Alors, parlez-moi de cette sorcière, dit-il, exigeant les réponses qu'elle lui avait promises en échange de son sauvetage.

— D'abord, enlevez-moi ceci, insista la femme, pointant vers la chaîne en or blanc autour de son cou.

— Vous osez négocier avec moi ? Encore une fois ?

Il lui lança un regard meurtrier, mais la sorcière tint bon.

Elle releva le menton, lui rendant son regard.

— Je négocierais avec le diable lui-même pour m'éloigner le plus possible de cet endroit. Je peux à peine respirer normalement avec ce fichu truc autour de mon cou. Vous savez que je ne peux pas l'enlever moi-même. Alors, si vous voulez votre réponse, libérez-moi.

Rune renifla.

— Vous avez un sacré culot. Nous vous avons déjà sauvée. Nous pouvons tout aussi bien vous laisser ici pour que les gardes vous trouvent. Avec cette chaîne sur votre cou, vous n'irez pas loin.

Torin hocha la tête, observant la femme pour juger sa réaction. Il savait qu'il ne la laisserait pas à la merci des gardes de prison. En tant qu'Éternel, c'était sa nature de protéger toutes les femmes — en particulier les femmes de pouvoir. Mais il n'était pas nécessaire qu'elle le sache.

— Vous n'allez pas me laisser ici. Vous ne le pouvez pas, fit-elle valoir simplement.

Son regard passa de Torin à Rune et revint à Torin. Ses cheveux courts quelque peu hérissés lui donnaient une apparence d'elfe, vulnérable.

— Vous voulez l'information que je détiens, alors vous ferez ce que je vous demande et vous enlèverez ce poids de mon cou.

Alors que Rune aurait continué la discussion avec la sorcière têtue, Torin leva une main pour obtenir le silence. Derrière eux, le complexe s'animait. Les doubles portes s'ouvrirent, et au moins une dizaine de gardes armés sortirent. Les projecteurs étaient d'un blanc brillant contre l'obscurité environnante, et Torin savait qu'il ne leur restait que quelques instants avant d'être retrouvés. Il pourrait attraper la sorcière et disparaître avec elle. Mais il ne voulait pas être gêné par la sorcière dans sa quête de Shea.

Le choix était simple. Obtenir l'information qu'elle détenait ou non. La sauver ou laisser les gardes armés s'en emparer.

La réponse, c'était qu'il n'avait pas le choix. Il ferait ce qu'il fallait, comme il l'avait toujours fait. Sans un mot, il rassembla le feu, concentra sa force et, du bout du doigt, toucha les maillons du centre de la chaîne en or blanc qui reposaient sur la peau de la sorcière. La sorcière se tint parfaitement immobile, le regard verrouillé sur le sien.

Les flammes qu'il appelait étaient l'essence même de la magie ; elles ne nuisaient aucunement à sa peau, mais un instant après avoir canalisé son pouvoir, les maillons de la chaîne avaient fondu. Puis, il donna un simple petit coup sur le dispositif offensif contre la magie et celui-ci tomba au sol.

La sorcière sourit, inspira profondément et s'étira langoureusement comme une chatte qui sortait d'une cage de confinement. Elle soupira de soulagement avant de dire :

— Merci, Éternel.

Insensible à sa reconnaissance, Torin l'écarta.

— Merci de tenir votre parole. Dites-moi qui est cette sorcière éveillée et où est-elle ?

Elle inclina ses yeux bleu vif vers lui. Un sourire courba sa bouche alors qu'elle disait :

— Elle s'appelle Kellyn. Et elle se tient devant vous, Éternel.

Puis, elle fit un grand mouvement de ses bras, pencha la tête par en arrière et lui chuchota quelque chose qui le frappa comme étant ancien et puissant. Elle rit et disparut dans un chatoiement de mouvement qui sembla faire onduler l'air qui l'entourait.

— Elle peut se téléporter, murmura Rune d'un ton de dégoût.

— Comme nous, lui rappela Torin.

Il jeta un coup d'œil vers l'endroit où les gardiens de prison avaient commencé un balayage concerté de la zone.

— Je ne m'inquiète pas qu'elle soit partie. Mais si elle a dit la vérité, quelque chose ne tourne pas rond. Si Kellyn est éveillée, comment se fait-il que nous n'ayons pas senti qu'elle prenait possession de son pouvoir ? Et où est son Éternel ?

Le lien entre l'Éternel et la sorcière — celui créé par les destins et les anciens dieux — les liait étroitement. Ayant été créés pour protéger ces quelques femmes spéciales, les Éternels ressentaient instinctivement l'Éveil d'un membre de l'assemblée des sorcières. À cette époque, une vague de prise de conscience circulait entre les Éternels et les sœurs sorcières de l'assemblée. Comme un caillou jeté dans un lac, les effets de l'Éveil retentissaient entre tous les membres.

Alors, comment avaient-ils pu manquer l'Éveil d'une autre sorcière ?

— Que veux-tu dire *où* est son Éternel ? *Qui* est-il serait la meilleure question ? répondit Rune.

Au fil des siècles, les Éternels s'étaient éloignés les uns des autres, chacun d'eux veillant sur les nombreuses incarnations de sa sorcière. Mais être témoin de la vie et de la mort d'une compagne à de nombreuses reprises au cours de centaines d'années avait finalement entraîné des répercussions pour chacun d'eux. Certains avaient choisi de disparaître, de chercher la solitude et de rester à l'écart de leurs frères jusqu'au moment de l'Éveil. Ce n'était pas la solution la plus sage, selon Torin, mais c'était quelque chose qu'il pouvait comprendre.

Tout de même, les Éternels restants avaient donc le problème de localiser leurs confrères disparus lorsque leur présence devenait nécessaire. Maintenant que le temps de l'Éveil était enfin arrivé, les Éternels manquants devraient se faire connaître de nouveau — ne serait-ce que pour protéger leur sorcière éveillée. Donc, se demandait Torin, si Kellyn disait la vérité, où était son Éternel ?

— On aurait dû attraper la sorcière avant qu'elle ne se téléporte, dit Rune. L'obliger à parler. Nous dire tout ce qu'elle savait.

— Nous la rattraperons, dit Torin, abandonnant le problème pour le moment.

Rien n'était aussi important pour lui que de retrouver Shea.

— Tout comme nous découvrirons qui est l'Éternel et pourquoi il n'est pas avec elle. Mais pour l'instant…

Rune sourit tristement alors que les cris des gardiens de prison retentissaient, maintenant plus proches.

— C'est vrai. La première sorcière d'abord.

Torin lui fit un bref sourire.

— Exactement. Nous trouvons Shea. Nous allons à Long Beach — c'est probablement à cet endroit qu'on l'a emmenée. Là, dans la prison, on aura probablement lancé l'alerte après l'affaire de ce soir, alors il faut élaborer un plan.

Rune sourit.

— Ils ne peuvent pas nous tenir à l'écart.

— Non, ils ne le peuvent pas.

— Et si ta sorcière n'y est pas ?

Torin fronça les sourcils dans la nuit, passant devant la prison brillamment éclairée avec les femmes prisonnières derrière ses murs. Une rage soigneusement tempérée bouillonna en lui à la pensée de sa femme aux mains de gardiens de prison. S'ils lui faisaient du mal de quelque façon que ce soit, il ne laisserait pas une pierre de leur prison debout.

— Dans ce cas, nous continuerons à chercher. Rien ne va m'empêcher de la trouver.

Ensemble, ils s'abandonnèrent à la magie. Des flammes s'animèrent, et un instant plus tard, ils avaient disparu. Les gardes ne virent rien, et la nuit garda ses secrets.

Chapitre 14

Shea errait dans la cour, reconnaissante d'être sortie de sa cellule même si elle était entourée de murs surmontés de barbelés. Elle sentait la forte présence de l'or blanc et elle savait qu'une grande quantité de ce matériel avait été disposée tout autour, en bordure de la prison. Il semblait que les chaînes autour de leurs cous ne suffisaient pas à apaiser les craintes que pourraient entretenir les gardiens à propos de leurs prisonnières.

Mais au moins, songea Shea, elle voyait le ciel. Elle pencha la tête en arrière, regardant les mouettes qui tournoyaient et plongeaient dans le vent au-dessus d'elle, et elle souhaita de tout son cœur pouvoir se joindre à elles.

La cour « d'exercice » était petite, entourée de tous côtés par encore plus de murs, avec des gardes armés debout dans des tourelles à chacun des quatre coins. Deux gardes se tenaient à chaque poste — le premier surveillait les prisonnières, et l'autre gardait les yeux sur le port ouvert. Elle frissonna légèrement en comprenant tout ce que cela impliquait. Ils étaient tous trop bien préparés pour toute tentative de sauvetage — non pas que les gens faisaient la queue pour aider un groupe de sorcières accusées de sorcellerie.

Elle cessa rapidement de regarder les gardes, ne voulant pas être surprise à les examiner. Dans le court laps de temps où elle avait été ici, elle avait déjà appris à garder la tête baissée. À demeurer sous le radar. Les nuits étaient longues et terrifiantes dans ce lieu. Les gardes se promenaient dans les allées sombres, frappant leurs matraques contre les barreaux rien que pour voir les femmes sursauter dans leurs cages.

Ce matin seulement, l'officier Jacobs avait poussé le visage de Shea contre un mur pour avoir osé la regarder directement. Puis, elle s'était servie de sa matraque pour asséner quelques coups rapides sur le côté de Shea. Cela lui avait causé d'horribles ecchymoses qui étaient déjà en train de se décolorer, grâce sans doute à sa magie retrouvée. La douleur était spectaculaire, mais plus que tout, c'était le désespoir qui continuait d'étouffer Shea. Elle était incapable de trouver un moyen de sortir. Incapable de penser à quelque chose pour s'aider elle-même. Et elle avait entendu les histoires de torture quelque part dans les entrailles de ce lieu.

Tôt ou tard, elle savait que ce serait son tour.

Mais ce n'était pas seulement des gardiens dont elle avait raison de s'inquiéter. Il y avait des fédéraux partout. Depuis son arrivée, Shea avait appris plus que ce qu'elle voulait connaître sur Terminal Island.

L'île elle-même était bondée d'organismes fédéraux. Avant la Seconde Guerre mondiale, de petites maisons servaient à loger les pêcheurs japonais et leurs familles qui vivaient sur l'île. Puis, la guerre contre le Japon avait éclaté, et les Japonais avaient été forcés d'abandonner leurs terres et leurs biens pour se déplacer vers des centres de détention à l'intérieur des terres. Le village avait été rasé. Ironique de constater que maintenant, une nouvelle génération de soi-disant non-Américains était envoyée à Terminal Island. La prison elle-même n'occupait qu'une petite partie de cette île autrefois utilisée pour le déchargement du fret.

De nouvelles petites maisons et des immeubles d'appartements avaient été construits à la hâte pour être utilisés par les geôliers et leurs supérieurs. L'endroit était un centre entièrement fortifié et sécurisé. Pour garder les femmes à l'intérieur et les autres, à l'extérieur.

Elle regarda ses codétenues. Des femmes se promenaient autour de l'enceinte en paires et seules. Certaines étaient assises et parlaient tranquillement tandis que d'autres marchaient sans but, tournant et tournant en cercle. Une ou deux étaient simplement assises sur des bancs et pleuraient. Nulle part où aller, nulle part où courir ; mais pouvoir se déplacer en dehors de la minuscule cellule où elles passaient la majorité de leur temps donnait l'impression d'être en vacances.

Pendant les deux jours depuis son arrivée, Shea avait remarqué que les deux groupes de prisonnières — les femmes humaines ordinaires écrasées par la peur, et les femmes de pouvoir, celles dont les veines bouillonnaient de sorcellerie — agissaient à l'unisson à l'extérieur des cellules. Bien qu'elles soient toutes différentes, elles étaient toutes dans le même bateau. Incroyable, vraiment, que les femmes qui dans le monde extérieur auraient été les premières à cracher sur une sorcière... étaient ici leurs compatriotes. Liées ensemble contre un ennemi commun.

Leurs ravisseurs.

Pendant des années, Shea avait couru et s'était cachée. Bizarre de trouver finalement une paix résignée dans la prison même qu'elle avait tenté d'éviter.

— Mlle Jameson?

Shea tressauta au son de son nom et se retourna, s'attendant à voir une garde, puis elle se mit à rire silencieusement de sa propre stupidité. Aucune garde ici ne l'appellerait « mademoiselle ».

Une petite femme blonde aux yeux bleus inquiets se précipita vers elle.

— C'est bien vous.

La femme saisit la main de Shea et la tint comme si elle s'accrochait à une bouée de sauvetage dans une mer déchaînée. Elle inspira en tremblant et souffla à nouveau.

— Je pensais vous avoir reconnue, mais je ne m'attendais pas à vous voir ici. Bien que je n'aie jamais pensé me retrouver ici, non plus.

Les pensées de Shea se bousculaient pour trouver l'identité de la femme. Pendant les derniers jours, elle avait vécu tellement de choses, vu tant de choses, elle pouvait à peine enchaîner deux pensées cohérentes au-delà de celle qui la dévorait : « Sortez-moi d'ici! » Mais alors que la femme continuait à parler, Shea finit par se souvenir d'où elle la connaissait.

À l'école. C'était la mère d'Amanda Hall. La fille même à laquelle Shea avait parlé lorsque toute cette folie avait commencé.

— Vous vous appelez Terri, n'est-ce pas? Terri Hall? dit Shea alors que la femme se calmait.

— Oui.

Elle enleva ses cheveux de ses yeux et jeta un coup d'œil rapide autour d'elle en s'assurant que personne n'était à proximité.

— Je vous ai rencontrée le soir de la rencontre parents-enseignants le mois dernier. Mon Dieu, on dirait que des années se sont écoulées depuis. Incroyable à quel point les choses peuvent changer rapidement. Depuis combien de temps êtes-vous ici, Mlle Jameson?

— Appelez-moi Shea. Juste une journée ou deux.

— Alors, vous devez avoir vu mon Amanda depuis mon arrestation. Est-ce qu'elle va bien?

«Très bien, mais terrifiée», songea Shea, mais elle ne put se résoudre à le dire. Pas plus qu'elle ne raconterait à cette pauvre femme qu'une conversation avec sa fille avait initié la pente glissante et fait atterrir Shea en prison. Terri Hall était enfermée loin de sa fille, et Shea ne pouvait même pas imaginer la terreur ressentie par la femme. D'autant plus que, contrairement à Shea, Terri n'avait rien fait du tout pour mériter cela. Instinctivement, elle tendit la main pour l'apaiser et la réconforter.

— Amanda va bien, dit-elle en serrant la main de Terri. Je l'ai vue à l'école et je lui ai dit de rester chez sa grand-mère et de ne pas retourner à l'école.

— C'est bien, murmura Terri. J'ai encore de la difficulté à croire tout ce qui est arrivé. Je ne suis pas une sorcière, pour l'amour du ciel. L'une de mes voisines a dit à la PM qu'elle m'a vue allumer des bougies et prononcer une formule magique.

Elle poussa un petit rire et passa ses bras autour de son torse en levant les yeux vers le ciel au-dessus d'elles.

— J'étais en train de réciter une prière pour mon mari. Il est mort l'année dernière.

— Je suis tellement désolée.

Tout devenait de plus en plus absurde, et la situation s'aggravait de jour en jour. Dix ans après la révélation de l'existence de la magie, les gens réagissaient encore par peur.

Terri hocha la tête et soupira.

— Merci. Je suis tellement inquiète pour Amanda. Et pour ma mère. Et si elles étaient les prochaines à être arrêtées ?

Il n'était pas facile pour Shea de la rassurer. Elle savait aussi bien que Terri que sa famille était maintenant encore plus en danger. Le Bureau de la sorcellerie et la PM observeraient chacun de leurs mouvements, et qui sait depuis combien de temps ils le faisaient.

Quant à Terri... les femmes prises dans la mentalité de la foule pour la chasse aux sorcières n'avaient à peu près pas de chances. À moins que le MDS s'occupe du cas de Terri, elle n'avait aucune chance de sortir de ce camp.

Et à moins que Torin ne la trouve, Shea était dans le même bateau.

— Pourquoi êtes-vous ici ? finit par demander Terri ; puis elle s'arrêta et fit la grimace. Je suis désolée — je n'aurais pas dû parler ainsi. Je veux dire, je sais ce qui s'est passé avec votre tante et...

— Ça va, répondit Shea, ne voulant pas se laisser entraîner dans une conversation sur ce sujet.

Surtout pas ici. Dans de tels endroits, les murs avaient vraiment des oreilles. Il était impossible de dire combien de personnes écoutaient les conversations. Même à l'extérieur, on ne pouvait même pas être certaine. Un microphone parabolique ou deux pourrait couvrir la plus grande partie de la cour.

Comme si Terri s'était souvenue de la même chose, elle baissa la voix.

— Êtes-vous... comme votre tante ?

Quelques jours plus tôt, Shea aurait dit non. Maintenant, elle vivait une autre réalité. Maintenant, elle était en train d'accepter le fait qu'elle avait tué un homme et que, très probablement, elle resterait en prison pour le reste de sa vie ; du moins jusqu'à son exécution. Mais elle regarda dans les yeux de l'autre femme et y vit de la compassion. Étonnant à quel point on se sent bien quand on se sent comprise. Lentement, Shea hocha la tête.

Terri sourit.

— Il y a un mois, cette réponse m'aurait probablement terrifiée, admit-elle avec calme. Mais maintenant...

Elle regarda à nouveau autour d'elle dans la cour. Des dizaines de femmes, dans une catégorie d'âge allant de l'adolescence à quatre-vingts ans. Elle soupira.

— Il y a d'autres choses bien plus effrayantes. Se faire arracher de votre maison au milieu de la nuit et vous faire enfermer sans la moindre chance de même parler à votre propre enfant. Et la peur de ne jamais en sortir.

— Nous ne devrions pas parler de ces choses, murmura Shea, levant les yeux vers la tour de garde la plus proche.

L'homme ne regardait pas dans leur direction, mais cela ne voulait rien dire.

— Ils m'ont déjà enfermée, dit fermement Terri. Ils ne vont pas aussi me faire taire. Vous savez, avant que tout ça arrive, j'étais comme tout le monde, je lisais sur la magie et les sorcières et sur la façon dont le Bureau de la sorcellerie et la PM accomplissaient leur devoir pour protéger les gens…

Shea prit le coude de Terri et commença à marcher. Elle n'était pas certaine de la raison, mais d'une certaine manière, elle avait l'impression que ce serait plus difficile pour leurs geôliers de surprendre leur conversation si elles continuaient à se déplacer en se faufilant à travers la foule. Et elle essayait d'avertir subtilement la mère de son élève que trop parler en prison n'était pas nécessairement une bonne chose.

— Terri…

Elle continua à marcher et fit non de la tête avant de faire un demi-sourire à Shea.

— Je sais. Je sais qu'ils écoutent. Je sais qu'ils regardent.

Son regard glissa de côté, où deux gardiennes se tenaient ensemble, veillant sur les prisonnières.

— Mais je suis encore une citoyenne. J'ai encore des droits.

— Pas vraiment, lui dit Shea.

— C'est un triste constat.

— Vous devez être prudente, lui dit Shea. Personne ici ne s'inquiète de vos droits. Pour eux, nous sommes des êtres inférieurs. Ils n'aimeraient rien de mieux que d'avoir la chance de toutes nous descendre. Alors, si vous voulez revoir Amanda —, faites tout ce que vous pouvez pour ne pas vous faire remarquer. Ne vous démarquez pas dans cette foule, Terri. Mêlez-vous à elle. Ne faites pas de vagues. Vous pourriez vous y noyer.

Elle respira profondément.

— Voir Amanda. Quelles sont mes chances ? Je me le demande.

— Probablement pas bonnes, admit Shea, mais vous ne ferez qu'empirer les choses si vous ne faites pas attention.

— Je le sais, mais en dessous de toute la peur, je suis *furieuse*, dit-elle doucement, et sa voix se durcit comme pour le prouver. J'ai rencontré quelques… femmes *intéressantes* ici, et le truc, c'est qu'elles ne sont pas différentes de moi. Pas pour l'essentiel, vous comprenez ? Je veux dire, nous sommes toutes juste des personnes. Certaines sont bonnes, d'autres sont mauvaises.

Oh, Shea aurait souhaité rencontrer Terri dans d'autres circonstances. Elles auraient pu être amies. Au lieu de cela, elles étaient des camarades de prison avec des dates de péremption définies.

— Ouais, le problème, c'est que ça ne semble pas être important.

— Tout ce que j'essaie de dire, c'est que si les gens *parlaient* aux sorcières, ils n'auraient pas si peur.

— Vous avez raison. Mais pour le moment, lui dit Shea en gardant la voix basse, c'est la peur qui prend le dessus, et la logique n'a même pas sa place à table.

Elles traversèrent la cour, la brise au large du port portant l'odeur de la mer et l'illusion de la liberté. Dans un coin, une femme seule assise avec ses genoux repliés, le dos contre le mur, pleurait doucement pour elle-même. Simplement à voir la femme émotionnellement battue, Shea sentit sa colonne vertébrale se raidir.

Elle n'allait pas avoir peur. Plus maintenant. Elle en avait terminé d'être une victime impuissante, de courir dans l'obscurité en disparaissant dans une foule indifférente pour essayer d'échapper à ses ennemis. Parler à Terri l'avait aidée. Terri permettait à son propre sentiment d'injustice de l'emporter sur ses craintes ; et Shea pouvait en faire autant.

— Nous trouverons un moyen de sortir, dit Shea, entourant d'un bras l'épaule de l'autre femme.

Et elle se rendit compte qu'elle le croyait. Elle n'allait pas rester enfermée ici pour toujours. Elle trouverait un moyen de sortir, même si Torin ne venait pas la chercher. Maudite soit-elle si elle laissait ces salauds gagner ! Terri et elle sortiraient. D'une façon ou d'une autre. Elle ne ferait pas partie des statistiques et de celles qui disparaissent tout simplement.

Elle ne voulait pas abandonner sans même protester.

Chapitre 15

Torin sentit sa présence dès l'instant où Rune et lui apparurent dans le camp d'internement.

Debout dans l'une des tours de garde, il laissa tomber à ses pieds le corps du garde qu'il venait de tuer. Ayant eu le cou brisé en quelques coups brusques et rapides, les deux hommes de la tour étaient morts. Il ne jeta même pas un coup d'œil à l'endroit où ils étaient affalés sur le sol. Ils n'étaient pas importants. C'étaient des prédateurs. Des ravisseurs et pire encore.

Au même moment, Rune était en train d'abattre ceux de la tour nord, mais Torin ne pouvait penser qu'à Shea. À travers le nuage brumeux de l'or blanc qui amortissait les pouvoirs de la sorcière, l'esprit de Shea faisait appel à ses pouvoirs et électrifiait la bête en lui.

Pendant deux jours, Rune et lui avaient analysé les questions de logistique pour faire sortir Shea de cette prison. Maintenant que le temps était venu, il savait qu'il y aurait inévitablement des victimes. Des morts qu'il ne pourrait éviter. Pourtant, il n'avait pas le choix. Ce pourrait être leur seule chance. L'Éveil était arrivé, et il n'y avait rien de plus important pour lui que de placer Shea en sécurité pour qu'ils accomplissent leur tâche ensemble.

Rune et lui avaient fait tout leur possible pour atténuer le danger, réduisant les dommages qui seraient causés ici aujourd'hui. Maintenant, tout était confié au destin. En fin d'après-midi, la cour était remplie de prisonnières. Des ombres débordaient des murs, avançant petit à petit sur le sol alors même que les premières couleurs brillantes du coucher de soleil coloraient le ciel. Torin se concentra sur les femmes en bas, à la recherche de la sorcière qui l'avait appelé.

Il leva brusquement la tête alors qu'une rafale de coups de feu claquait des tours sud et ouest. Les gardes les avaient vus. Mais au lieu de tirer sur les Éternels dans les tours, les gardes concentrèrent leurs feux sur les prisonnières. Comme pour toutes les tuer avant qu'une d'entre elles n'ait une chance de s'évader. Des balles pulvérisèrent sauvage-ment l'étendue ouverte de la cour au-dessous. Les femmes criaient et couraient pour se mettre à l'abri. Certaines tom-bèrent à l'endroit où elles se trouvaient, leur sang coulant sur le béton en rivières écarlates. Dans leur quête pour arrêter Rune et Torin, les gardes restants ne se souciaient aucunement du nombre de femmes mortes dans l'attentat.

Torin s'en préoccupait.

Il apparut instantanément dans la tour ouest. Un garde balança précipitamment son arme, mais Torin fut plus rapide. L'homme mourut avec un hurlement de protestation alors que son partenaire sortait un couteau et poignardait Torin dans le dos. La douleur l'envahit, mais ne l'arrêta pas. Il s'accroupit, se leva rapidement et frappa le garde en lui faisant perdre pied. Débarrassé de l'homme, Torin tira le couteau de son corps et le retourna vers le garde. La lame dans le cœur.

Les yeux écarquillés, la bouche formant le mot «non», le second garde rejoignit son partenaire en enfer.

En dessous de lui, les cris des femmes raclaient l'air, mais à travers les cris et les suppliques désespérés, il entendit une voix qui l'appelait par son nom.

— Torin !

Il bondit sur ses pieds, ses yeux balayant le sol plus bas, et il aperçut sa sorcière de l'autre côté de la cour. Ses longs cheveux roux s'élevaient comme un drapeau dans le vent, et elle agitait les mains haut au-dessus de sa tête. Il sourit intérieurement, remarquant que Shea Jameson n'avait pas battu en retraite. Elle était debout et fière. Même si le cœur de Torin ne battait pas, il se remplit d'admiration.

Ils n'avaient pas réussi à la briser. Pas encore. Jamais.

Chapitre 16

Des sirènes d'alerte se mirent à hurler.

Torin savait qu'ils avaient très peu de temps. Les gardes des tours étaient morts, mais il y en avait beaucoup d'autres comme eux dans cette prison. En quelques secondes, les renforts se précipiteraient dans la prison même.

Son regard balaya de nouveau la cour, à la recherche des dangers, localisant les endroits où il devait se rendre pour mettre sa femme en sécurité. Sa blessure au couteau était profonde et douloureuse, mais rien qu'il n'avait déjà connu pendant des siècles de combat. Il n'avait pas de temps à perdre à se guérir. Il devrait concentrer tous ses pouvoirs sur l'évasion.

Il apparut à côté de Shea, et elle se jeta sur lui. Instantanément, le monde était tel qu'il devait être. Elle était vivante et dans ses bras, et il s'occuperait du reste.

— Torin !

Elle s'agrippait à lui fermement, le visage enfoui dans le creux de son cou. Comme si elle savait que c'était sa place, qu'elle acceptait ce qu'ils étaient et ce qu'ils avaient toujours été l'un pour l'autre. Cela, pensait-il, faciliterait les jours qui

suivraient. Si elle acceptait la tâche à venir, si elle y collabo-
rait, cela ferait toute la différence.

Collaboration ou pas, il ne la quitterait plus jamais des
yeux.

Avec son corps pressé sur le sien, il sentit s'infiltrer en
lui le froid de la chaîne en or blanc autour de son cou,
envoyant de la glace après le feu dans ses veines. Elle était
plus forte qu'elle le croyait, se dit-il. Même alors que son
énergie était absorbée par l'or blanc autour de sa gorge
mince, il sentait sa magie bouillir en elle.

Malgré le froid de l'élément amortisseur contre lui, son
corps réagit immédiatement à sa présence. Sans se soucier
du danger, il était dur comme le fer et il avait très envie de
commencer le rituel. Mais son cerveau annula les effets
de sa bite. Pour le moment.

— Il faut partir, dit-il, jetant un coup d'œil autour de lui
alors que Rune apparaissait et se tenait à ses côtés.

Le regard de l'Éternel balaya la cour bondée — les
femmes qui criaient, les prisonnières blessées étendues sur
l'asphalte sale, les gardes restants qui couraient pour se
mettre à l'abri jusqu'à l'arrivée de leur cavalerie.

— Je sais, dit Shea. Je suis prête.

Elle le libéra, recula d'un pas, puis attrapa la main de la
femme blonde debout à côté d'elle.

— Je veux dire, *nous* sommes prêtes.

«Bien sûr, ça ne se fera pas sans difficultés», se dit Torin
avec un gémissement intérieur de frustration.

Pas une seule fois au cours des siècles, Shea n'avait cessé
de le surprendre.

— Merde!

Le juron de Rune était profond et mauvais.

Shea lui lança un regard noir.

— Je ne vous parlais pas.

Puis, elle déplaça son regard vers Torin, et il se sentit frappé durement par la force de ce regard.

— C'est la mère de mon élève. Elle n'est pas une sorcière. Et si elle ne réussit pas à sortir d'ici, ils la tueront. Ils vont la torturer pour de l'information qu'elle ne possède pas.

— Nous n'avons pas le temps, dit Rune à Torin.

— Nous n'avons pas non plus le temps d'entreprendre une discussion, répliqua-t-il, avant de tourner son regard vers sa sorcière. Vous insistez sur ce point ?

Elle le regarda bien en face.

— Oui.

Hochant la tête, Torin regarda l'autre femme, qui l'observait à travers des yeux bleus étonnés, mais résolus. Il l'évalua et remarqua qu'elle ne bronchait pas devant lui même si un homme qui apparaissait d'une tour de flammes aurait dû lui causer un choc.

— Votre nom.

— Terri. Terri Hall, répondit-elle, les mots sortant pêle-mêle de sa bouche comme si elle réagissait à la dangereuse situation. Et je dois sortir d'ici. Je dois retrouver ma fille.

— Torin, interrompit Rune. Nous n'avons pas de temps pour en sauver une autre. Nous avons une mission et nous sommes restés ici trop longtemps déjà. D'autres gardes arrivent.

Torin ne regardait pas Rune, mais plutôt Shea. Ses yeux verts étaient rivés sur les siens, et elle l'évaluait, voyant qui et ce qu'il était. Il sentit que les souvenirs de leur passé commun ne s'étaient pas encore éclaircis. Et son choix d'aujourd'hui aurait un grand impact sur elle. Il savait que ce moment ferait à jamais sa marque dans ses yeux. Pourrait-elle lui faire confiance et apprendre de lui ? Ou serait-il aussi insensible que ceux qui voudraient la voir morte ?

Le choix était simple.

— Emmène la femme, dit Torin à Rune d'un ton catégorique.

Shea sourit, et Terri expira, profondément soulagée. De quelque part au loin, d'autres cris s'élevèrent dans les airs. Il n'aimait pas laisser ces autres femmes à la merci de ces gardes moins que tendres, mais il n'y avait rien qu'il puisse faire pour les aider. Pas encore, du moins.

— Vous devez la ramener saine et sauve, insista Shea, transperçant Rune d'un regard qui ressemblait à un ordre. Vous ne pouvez simplement la sortir de là et puis la plaquer quelque part. Elle doit être en *sécurité*. Et pas seulement elle. Vous devrez prendre sa fille et sa mère aussi.

Terri sursauta de surprise.

La bouche de Rune se mit à bouger comme s'il avait envie de lui dire non, mais tout à son honneur, il demeura silencieux jusqu'à ce qu'il murmure un juron.

— Rien d'autre ? se contenta-t-il de demander.

La fierté qu'il éprouvait à propos de sa femme poussa Torin à sourire devant la fureur de son ami.

— Oui, répondit brusquement Shea, loin de trouver la réplique amusante. Elles ont besoin d'argent, et je veux savoir où vous les emmènerez.

— L'argent n'est pas un problème, répondit Torin. Le Dieu des Éternels, Bélénos, a veillé à ce que ses guerriers aient tout ce dont ils ont besoin pour survivre dans un monde humain. Quant à la sécurité, il y a des endroits. Des sanctuaires.

Shea regarda Torin, voulant savoir.

— Où?

Son regard balaya la zone à nouveau, sachant qu'il ne restait plus beaucoup de temps et que les gardes allaient bientôt les localiser.

— Le plus proche est situé dans les montagnes Uinta de l'Utah, dit-il. Le camp est bien dissimulé. Les sorcières et les femmes humaines sont invitées à s'y cacher. C'est loin de la civilisation, et les sorcières qui s'y trouvent ont formulé des conjurations et des sorts protecteurs pour que leur camp soit ignoré par ceux qui sont à leur recherche.

Elle hocha la tête et regarda son amie.

— Terri? Cela vous convient-il?

La blonde jeta un coup d'œil méfiant vers Rune. Elle n'avait pas d'autre choix que de risquer d'aller avec lui. C'était ça ou mourir, ne plus jamais revoir son enfant. Torin ne fut pas surpris lorsqu'elle se mit à parler.

— Ça me semble correct. Et merci aussi pour ma mère et Amanda.

Son regard embrassa brièvement les corps des femmes mortes. Elle frissonna et avala difficilement sa salive, levant le menton en signe de défi.

— J'ai toujours voulu vivre dans les montagnes. D'ailleurs, plus c'est loin d'ici, mieux c'est.

— Nous y allons, alors, dit Rune.

D'abord, il tendit le bras vers la chaîne autour de son cou.

— Il faut enlever ça.

— Si nous ne nous débarrassons pas du collier, l'or blanc drainera lentement les pouvoirs de Rune, et ce sera plus difficile pour lui de vous protéger, vous et votre famille, dit Torin.

— Allez-y.

Terri pencha la tête de côté et broncha à peine quand le doigt de Rune s'enflamma et que les flammes qui touchaient sa peau ne la brûlèrent pas. Le collier tomba au sol sans que personne ne lui jette un regard. Elle leva une main pour frotter son cou, puis regarda fixement Rune comme si elle se demandait si elle ne tombait pas de Charybde en Scylla.

— Faites-leur confiance, dit Shea, et ces mots remplirent Torin de fierté.

Rune tendit une main vers Terri.

— Si nous partons, femme, nous devons y aller maintenant.

— D'accord.

Terri lia ses doigts aux siens, et alors que les flammes s'élevaient pour les avaler, Shea entendit Terri qui riait.

— Maintenant, êtes-vous prête? demanda Torin, tendant sa main pour la libérer des maillons d'or blanc autour de sa gorge.

Des coups de feu retentirent au loin. Shea prit une grande respiration et hocha la tête.

— Mon Dieu, oui. Allons-y.

Des flammes se précipitèrent de Torin aux maillons contre son cou. Des secondes s'écoulèrent, puis elle soupira alors que le collier détesté tomba librement de son corps.

— Je me sens beaucoup mieux.

Des gardes criaient, des femmes hurlaient, et d'autres tirs explosèrent dans l'air. Entourant ses bras autour du cou de Torin, Shea le tint serré.

— Sortez-nous d'ici.

Avec un zoom sonore et un éclair de flammes lumineux, ils disparurent.

Chapitre 17

– Madame la présidente, le directeur du centre de détention de Terminal Island est sur la deuxième ligne. Il dit que vous attendiez son appel ?

Cora Sterling, la première femme présidente des États-Unis, leva les yeux vers son chef de cabinet. Elle lui offrit le sourire chaleureux et maternel qui lui avait gagné la confiance d'une nation et lui avait permis de se retrouver à l'épicentre d'une élection historique.

— Oui, merci, Sam. Je lui parlerai dans un moment.

— Oui, madame.

L'homme grand et beau acquiesça et quitta le bureau ovale.

Cora était assise sur l'un des canapés jumeaux bleu pâle disposés l'un en face de l'autre. Une lampe de lecture brûlait doucement sur la table voisine, et la dernière liasse de papiers qui lui avait été envoyée par le Sénat était dispersée à travers les coussins à côté d'elle.

« J'adore cette pièce », songea-t-elle alors qu'elle se levait et traversait le tapis bleu marine où le sceau présidentiel était brodé.

Se trouver ici, à la Maison-Blanche, était quelque chose qu'elle n'avait jamais tenu pour acquis. Elle avait travaillé dur pour arriver ici. Pour y faire sa place. Bien que parfois, tout cela lui semblait surréaliste. Veuve avec une fille adulte, Cora avait toujours été une femme ambitieuse, — mais cela, songea-t-elle avec ironie, avait vraiment dépassé ses ambitions.

Le bruit de ses talons était étouffé alors qu'elle marchait d'un pas confiant jusqu'à son bureau, où elle se tint debout et regarda fixement le téléphone. Le bouton de mise en attente clignotait comme s'il insistait pour qu'elle prenne l'appel. Mais elle prit un moment pour revenir sur terre.

Après tout, elle était la présidente.

Elle sourit. Six mois dans le bureau, et elle n'y était toujours pas habituée. Cora Sterling, fille de classe moyenne de Sugar Land, au Texas, première femme présidente. Son élection avait marqué l'histoire. Ce serait la même chose pour son mandat, se dit-elle. Elle avait fait campagne sur les thèmes de réforme et de sécurité intérieure.

Avec la sorcellerie vivante dans le monde, les gens étaient effrayés. Ils l'avaient été suffisamment pour voter pour elle quand elle avait promis de les protéger, et elle tiendrait sa promesse. Elle avait promis de régler le problème de la sorcellerie et de mettre un terme à la peur qui, à l'heure actuelle, semblait être la véritable motivation de la société.

Si la sorcellerie existe, avait-elle insisté durant la campagne électorale, il était alors temps que le monde accepte la nouvelle réalité et trouve un moyen de coopérer avec elle. Elle avait solennellement juré qu'elle ne permettrait pas à ce pays, ou à tout autre, de reprendre l'hystérie des procès des sorcières de Salem.

Et c'est exactement ce qu'elle voulait faire, se dit fermement Cora. Tendant une main, elle prit le téléphone.

— M. Salinger ?

— Oui, Madame la présidente.

Il s'arrêta et avala bruyamment sa salive.

— J'ai peur d'avoir de mauvaises nouvelles.

Sa poigne se serra sur le récepteur. Prenant une lente et profonde respiration, elle déplaça son regard sur la pelouse sud de la Maison-Blanche. Dehors, il y avait des jardins, paisibles au clair de lune, gardés par toute une compagnie des forces armées des Marines. Au-delà de la pelouse, la clôture avait été fortifiée, vaporisée avec de l'or blanc. Les touristes n'étaient plus autorisés à s'approcher de la « maison du peuple ». Plus de séances de photos devant le Capitole de la nation. Pas quand on devait s'inquiéter qu'une sorcière s'approche trop de la présidente.

La peur de la sorcellerie avait orienté toutes les décisions prises à Washington depuis plusieurs années. Et la peur était un véritable tyran. La sécurité était telle que même à l'intérieur de la Maison-Blanche, Cora était accompagnée en tout temps par une escorte des services secrets. Le seul endroit où elle pouvait compter être seule, c'était dans l'intimité de sa chambre à coucher.

— Je suis désolée de l'entendre, M. Salinger, dit-elle sur le ton apaisant et calme sur lequel les gens avaient appris à compter. Que s'est-il passé ?

— C'est Shea Jameson.

— Oui, je le supposais bien, soupira Cora.

Hier seulement, elle avait parlé à cet homme pour lui dire en termes non équivoques à quel point Mlle Jameson faisait partie des futurs plans de Cora. La jeune femme était devenue le visage d'un mouvement.

Sa tante ayant été la première sorcière à être exécutée, Shea avait été traquée pendant des années, et maintenant, enfin, grâce à son pouvoir en éruption, elle avait été capturée et emprisonnée. Elle était jeune, jolie, une enseignante, pour l'amour du ciel. Et tous ses dossiers indiquaient que Shea était une femme réfléchie, ordinaire — du moins jusqu'à ce que sa sorcellerie innée éclate. Le visage de Shea était celui qu'il lui fallait projeter alors qu'elle tentait d'implanter les changements qu'elle avait promis aux électeurs.

— Que s'est-il passé ?

— Elle s'est échappée. En fait...

Salinger se corrigea rapidement.

— On l'a aidée à s'évader. Il y a eu des morts. Mes hommes...

— Combien de vos prisonnières sont mortes dans cette évasion ?

Il s'arrêta, et Cora entendit le froissement de papiers alors qu'il effectuait de rapides vérifications.

— Cinq femmes mortes, quatre blessées, dont l'une ne survivra probablement pas.

Se frottant le front pour contrer la douleur naissante, Cora se détourna des portes françaises menant à la pelouse sud et elle fixa plutôt son bureau. Le *Resolute desk*; il avait servi à Reagan, Clinton, aux Bush et à Obama, et maintenant, c'était son bureau. Avec la responsabilité que toute personne assise derrière devait accepter.

Elle passa ses doigts sur la surface de chêne anglais finement sculptée et elle se souvint qu'elle avait bien mérité ce poste. Elle avait d'abord servi comme gouverneure du Texas et à partir de là, s'était déplacée jusqu'au Sénat. Deux termes avaient solidifié sa réputation de candidate pratique et réputée pour son franc-parler. Au décès de son époux, il y avait quinze ans, Cora avait emmené sa seule enfant, Deidre, en campagne électorale, et les deux avaient constitué une équipe imbattable.

Et elle était entrée dans ce bureau, prête à prendre sur elle les problèmes non seulement de son pays, mais du monde entier. Ce n'était pas le temps de devenir timorée.

— Et Mlle Jameson ? demanda-t-elle, coupant dans les interminables excuses de Salinger.

— Disparue, admit-il. J'ai donné les ordres sur lesquels vous aviez insisté, Madame la présidente. On ne l'a pas dérangée… pas beaucoup. La plupart des gardes ont gardé leurs distances et se sont contentés de l'observer. S'ils avaient été plus près d'elle quand les hommes sont apparus…

Elle se redressa, ignorant l'insinuation de l'homme suggérant qu'en quelque sorte, tout cela était de *sa* faute, et elle mit l'accent sur le dernier mot qu'il avait prononcé.

— Apparus ?

— D'après les témoins survivants, oui, dit l'homme, babillant maintenant de nervosité. Deux hommes « ont surgi de nulle part », ont tué les gardes des tours et sont apparus dans la cour de la prison. Les témoins, ajouta-t-il en se raclant la gorge, jurent que les deux hommes étaient couverts de flammes.

— De flammes ?

Il poussa un soupir.

— Oui, madame, c'est une chose sur laquelle tout le monde s'accorde. Les deux hommes ressemblaient à des piliers de feu.

— Je vois.

Elle inspira profondément, mais garda la voix posée, malgré le choc de ces nouvelles. Elle se rappela les rapports de la première tentative pour appréhender Shea Jameson. Supposément, un homme de feu l'avait emmenée. Qui était-il? D'où venait-il? Et comment, pour l'amour du ciel, était-il possible de traquer un homme de feu?

«Fallait-il que je m'inquiète d'autre chose que des sorcières?» se demanda-t-elle. Quels étaient les autres types de magie possibles, attendant toujours d'être révélés?

— Très bien, dit-elle brusquement. Faites tout ce que vous pouvez, servez-vous de toutes les ressources dont vous avez besoin, mais je veux que l'on retrouve Shea Jameson, vous comprenez?

— Oui, mais…

— Et ne vous méprenez pas, je veux qu'on la ramène saine et sauve.

Cora ne souhaitait nullement continuer à entendre ses excuses ou ses lamentations.

— J'avertirai le Bureau de la sorcellerie. Ils entreront en contact avec vous. Fournissez-leur tout ce qu'ils exigent, M. Salinger.

— Bien sûr, Madame la présidente, mais je ne pense pas qu'ils pourront la trouver. Pas tant que cet… *homme* est avec elle.

— Vous seriez surpris de ce que les gens correctement motivés peuvent faire, M. Salinger. Tenez-moi informée de tout changement.

— Oui, madame, je le ferai...

Elle raccrocha et laissa traîner ses doigts sur la surface du téléphone. Elle déplaça son regard autour du bureau ovale où elle se trouvait après avoir travaillé si fort. Elle ne permettrait pas que Shea Jameson disparaisse sans laisser de traces. Elle avait besoin d'elle. Si elles allaient apporter les changements nécessaires à la société et au monde en général, elles devraient travailler ensemble.

Qu'elles le veuillent ou non.

Chapitre 18

L e moins qu'on puisse dire, c'est qu'il était déconcertant de voyager par le feu.

Les brillants éclats d'énergie enflammée permettaient à Torin de se déplacer sur un nombre de kilomètres limitée. Donc, à la fin de chaque saut, Shea jetait un rapide coup d'œil autour d'elle pour voir où ils se trouvaient. Plage, saut. Autoroute, saut. Stationnement, saut. Milieu d'une intersection — cri perçant et saut.

Lorsqu'ils «atterrirent», Shea était secouée et un peu nauséeuse. Elle lâcha Torin, respira profondément et se plia en deux, laissant pendre sa tête alors qu'elle s'efforçait de calmer son estomac. Pas facile, car elle avait l'impression d'avoir abandonné son estomac deux sauts plus tôt.

— Ça va?

— Ça ira, dit-elle, plus posément que ce qu'elle ressentait à ce moment. Le plus important, c'est que je sois sortie de cette prison.

— Non, corrigea Torin. Le plus important, c'est de vous y garder à l'extérieur. Nous ne sommes pas encore en sécurité. Nous devons continuer.

Shea se redressa et enleva ses cheveux de ses yeux.

Elle se trouvait vraiment dans un monde complètement différent maintenant, songea Shea. Voyager par le feu. Envoyer une amie dans un sanctuaire. En même temps qu'elle prenait rapidement conscience de sa nouvelle réalité, elle reconnaissait aussi qu'elle avait été soulagée d'entendre parler de sanctuaires. Les sorcières s'organisaient pour se sauver et pour sauver les autres. Comme elle, elles avaient décidé de ne pas abandonner facilement —, et savoir qu'elle n'était pas seule dans son combat semblait lui apporter une certaine force.

Relevant les yeux, elle dit :

— Donnez-moi une seconde pour remettre mon estomac en place avant de recommencer ce truc de feu, d'accord ?

Il lui fit un petit sourire.

— Vous n'avez pas aimé ?

— C'était... incroyable, admit-elle même si ses entrailles étaient encore un peu fragiles. Mais pas au point d'avoir hâte de le refaire de si tôt.

Il hocha la tête alors qu'il se tenait là comme un ange vengeur tombé du ciel, ses yeux gris balayant leur environnement, constamment vigilants. Finalement, il la regarda.

— Non. À partir d'ici, nous roulerons en voiture.

— Dieu merci.

Au moins, une voiture était quelque chose qu'elle connaissait.

— Nous devons continuer à avancer, dit-il. Le Bureau de la sorcellerie et la PM doivent être en train de vous chercher. Nous devons disparaître. Rapidement.

Puis, il lui prit le bras et la traîna derrière lui à l'autre bout d'un garage de stationnement bien éclairé. Il s'arrêta devant une voiture de sport noire élégante qui avait l'air si rapide, si puissante, qu'elle s'attendit presque à la voir rugir en guise de salutation.

— Montez!

— Sommes-nous en train de voler la voiture de quelqu'un? demanda-t-elle en même temps qu'elle se dirigeait du côté du passager. N'y a-t-il pas suffisamment de gens qui nous poursuivent?

Il secoua la tête.

— C'est *ma* voiture. J'en ai plusieurs que je garde dans des endroits différents, juste pour m'assurer que j'en ai une quand j'en ai besoin. Alors montez.

— D'accord.

Elle entra, attacha la ceinture de sécurité et se laissa immédiatement aller sur le siège de cuir noir. Elle n'avait même pas eu conscience de toute la tension accumulée jusque-là dans son corps, jusqu'à ce que le tout se libère en même temps, la faisant se sentir faible et sans vigueur comme un nourrisson.

Il démarra le moteur, et Shea sourit. Effectivement, la voiture rugit.

— Où allons-nous? lui demanda-t-elle alors qu'il sortait de l'espace de stationnement.

— Un refuge sécuritaire pour ce soir.

La voiture tout en muscles partit du garage comme une flèche. Ses pneus crissèrent contre le sol en béton, et le grondement du moteur sembla résonner à travers toute la structure.

Elle appuya sa tête contre le dossier et remarqua à peine que les feux de stationnement défilaient comme des éclairs dans un ciel sombre. Pendant que l'esprit de Shea vagabondait, Torin conduisait, guidant la voiture sur l'autoroute et dans la nuit. Pendant qu'il roulait, des visions remplirent son esprit, et dans ces visions, la foudre tonnait effectivement à travers les cieux.

Des voix du passé s'élevèrent, chuchotant et chantonnant. Comme les mots se formaient dans son esprit, Shea se déplaça, mal à l'aise, et le pouvoir en elle se mit à hurler.

Lune, notre Déesse, nous t'appelons
Tes filles appellent ton pouvoir
Bénis-nous maintenant de ta générosité
Laisse nos ennemis devant nous trembler.

Maintes et maintes fois, les voix s'élevèrent et descendirent comme des vagues sur une mer bouillonnante. Des ombres tourbillonnaient dans son esprit et dans son cœur, et ce qu'elle avait été autrefois se débattait pour exister de nouveau.

Shea gémit et tomba plus profondément dans le passé, dans les images dissimulées dans ses propres souvenirs. Alors que Torin pilotait la voiture à travers la nuit, Shea marchait à travers la brume, ses sœurs à ses côtés.

Elle sentit le pouvoir bouillonner dans l'air et elle sourit. Les éclairs glissaient à travers les nuages, illuminant l'air derrière elles. Le vent battait leurs vêtements et leurs cheveux et hurlait pour accompagner les sorcières rassemblées.

Un pentagramme était gravé dans la terre, des bougies à chacune de ses cinq pointes. Malgré le vent violent, les flammes sur les mèches de ces bougies brûlaient hautes et droites avec à peine une lueur de mouvement. Shea suivit les autres, et elles formèrent un cercle autour de la grande étoile sur le sol.

Elle sentit, plus qu'elle ne les vit, que d'autres étaient là aussi. Ils se tenaient en périphérie du cercle, perdus dans les ténèbres, et pourtant, elle savait qu'ils essayaient d'atteindre les sorcières. De les arrêter.

Mais rien n'aurait pu les arrêter.

Ensemble, les sorcières laissèrent tomber les robes blanches qu'elles portaient et se tinrent, nues, leur peau éclatante dans la pénombre nacrée de la lune et des éclairs. Leurs longs cheveux volaient autour de leur tête et dans leurs yeux — se réfléchissant autour du cercle — il y avait une faim et une soif que Shea reconnaissait même si instinctivement une partie d'elle voulait s'en éloigner.

Mais il était impossible de réécrire le passé, et elle n'était rien de plus qu'un fantôme dans cette scène — une observatrice réticente — enfermée dans le corps qu'elle avait occupé dans une autre vie. Et ainsi elle était coincée, une mouche dans une toile, obligée de revivre ce moment, cette terreur.

Son esprit lutta, mais les souvenirs avaient été trop longtemps dissimulés. Ils se précipitaient dans les coins les plus sombres de son cerveau avec une fatalité dont elle ne pouvait se détourner.

Une pleine lune se glissa de derrière les nuages, et des éclairs en dents de scie illuminaient et déchiraient le ciel sans cesse au-dessus de leurs têtes. L'orage était vraiment dans l'air, chargeant chaque souffle aspiré avec un pouvoir tiré des éléments de la terre et du ciel.

Les femmes du cercle levèrent les bras, et leurs voix se réunirent pour faire leur demande. Les murmures étouffés se perdaient dans le vent, mais les mots possédaient un pouvoir qui leur était propre et semblaient vibrer dans la nuit.

Nous attendons le pouvoir et la connaissance
Nous qui nous rassemblons sommes liées
Nous rejetons la lumière et embrassons l'obscurité
Nous exigeons votre force et votre puissance

— Oh, mon Dieu !

Shea se redressa sur le siège d'auto, ses poumons se soulevant alors qu'elle regardait l'Éternel à côté d'elle.

— Qu'avons-nous *fait* ?

Chapitre 19

L andry Harper était furieux.
        Tout ce travail à capturer la sorcière, pour que les connards responsables de la prison la laissent s'échapper.

Ses mains se serrèrent sur le volant pendant qu'il roulait à travers la circulation près de son domicile. On l'avait appelé, on lui avait ordonné de trouver la sorcière. Encore une fois. Le signal de localisation GPS la situait quelque part dans son territoire, et si elle était là, il la trouverait. C'était son boulot.

Ce n'avait pas toujours été le cas, se souvint-il. Autrefois, il avait été un enseignant, comme elle. Jadis, il se tenait devant des classes remplies de jeunes visages où était gravé l'ennui, et il essayait de leur enseigner l'histoire. Jusqu'à ce que son univers éclate; et alors, ce qui était arrivé dans la Rome antique était devenu moins important que ce qui se passait *maintenant*. On avait réécrit l'histoire. La race humaine tout entière se faisait attaquer. Et des gens comme lui devaient protéger les innocents des damnés.

Son regard se déplaça vers la photo fixée au tableau de bord de sa jeep. Une femme souriante le regardait de l'image délavée, et tout en lui se serra de détermination. De concentration. Elle n'avait pas vu venir son agresseur. Elle ignorait que la voisine en qui elle avait confiance laisserait un jour s'échapper un pouvoir que personne ne devrait posséder.

L'explosion avait secoué le quartier.

Le feu avait engouffré sa maison comme une torche, et la femme et l'enfant qu'il avait laissés endormis quand il était parti travailler étaient morts en un instant.

La sorcière d'à côté avait échappé à l'explosion, bien sûr. Son pouvoir l'avait sauvée.

Jusqu'à ce que Landry la retrouve, six mois plus tard.

Tout comme il trouverait celle-ci.

Et lorsqu'il le ferait, elle ne retournerait pas en détention.

Chapitre 20

— Vous êtes en train de vous souvenir, dit Torin, tout en lui jetant un coup d'œil. C'est une bonne chose.

— Pas de mon point de vue.

Elle frissonnait à cause du froid qui s'infiltrait dans son corps, une fraîcheur presque aussi invalidante que la sensation glacée de l'or blanc. Mais cette fois-ci, le froid pénétrait encore plus profondément. Dans ses os. Dans son âme.

Secouée, elle tenta de se concentrer sur ce souvenir même s'il s'éclipsait, retournant dans la nuit d'où il était venu. Une partie d'elle était reconnaissante.

— Vous devez vous souvenir, Shea, lui dit-il. De tout.

— Est-ce que vous vous en souvenez? Je veux dire, y étiez-vous?

Elle secoua la tête, ferma brièvement les yeux et ravala un haut-le-cœur.

— Vous y étiez, n'est-ce pas? Dans l'ombre. Je ne pouvais vous voir. Mais je vous sentais. Je savais que vous étiez là, que vous essayiez de me rejoindre.

— Et j'ai *échoué.*

« Non, pensa-t-elle frénétiquement, il n'avait pas échoué. » C'est plutôt elle qui avait échoué. Elle et les autres.

Il avait essayé de l'atteindre, mais il n'avait pu combattre les charmes que ses sœurs et elle avaient mis en place pour le tenir à l'écart, lui et ses frères. La mémoire lui revint à nouveau, et cette fois-ci, elle ne fut pas emportée dans l'action; elle put regarder les images objectivement. Comme si cela arrivait à quelqu'un d'autre.

Et n'était-ce pas le cas?

Shea avait toujours cru en la réincarnation en tant que concept abstrait. Après tout, il semblait déraisonnable de supposer que les humains s'étaient fait attribuer un maigre quatre-vingts ans, plus ou moins, pour finir par sombrer dans l'oubli en un clin d'œil. La conception de l'univers était bien trop complexe, il était trop vaste pour qu'elle accepte que la vie soit si brève. D'ailleurs, même à l'école secondaire, elle avait accepté que les vies passées puissent affecter la façon de vivre cette vie. Pour quelle autre raison ressentirait-on instantanément soit de l'affinité, soit de l'hostilité envers un parfait inconnu lors d'une première rencontre?

Alors, oui, la réincarnation avait un sens à ses yeux. Mais il lui était un peu difficile de saisir qu'elle doive accepter d'être punie pour ce qu'elle avait fait dans une autre vie. Pourrait-elle vraiment être tenue responsable de quelque chose qui s'était passé des centaines d'années plus tôt?

Shea lutta pour stabiliser son rythme cardiaque, cherchant à respirer plus facilement, mais ça ne servait à rien. Rien n'aidait. Les échos de ce souvenir circulaient encore à travers son système, la faisant trembler à la fois de peur et de ce qui ressemblait trop à de l'excitation.

Son estomac se retourna, et la bile se précipita dans sa gorge. Elle déglutit et baissa la fenêtre alors qu'ils filaient à toute allure le long de l'autoroute, entrant et sortant de la circulation comme par... bien, par magie. Même le froid ne l'empêchait pas de vouloir la gifle de l'air frais sur son visage. Ses cheveux s'envolèrent dans un enchevêtrement, et elle dut les enlever de ses yeux.

— Dans le souvenir, réussit-elle à dire, je suis moi, mais... je ne le suis pas.

— Je sais.

— En prison, j'ai fait un rêve différent. À propos de...

Comment lui dire qu'elle avait rêvé qu'elle faisait l'amour avec lui, et que ça avait été si chaud qu'elle avait dû se caresser pour soulager la douleur ? Non, il ne faudrait pas aller jusque-là. Pas encore.

— Vous étiez là. Et je vivais dans une petite maison, et c'était il y a des centaines d'années, mais je connaissais ce lieu. Cette personne que j'étais alors. Et je vous connaissais.

— Vous me connaissez depuis toujours, lui dit-il, et elle examina son profil dans l'éclairage sporadique des lampadaires alors qu'ils passaient devant eux.

Sa mâchoire était forte et son nez, droit, ses lèvres lui donnaient envie d'en prendre une bouchée. Ses mains tenaient le volant, et il conduisait comme s'il était habitué à rouler à cent cinquante kilomètres-heure ou plus.

C'était un homme moderne, de toute évidence, mais elle sentait qu'il était aussi un guerrier de l'Ancien Monde. Elle l'entendait parfois dans son discours. Une formalité en quelque sorte, d'une autre époque. Comme s'il ne s'était pas vraiment séparé de l'homme de son rêve. Comme s'il était le genre d'homme qui ne se pliait pas à l'époque dans laquelle il vivait. Il l'obligeait plutôt à se plier à lui.

— Que voulez-vous dire par «je vous ai toujours connu»?

— Vous savez exactement ce que je veux dire, dit-il, orientant la voiture à travers trois voies de l'autoroute pour prendre la bretelle de raccordement à une autre autoroute.

Il appuya encore plus sur l'accélérateur.

— Nous sommes ensemble depuis des siècles, Shea.

— Ce n'est pas possible, murmura-t-elle, mais tout en elle aspirait vers lui.

Chaque cellule de son corps le croyait déjà. Son cœur, son âme, tout en elle ressentait son attraction, et si son esprit voulait argumenter, le reste d'elle n'avait vraiment pas envie d'en entendre parler.

En outre, soutint-elle en silence, comment pourrait-elle expliquer tout cela?

— Vous êtes une sorcière. Je suis votre Éternel. C'est ainsi entre nous depuis le début.

Elle inspira profondément. Elle aspira le parfum de l'océan qui s'estompait alors qu'ils se précipitaient dans la direction opposée, se dirigeant Dieu sait où. C'en était trop. Tout cela. *Son Éternel. Des siècles. La magie.* Comment était-elle censée trouver un sens à tout cela? Comment était-elle censée savoir ce qu'il fallait faire? Si ses souvenirs étaient vrais, alors elle avait fait une erreur. Qu'est-ce qui allait l'empêcher de la refaire?

Une nouvelle vague de nausées se précipita à travers elle.

— Arrêtez la voiture!

— Non.

De la fureur éclata en elle à cause de la manière dont il ignorait ses besoins. Elle ne pouvait plus respirer. Elle ne pouvait plus penser. Elle avait l'impression d'être prête à éclater. Il lui fallait sortir de cette fichue voiture. Elle avait besoin de se tenir sur ses deux pieds et d'essayer de se souvenir de qui elle était *maintenant*. C'était à cette femme qu'elle s'intéressait. Shea Jameson dans l'ici et maintenant. Elle ne pouvait modifier le passé, mais elle pouvait, parbleu, avoir un mot à dire dans son présent et son avenir.

Quelque chose se souleva en elle comme si elle l'avait appelé. S'élevant, brûlant, cela faillit l'étrangler dans un effort pour s'échapper. Elle s'abandonna à cette sensation et se laissa porter sur la vague qui montait en elle ; quelques instants plus tard, elle *vit* littéralement des étincelles qui volaient dans l'air entre elle et l'homme immense sur le siège du conducteur.

Comme des éclats qui s'élevaient d'un feu de camp, les étincelles brillaient frénétiquement, puis s'éteignaient ; mais de plus en plus d'entre elles apparurent, tourbillonnant comme un essaim de lucioles. Lorsqu'elle cria : « Arrêtez ! » une seconde fois, un élan de pouvoir remplit le mot, et la voiture à haute performance pétarada et le moteur s'éteignit.

— Merde, je ne sais pas s'il faut que je sois fier ou énervé.

Il jura à voix basse et profonde alors qu'il dirigeait la voiture en roue libre sur le côté de l'autoroute.

Ils se trouvaient maintenant près d'Irvine Ranch, et la circulation passait à toute allure devant eux comme s'ils n'existaient pas. Shea attendit à peine que la voiture s'arrête complètement avant d'ouvrir la porte pour sortir. Elle entendit Torin qui jurait encore violemment, mais elle ne lui prêta aucune attention alors qu'elle agitait une main devant elle, faisant voler en éclats la barrière qui bordait les vastes collines et vallées qui longeaient l'autoroute.

Le vent hurlait vers elle, et le grondement du trafic lui semblait provenir d'une distance d'une dizaine de kilomètres au lieu de dix mètres derrière elle. Elle se mit à courir, ses pieds trébuchant sur le sol inégal, puis elle se retrouva dans l'herbe haute, courant toujours. Au-dessus d'elle, les premières étoiles éclataient dans le ciel. La lune, à peine un croissant, ne projetait aucune lumière dans l'obscurité, mais elle ne s'en souciait pas.

Elle courait parce qu'il fallait qu'elle coure.

Parce que les souvenirs obsédants qui la submergeaient étaient trop difficiles à gérer.

Pas seulement ces derniers jours quand elle avait découvert ce que c'était que d'être enfermée et sans défense... mais les souvenirs du passé — des vies qu'elle avait vécues et où elle était morte. Des souvenirs de magie noire et de voix qui chantonnaient. Et Torin.

Toujours Torin.

Il la rattrapa en quelques secondes. Sa grosse main se posa sur son bras, et il la fit pivoter pour qu'elle le regarde.

— On est en train de s'enfuir ? la défia-t-il. C'est ce que vous êtes devenue ? Une lâche ?

— Je ne suis pas lâche, cria-t-elle à son tour, mortifiée de sentir la piqûre des larmes.

— Où voulez-vous aller ? La moitié du pays sera en train de vous chercher demain matin.

— Je m'en fous, dit-elle, son pouvoir se précipitant à travers elle, comme si maintenant qu'il était libéré, il était trop difficile à maîtriser.

Des flammes apparurent sur le bout de ses doigts comme les petites flammes sur des bougies d'anniversaire. Elle les regarda, surprise, et pourtant, aussi, réconfortée devant la preuve de sa puissance. C'était l'*autre* elle, se rassura-t-elle. Celle qui s'était tenue debout au clair de lune et qui avait appelé les ombres. La sorcière qui avait ouvert quelque chose de sombre et qui l'avait accueilli dans ses bras.

Ce n'était pas *elle*.

— J'ai seulement besoin de réfléchir, cria-t-elle, voulant que s'éteignent les flammes sur ses mains, puis les regardant comme si elle avait de la difficulté à croire ce qui lui arrivait. J'ai besoin de comprendre ce qui se passe, ce que je suis censée faire.

— Vous êtes censée vous accoupler avec moi, lui dit-il d'un ton catégorique, saisissant son autre bras et l'attirant vers lui.

« Oui », criait son corps, s'arquant vers lui, ses seins douloureusement rongés par le désir de sentir son toucher, ses baisers. Elle pouvait presque sentir la chaleur de sa bouche autour de son mamelon et elle gémit d'un besoin primal. Dévorant.

Elle le voulait. Elle avait besoin de lui. Mais elle l'avait eu dans le passé, se souvint-elle, et rien n'avait changé. Rien ne l'avait empêchée de s'ouvrir à l'obscurité.

— Selon ma vision, nous avons déjà essayé ça il y a quelques centaines d'années. Il ne s'est rien passé.

« C'est faux », lui murmurait sournoisement son esprit, lui rappelant ce qu'elle avait trouvé dans ses bras.

La gloire, le plaisir. Les orgasmes qui ébranlaient l'âme. Oh mon Dieu.

Mais elle n'avait *pas* fait l'expérience d'une énorme croissance de ses capacités magiques.

— C'est différent maintenant, merde. Ne le voyez-vous pas ?

Elle enleva vivement ses cheveux de ses yeux et repoussa les murmures affamés de son esprit.

— Comment ? Comment est-ce différent ?

— C'est l'Éveil, Shea, dit-il, sa voix se perdant dans l'explosion de quelque chose de sauvage et féroce qu'elle ressentait à ses paroles. Dans toutes les autres vies, nous travaillions pour arriver à maintenant. À cette vie. À la fin de l'envoûtement imposé il y a si longtemps. Ça a enfin commencé. Le temps de l'expiation est là, et vous êtes la première — nous sommes les premiers.

— Qu'est-ce que vous ne me dites pas ?

Elle pouvait entendre les mots inexprimés qui attendaient d'être reconnus.

— Rien.

Il la laissa aller, fit un pas en arrière et passa une main dans ses longs cheveux noirs.

— Ce n'est rien. Une autre sorcière. Quand j'ai essayé de vous trouver. Elle a dit que c'était elle la première. Elle s'appelle Kellyn, mais ce n'est pas possible.

— Est-il important de savoir qui est la première, pour l'amour de Dieu ?

Elle se mit à rire et elle n'aima pas le bruit de l'hystérie qu'elle entendit.

Son regard transperça le sien.

— Non. Ce qui est important, c'est que vous êtes ici. Avec moi. Et que nous avons une chance de terminer ce qui a commencé il y a si longtemps.

Elle recula précipitamment de quelques pas.

— J'ai parlé à quelques-unes des sorcières de la prison. Elles m'ont dit qu'une sorcière choisie et son Éternel partagent leur pouvoir lorsqu'ils s'accouplent.

— Il ne s'agit pas d'un partage, c'est beaucoup plus une fusion. Avec l'accouplement, vous deviendrez plus forte.

Plus forte. Ce pourrait être une bonne chose. Ou ce pourrait être terrifiant.

— Et qu'est-ce que vous en obtenez ? demanda-t-elle même si elle savait qu'elle allait passer par le rituel.

Elle l'avait décidé lorsqu'elle s'était retrouvée dans le camp. Elle n'allait jamais être impuissante à se défendre de nouveau. Pas si elle pouvait l'empêcher. Elle apprendrait. Elle se souviendrait. Et elle allait devenir assez puissante pour elle-même et pour tous les autres qui avaient besoin de son aide protectrice.

— C'est *vous* que j'obtiens, Shea.

Son regard se riva sur le sien, et elle sentit que le feu à l'intérieur de lui brûlait tout ce qui était autour, comme un halo de puissance et de force, l'enveloppant dans son intensité jusqu'à ce qu'il n'ait pas d'autre choix que de brûler vers l'extérieur, l'enveloppant elle aussi.

— Je vous ai voulue depuis des vies. Pendant toutes ces années, pendant des siècles.

Il fit un pas de plus vers elle, et ses yeux gris tourbillonnèrent comme s'ils étaient éclairés de l'intérieur. Elle vit des formes, des couleurs et des ombres qui se déplaçaient dans leurs profondeurs. Elle sentit qu'il se sentait aussi tendu qu'elle l'était — que sa faim était plus qu'à la hauteur pour rencontrer la sienne. Quelque chose à l'intérieur d'elle se réveilla et étendit les bras, désireuse de l'accepter, de calmer ce besoin au plus profond de son âme; un besoin que Shea connaissait pour la première fois.

— Vous m'appartenez, dit-il. Vous m'avez toujours appartenu. Comme moi, je vous appartiens.

Ils étaient seuls sur une colline sombre, debout sous un fin croissant de lune, et elle pouvait le voir aussi clairement que si un projecteur brillant était dirigé sur eux. Son corps se languissait et son cœur se serrait, et pourtant, son esprit argumentait encore. Elle devait comprendre ce qui se passait et comment maîtriser ses pouvoirs. Elle avait passé des années à s'occuper d'elle-même et elle avait besoin de comprendre ce qui se passait dans sa vie.

— Dans cette fusion, vos pouvoirs augmentent-ils aussi?

Il inclina la tête.

— Quel genre de croissance? Je veux dire, est-ce que vous obtenez la super-audition ou une vision aux rayons X ou quelque chose de semblable?

Un côté de sa bouche forma un sourire.

— Non. Mes capacités seront renforcées. Je serai en mesure de voyager par le feu pendant de plus longues distances sans me reposer. Je serai plus fort physiquement, et plus en mesure de vous protéger. Et nos esprits se connecteront, ce qui nous permettra de communiquer sans mots.

— Vous serez capable de lire dans mon esprit?

Il haussa les épaules.

— Pas tellement lire, mais plutôt vous entendre quand vous m'appellerez. Et vous pourrez faire la même chose.

— Est-ce que ça vous arriverait avec n'importe quelle autre sorcière?

— Non, lui jura-t-il. Seulement vous, Shea. Vous êtes la seule qui m'est destinée.

Elle *sentit* la vérité de ces paroles, comme si cette connaissance avait été gravée dans son cœur et dans son âme au début des temps. Tout ce qu'il lui fallait pour le reconnaître, c'était de l'entendre. Il lui appartenait. Comme il l'avait toujours fait. Et tout de même, Shea avait besoin d'être une égale dans tout ce qui surviendrait prochainement. Dans tout ce à quoi les deux feraient face.

— Torin, il y a longtemps que je m'occupe de moi-même.

— Je sais, dit-il en la regardant. Mais j'étais tout près, Shea. Toujours.

Elle prit une grande inspiration et expira lentement.

— D'accord, mais ce que je veux dire, c'est que je ne suis pas le genre de femme qui se contente de confier sa sécurité à quelqu'un d'autre. Si nous devons être ensemble, alors vous devez me traiter comme une partenaire et non pas comme une demoiselle en détresse.

Il lui fit un rapide sourire inattendu, et elle eut presque le souffle coupé devant sa pure beauté physique.

— Je ne vous ai jamais crue faible, Shea. Ou moins qu'une égale. Nous sommes une unité et nous agirons comme une unité.

«C'est bien», pensa-t-elle. Elle ne voulait pas être dans l'ignorance de quoi que ce soit.

— Où m'emmenez-vous, Torin?

— Au loin.

— À quelle distance?

— Nous voyagerons jusqu'à ce soir — vers une maison où vous serez saine et sauve.

— Ce n'est pas ce que je voulais dire, dit-elle. Je dois participer, Torin. Vous venez de me dire que nous étions une unité. Alors, dites-moi ce que vous avez l'intention de faire.

Shea n'était pas prête à se laisser enlever à nouveau non plus, pas même par l'amant qui lui était supposément destiné.

— Ça dépend de vous, lui dit-il, ses cheveux volant sur son visage dans le vent fort. Vous seule savez où nous devons être. Je ne vous cache rien, Shea. Les réponses que vous cherchez se trouvent dans vos souvenirs. Une fois que vous vous ouvrez à eux et à vos pouvoirs, vous saurez où nous devons aller.

Encore une fois, c'était vrai. Et de nouveau, elle reconnaissait au plus profond de son âme quelque chose qui aurait semblé fantaisiste seulement quelques semaines plus tôt. L'Éveil la concernait. Ses souvenirs. Ses pouvoirs. Elle allait avoir besoin de toute la force qu'elle pourrait trouver. De même que, pensa-t-elle, levant les yeux vers ceux de Torin, elle allait avoir besoin de *lui* à ses côtés.

Le frémissement d'énergie qui vibrait en elle fit sourire Shea malgré tout et lui donna l'impression qu'elle était à nouveau complète. Toute sa vie, elle avait eu l'impression qu'il lui manquait quelque chose. Comme si une partie d'elle s'était perdue. Aujourd'hui enfin, elle était en train de la trouver.

— D'accord, je pense que le truc de pouvoir a commencé.

Bon Dieu, il y a quelques jours, cette déclaration lui aurait fait peur. Elle aurait été prête à s'enfuir non seulement des autorités, mais de ce qu'elle ressentait en elle-même. Maintenant, elle se félicitait de cette vague de quelque chose... de plus.

Elle était une sorcière. Comme sa tante avant elle. Comme des milliers de femmes dans le monde qui naissaient avec des talents et des habiletés inattendus. Comme les femmes qui vivaient déjà avec du pouvoir et les peurs qui l'accompagnaient. Elle était membre d'une sororité fière qui avait survécu à travers les siècles malgré les procès et la persécution des sorcières. Il était grand temps pour elle d'être fière de ce qu'elle était et d'apprendre à utiliser les dons qui lui étaient attribués.

En fait, le sens de soi nouvellement trouvé par Shea croyait que plus il y avait de force et de puissance, mieux c'était.

— Comment puis-je arriver à ce que mes pouvoirs s'ouvrent complètement ?

— Le sexe. Avec moi. *Maintenant.*

Chapitre 21

Le dispositif de poursuite fonctionnait parfaitement.

Une minuscule puce d'argent dans la superbe peau de la sorcière, et ils pouvaient la retrouver partout où elle allait. Le GPS donnait sa position, et peu importe ce qu'elle essayait de faire pour le bloquer, ce signal serait transmis et l'emmènerait tout droit vers elle. Chaque sorcière était dotée d'un signal codé, de sorte que chacune pouvait être identifiée par la fréquence que dégageait son transpondeur. Il l'avait détectée. Tout comme il savait qu'il le ferait.

Landry traquait les sorcières. Et lorsqu'elles s'échappaient, il les retrouvait. Mortes ou vives.

Il connaissait ses ordres. Les supérieurs voulaient cette sorcière vivante.

— Mais des accidents peuvent arriver, se dit-il avec un petit sourire.

Il porta la lunette à son œil droit, appuya son poids sur ses coudes et prit une grande inspiration, laissant la moitié de l'air sortir lentement de ses poumons. Puis, il appuya son doigt sur la gâchette, et la carabine de gros calibre sursauta dans ses bras.

La sorcière tomba, et le grand homme qui l'accompa-gnait la couvrit de son corps avant que Landry ne puisse tirer un autre coup.

— Mais un seul suffit si on le fait correctement, s'assura-t-il, et il descendit la colline en glissant, se perdant dans l'herbe haute de la prairie.

Chapitre 22

— Shea!

Torin se jeta sur elle alors même que son regard balayait les collines, à la recherche du tireur. Le sang s'écoulait d'une grande plaie sur son épaule. Il étancha l'écoulement de sa main nue, mais il savait que ce ne serait pas suffisant.

Ils ne pouvaient risquer de rester ici et ils ne pouvaient pas partir pendant qu'elle saignait. Elle n'était pas immortelle — pas encore, en tout cas — et si elle mourait, l'Éveil se terminerait avant même d'avoir commencé.

Cette pensée percuta son esprit, et il la repoussa rapidement.

— Oubliez l'Éveil, Shea. Je ne vais pas vous laisser mourir. Vous m'entendez?

— Torin?

Sa voix était trop douce, trop fragile. Il aurait préféré des cris plutôt que le son de la douleur qui colorait ses mots.

— Que s'est-il passé?

— On a tiré sur vous.

Le sang continuait de s'écouler de son épaule, coulant à travers ses doigts, ruisselant sur sa main. Dans l'obscurité, le sang semblait noir, mais il savait qu'il était rouge vif. Il savait qu'elle ne pourrait supporter d'en perdre beaucoup plus.

— Shea, vous devez me faire confiance, dit-il, la bouche près de son oreille. Le pouvez-vous?

Elle tenta de se déplacer et haleta sous la douleur aiguë.

— Ne bougez pas, ordonna-t-il. Contentez-vous de parler. Pouvez-vous me faire confiance?

— Oui, j'ai confiance en vous, dit-elle en fermant les yeux et en mordant sa lèvre inférieure. Je ne sais pas pourquoi, mais j'ai confiance.

— Ça suffit pour l'instant.

Il ne penserait pas à la douleur causée par l'aiguillon de sa sorcière qui ne savait pas pourquoi elle devait lui faire confiance. Ou aux siècles qu'il avait passés à ses côtés. Maintenant, la priorité, c'était d'arrêter le saignement pour qu'il puisse l'emmener à l'abri.

— Tendez la main et prenez ma main libre.

Elle remua à peine son bras; qu'il s'agisse de douleur ou de fatigue ou simplement à cause du choc, il l'ignorait. Ce n'était pas important.

Ses doigts s'enfilèrent dans les siens, et il tenta de ne pas remarquer le frisson sur sa peau. Combien de sang avait-elle perdu?

— Maintenant, concentrez-vous, Shea.

— Quoi?

— Invoquez votre magie.

— Je ne peux pas.

Sa tête roula de fatigue, de gauche à droite.

— Vous le pouvez, insista-t-il pendant que son sang continuait à couler à travers sa main et dans la terre.

Une panique comme il n'en avait jamais connu mordit brutalement son âme.

— Vous avez éteint ma Vipère alors que nous roulions à cent cinquante kilomètres-heure. Vous êtes capable de le faire.

— Peux pas. J'ai froid.

— Vous serez au chaud bien assez tôt, murmura-t-il. Maintenant, concentrez-vous. Appelez votre force, votre énergie, sentez-la se déplacer dans ma main pour nous joindre l'un à l'autre.

Il perçut légèrement son pouvoir, un petit filet de chaleur, alors qu'il aurait eu besoin d'une marée. Sa douleur déferla sur lui, le faisant chanceler. Mais sa connexion avec elle augmentait de plus en plus, et il prit autant de sa douleur qu'il en était capable. Il devait la forcer à ignorer le reste.

— C'est ça, Shea. Faites-le. Merde, oubliez la douleur et concentrez-vous. Sentez ma main dans la vôtre, sentez que je suis en train d'atteindre votre pouvoir.

Le filet prit de l'ampleur, les liant avec des fils vaporeux de chaleur. Il le sentit et hocha la tête, maintenant prêt à essayer de la guérir.

— Je vais faire appel aux flammes pour sceller votre blessure.

— Vous allez me brûler?

— Ça ne vous brûlera pas. Vous vous souvenez? Les flammes sont magiques. Mais je ne peux vous guérir seul.

Même s'il se concentrait sur la femme qui pour lui était plus importante que sa propre existence, une autre partie de Torin demeurait consciente de leur environnement. L'obscurité, les herbes hautes où un certain nombre d'ennemis pouvait se cacher. La crête d'où était venu le coup de feu.

Le chasseur se préparait-il à un autre attentat ? Lui serait-elle enlevée au moment même où ils étaient destinés à se joindre ? *Non.* Il refusait de la perdre. Pas encore. Pas dans cette vie.

Au-dessus de leur tête, les étoiles brillaient, et il appela les flammes qui formaient son noyau intérieur.

Le pouvoir de Shea se déplaçait de plus en plus en lui, et son feu brûlait, devenant plus chaud, plus lumineux.

— Il faut mélanger nos énergies, les joindre. Croyez-moi, Shea. Ne combattez pas. Donnez-moi votre magie et faites-moi confiance.

Elle hocha la tête, son visage pâle sur l'herbe. À seulement quelques mètres, les voitures circulaient sur l'autoroute comme des poissons dans une rivière. Sans jamais s'arrêter, sans jamais remarquer quoi que ce soit autour d'eux. Mais personne n'aurait pu apercevoir Shea et Torin même s'ils étaient à leur recherche. La magie qui s'élevait autour d'eux s'installait comme un brouillard, un brouillard gris et épais qui les cachait et les protégeait.

Les flammes qui se précipitaient à travers le corps de Torin, courant vers sa main qu'il tenait sur l'épaule de Shea, étaient les lumières les plus brillantes du monde obscur qu'ils habitaient.

— Faites-le, Torin, chuchota-t-elle, les yeux fixés sur les siens. Je vous fais confiance.

Son cœur se gonfla alors que sa propre magie surgissait précipitamment. Sa main éclata en flammes et caressa la blessure à l'épaule avec un baume magique qui la fit soupirer et se tortiller sous lui. Leurs mains liées, leurs pouvoirs comme un seul, Shea respira plus facilement et elle sembla revenir à elle pendant que son corps guérissait.

La jonction était forte, riche, et le remplit d'un sentiment de droiture qu'il avait attendu pendant plusieurs vies. C'était la femme qui était son autre moitié. Son cœur et son âme. Jamais il ne la reperdrait.

Il regarda la plaie qui se refermait et la chair courroucée qui pâlissait et se lissait en une peau intacte sous sa main. Elle prit une grande inspiration et laissa l'air quitter ses poumons en un doux soupir — Torin aurait pu jurer qu'il sentait son soulagement comme si c'était le sien.

Enfin, Torin retira sa main libre, inspecta la plaie et sourit.

— C'est fait.

— Ce n'est plus douloureux, admit-elle, et elle s'assit lentement à côté de lui.

Elle baissa les yeux sur leurs mains jointes et le regarda, stupéfaite, alors que les flammes de Torin léchaient leurs doigts dans des éclats colorés et vacillants de rouge et de jaune.

Enfin, elle leva son regard vers le sien.

— Vous êtes incroyable, dit-elle, éclairée par la lueur des étoiles.

— Ensemble, corrigea-t-il, *nous* sommes incroyables.

Elle hocha la tête.

— Je commence à le comprendre. Et maintenant?

— Maintenant, nous trouverons comment ces gens font pour vous traquer. Mais pas ici.

— Où, alors?

— Je connais un endroit.

Il passa ses bras autour d'elle, appela les flammes et, dans un souffle de lumière et de chaleur, il les transporta tous les deux par le pouvoir du feu.

Chapitre 23

Il fallut plusieurs sauts pour atteindre leur destination. Lorsque Torin fit entrer Shea dans le petit chalet de montagne, il sentit que son énergie magique était épuisée. Il en avait utilisé trop à la fois pendant le voyage et pour la guérison de Shea sans permettre à son corps de se recharger. Il savait que le repos réparerait tout. Mais le sexe agirait plus rapidement.

Et il n'avait aucune envie de se reposer.

Son regard tomba sur la courbe du derrière de Shea alors qu'elle entrait dans le chalet devant lui. Même dans l'uniforme ignoble de la prison, sa beauté ne pouvait être dissimulée. Elle était la femme qui avait occupé son cœur pendant des centaines d'années. Son énergie, son esprit, son âme restaient les mêmes tout au long de ses nombreuses incarnations. Tout ce qu'elle était l'appelait à un niveau cellulaire.

Il l'avait observée au cours des siècles, l'avait vue apprendre et se transformer et avait été témoin de la croissance de son âme jusqu'à ce qu'elle devienne la femme qu'elle était ici. Maintenant. Dans cette vie, il avait vu sa résilience. Il avait senti sa détermination et son courage.

Sa chaleur et son sens de l'humour. Et il l'avait aimée plus qu'il ne l'aurait jamais cru possible.

— Où sommes-nous ?

— Quelque part au-dessus de Palm Springs, dit-il, et elle se retourna pour lui faire face.

Le chalet était froid et sombre. Shea frissonna, et il agita une main vers la cheminée, où le petit bois et les bûches attendaient devant la cheminée. Instantanément, les flammes éclatèrent sur le bois empilé, envoyant danser des motifs brillants de lumière autour de la petite pièce.

Elle soupira.

— Vous faites ça si facilement.

— Tout comme vous le ferez.

Elle se dirigea vers le feu.

— Je ne sais pas. Je ressens… comme si quelque chose en moi était enfermé et avait du mal à sortir.

— Votre pouvoir vous a déjà échappé une fois ce soir.

— Mais je ne sais pas comment.

Elle rit un peu et secoua la tête.

— Il me semble que ça pourrait m'être utile.

— Je peux vous aider.

Elle regarda par-dessus son épaule.

— Je l'espère.

— Faites-moi confiance.

— Je suppose que je le fais. Je n'ai jamais été aussi effrayée que je l'ai été au cours des derniers jours, dit-elle en frottant ses mains le long de ses bras. Je ne veux plus jamais avoir aussi peur. Ou sentir cette impuissance.

— Ça ne vous arrivera plus, dit-il, et intérieurement, il fit un vœu. Je vous protégerai.

Elle lui fit un sourire fatigué.

— J'y compte bien. Mais je veux aussi apprendre à me protéger. Je ne veux pas être de nouveau à la merci des chasseurs de sorcières.

— Bien, dit-il, et il s'avança vers elle.

Ses pas étaient silencieux, un homme imposant se déplaçant avec une furtivité apprise pendant des siècles de vie.

— Vous êtes plus forte que vous ne le croyez, Shea. Le seul moyen sûr d'assurer votre survie, c'est d'augmenter cette force.

Elle hocha la tête.

— Qui a tiré sur moi ? Mon Dieu, je ne peux croire qu'on m'ait tiré dessus.

Il tendit une main pour toucher la tache de sang sur son épaule. Cela semblait encore trop réel pour lui. Entendre son léger cri. La voir tomber. Sentir son sang suinter à travers ses doigts pour pénétrer la terre. De la fureur hurlait en lui, et il lutta pour la refréner. Il n'y avait pas de cible pour sa rage et il ne pouvait risquer d'effrayer Shea encore plus. Mais un jour, on paierait pour ce qu'on lui avait fait.

— J'ignore qui vous a tiré dessus. Je ne sais pas comment ils vous ont trouvée.

Ce fait était redoutable. S'il ne savait pas comment ils l'avaient trouvée cette fois, comment pourrait-il empêcher que cela se reproduise ? La regardant fixement, il trouva la seule explication possible.

— Je ne peux que penser qu'ils vous ont marquée.

— *Marquée ?*

Elle fronça les sourcils.

— Vous voulez dire comme les puces électroniques que les gens insèrent dans leurs *animaux de compagnie* ?

— Quelque chose comme ça. Je dois vous examiner pour voir si c'est le cas et me débarrasser d'elle. Sinon, ils vont nous trouver trop facilement à nouveau.

— Zut, oui, lâcha-t-elle. Trouvez-la. Brûlez-la. Faites tout ce qu'il faut.

Elle passa ses mains sur son corps, raclant ses paumes sur la combinaison de coton, fouillant le col et les ourlets, mais ne trouva rien.

— Enlevez-le, dit-il.

Elle leva la tête et le regarda fixement.

— Je vous demande pardon !

— L'uniforme. Enlevez-le.

Elle croisa les bras sur sa poitrine.

— Hum, que diriez-vous de tout simplement vérifier pendant que je le porte ?

Torin soupira et hocha la tête.

— Ce n'est pas le moment de faire la modeste entre nous, Shea. De toute façon, vous ne pouvez porter ce damné truc. Il est encroûté de sang séché.

Elle respira profondément, regarda autour de lui et aperçut une courtepointe jetée sur une chaise.

— Très bien. Retournez-vous.

— Nous sommes des partenaires, lui dit-il, irrité de voir qu'elle s'accrochait à quelque chose d'aussi bêtement humain que la gêne. Je connaîtrai votre corps comme vous connaîtrez le mien. Rien de nous ne sera caché.

— *Connaîtrai*, répéta-t-elle en fronçant les sourcils. Nous n'avons pas encore fait le truc d'accouplement, et c'est un peu déconcertant de se déshabiller en face d'un...

— Je ne suis pas un étranger.

— Non, vous n'en êtes pas un, accepta-t-elle. Mais vous n'êtes pas non plus mon amant. Pas encore, du moins. Alors, merde, tournez-vous.

Il le fit en serrant les dents, mais seulement parce que c'était plus rapide que de discuter avec elle. Il ferma les yeux et écouta le froissement du tissu, la fermeture coulissant vers le bas alors qu'elle la défaisait à la hâte. En réaction, son sang se mit à pomper, épais et chaud. Ses instincts rugirent, et il lutta pour se contenir.

En quelques instants, elle avait jeté l'uniforme à ses pieds.

— Là. Vérifiez.

Il le fit, et ne put rien trouver. Ce qui ne pouvait signifier qu'une seule chose.

— Ils l'ont implanté quelque part dans votre corps.

— Non. C'est impossible.

Il se retourna et la regarda fixement. Elle ressemblait en tous points à une déesse païenne : ses longs cheveux roux foncé pendant sur ses épaules, sa peau crémeuse brillant sous la lumière du feu, et la courtepointe délavée qu'elle tenait contre son corps comme un bouclier de combat. Son corps s'agita de nouveau, et une douleur brûlante s'installa dans son pénis. S'il ne la possédait pas bientôt, la douleur atroce de son désir allait le tuer.

Il secoua la tête.

— Vous ont-ils examinée ? demanda-t-il.

Elle se tortilla un peu à ce souvenir.

— Ils m'ont tout fait. Même une fouille à nu, ce qui est tout aussi amusant que cela paraît l'être.

Il fit abstraction de cette information.

— Vous ont-ils fait une piqûre ? Une inoculation.

— Oui, dit-elle en y repensant. Ils m'ont donné des anti-
biotiques. Ils ont expliqué qu'il y avait de la grippe dans
la prison et ils m'ont dit que ça allait m'empêcher de la
contracter. Parce qu'ils se *souciaient* beaucoup de leurs prisonnières, ajouta-t-elle avec un ricanement.

— Où vous ont-ils donné l'injection ?

— Bizarrement, dans mon cou. Aussi, ça a fait un mal
de chien.

Sa voix s'estompa.

— Vous croyez ?

— Je le crois. Montrez-moi.

Il s'approcha, et elle souleva ses cheveux pour les enlever
de son chemin. Elle inclina sa tête d'un côté, et Torin se
pencha pour examiner la peau lisse à la base de son crâne. Il
repéra immédiatement la puce.

— Il y a quelque chose ici, lui dit-il, sa bouche si près de
sa peau qu'il pouvait presque la goûter.

Son parfum le rendait fou. Ce mélange fascinant de
terre et d'océan qui collait à la peau d'une sorcière — alors
qu'en même temps chacune d'elles avait une odeur différente. L'odeur de Shea était puissante et subtile. Comme la
sorcière elle-même.

— Eh bien, enlevez-la, glapit-elle, tendant le bras pour
glisser ses ongles à l'arrière de son cou.

— Je vais le faire, mais ça va faire mal.

— Très bien. Peu importe. Ça ne m'inquiète pas.
Contentez-vous de le faire.

La fierté qu'il ressentait à son égard s'éleva et combattit
avec la luxure qui manquait de l'étrangler. Il la voulait et il
l'admirait, et ce soir, il allait la *posséder*. Il la sentirait se
tordre sous lui. Il sentirait son corps qui le prenait à

l'intérieur, l'acceptant en même temps que leur accouplement et tout ce que cela impliquait. Mais d'abord...

Tendant le bras vers la gaine sur son côté, il sortit un
couteau avec une lame d'argent d'allure meurtrière. Une
extrémité était aiguisée comme un rasoir, l'autre avait des
dents d'argent irrégulières conçues pour déchirer.

— Putain, murmura-t-elle en reculant d'un pas.

— Ne bougez pas. Il faut le sortir, sinon nos ennemis
pourront nous traquer.

— C'est vrai. Des ennemis. Traquer.

Son regard était rivé sur la lame du couteau. Ses yeux
paraissaient immenses et brillaient avec les ombres mou-
vantes des flammes.

— Faites-moi confiance, Shea, dit-il, sa voix la contrai-
gnant à le regarder dans les yeux.

Ce qu'elle fit, croisant carrément son regard avec un
courage qui lui coûtait, de toute évidence.

— Vous continuez de me dire ça, et je continue de le
faire même si je suis terrifiée. Pourquoi?

— Parce que nous nous appartenons l'un à l'autre.

Il la regarda profondément dans les yeux, voulant
qu'elle le croie.

— Maintenant, tournez-vous et laissez-moi m'occuper
de ça.

Elle le fit en prenant une longue et profonde
respiration.

— Je vais prendre autant de votre douleur que je le
peux.

— Ça va. Faites-le tout simplement et qu'on en finisse,
d'accord?

Il souleva son épaisse chevelure soyeuse et la ramassa dans un poing en même temps qu'il posait la pointe du couteau sur la petite cicatrice sur son cou. À la base de son crâne, presque cachée par ses cheveux, elle était si petite qu'il savait que ce devait être une micropuce.

En argent, bien sûr, pour qu'il n'y ait pas une baisse constante de ses pouvoirs ; ce qui lui permettrait de détecter sa présence. Pour les sorcières, l'argent était un conduit vers d'autres éléments. Il concentrait leurs pouvoirs et canalisait leurs énergies. Et le fait que leurs ennemis aient utilisé cet élément contre elle l'emmerdait vraiment.

Torin enfonça légèrement la pointe du couteau dans sa peau et grimaça alors que le sang jaillissait et coulait le long de son dos. La douleur la fit sursauter, puis elle se tint immobile, et seule sa respiration lourde et irrégulière indiquait son désarroi.

— On y est presque, lui dit-il, puis il libéra la puce de son corps en creusant un peu plus, et la prit dans sa main.

— Tenez-vous à moi, Shea.

Elle tendit automatiquement sa main vers l'arrière et la posa sur son côté. Il sentit le feu de leurs énergies réunies et les alimenta soigneusement vers la coupure de son cou qui saignait. Instantanément, la coupure guérit, et il se servit de son pouce pour essuyer le sang.

— L'avez-vous eue ?

— Oui.

Elle se retourna et regarda sa paume.

— Elle est si petite.

— C'est une micropuce.

Il se dirigea vers la cheminée, posa la puce sur le manteau et y fit claquer la poignée du couteau. Lorsqu'elle eut volé en éclats, il rassembla les morceaux et les jeta dans les flammes.

— Merci.

Il la regarda en inclinant la tête.

— Vous n'avez pas à me remercier lorsque je prends soin de vous, dit-il. C'est ce que je ferai toujours.

— Pourquoi?

— Parce que vous m'appartenez comme je vous appartiens.

Sa voix était douce, ses yeux, flamboyant d'une faim qu'ils avaient partagée au fil des siècles.

— Je ne vous connais même pas.

— Vous me connaissez. C'est juste que vous ne vous en souvenez pas.

— C'est la même chose.

— Sorcière obstinée, dit-il avec un mouvement de la tête d'un côté à l'autre.

Fouillant dans la poche de son jean noir, il sortit un téléphone cellulaire et l'ouvrit.

Elle écarquilla les yeux.

— Sérieusement? Un gars magique qui se sert d'un téléphone cellulaire?

— Un téléphone satellite. Nous aussi, nous pouvons nous servir de la technologie. Nous vivons dans le monde moderne, Shea, et nous le modelons pour l'adapter à nos besoins.

Il attendit.

Rune répondit à la seconde sonnerie.

— La femme est saine et sauve, dit Rune avec une teinte de dégoût. Elle et sa mère sont en train d'*emballer* leurs affaires, bon sang. Qu'est-ce qui se passe avec les femmes?

Elles sont en fuite, et des fous leur courent après, et elles veulent prendre le temps de faire leur valise? C'est quoi ça?

Torin sourit à l'image des trois femmes mortelles en train de rendre son ami complètement fou.

— Avant de te rendre au sanctuaire, examine le cou de Terri.

— Pourquoi?

Instantanément, Rune redevint sérieux.

Le regard de Shea était rivé sur celui de Torin alors qu'elle se rendait compte qu'il se pouvait bien qu'elle n'ait pas été la seule à être étiquetée pour se faire capturer de nouveau.

— Shea avait une micropuce insérée à la base de son crâne.

— Merde.

— Si Terri en a une elle aussi, tu pourrais conduire le Bureau tout droit vers le sanctuaire.

— Bâtards, grommela Rune. Ce n'est même pas une sorcière.

— Vérifie.

— Je m'en occupe.

Il coupa la communication, et Torin glissa son téléphone dans sa poche.

— Est-ce que Terri va bien?

— Oui. Rune s'en occupera.

— D'accord.

Elle prit une grande inspiration et leva les yeux vers lui.

— Et maintenant?

— Nous nous enfuyons.

Elle soupira, et Torin pouvait voir à quel point elle était fatiguée. Mais ses nerfs étaient aussi tellement à bout.

Ce n'était pas une bonne combinaison pour une sorcière en Éveil.

— Allez prendre une douche. Rincez le sang séché. Vous vous sentirez mieux.

— Je n'ai rien à porter, lui rappela-t-elle.

— Fabriquez-vous quelque chose.

Lorsqu'elle le regarda fixement comme s'il avait perdu l'esprit, il serra les dents contre l'afflux de frustration. Il devait se souvenir qu'elle était tout simplement en train de prendre conscience de ce qu'elle était. Qu'elle ne savait pas comment se servir des talents innés dont l'Univers et la déesse Danu l'avaient bénie.

— Vous possédez le pouvoir. Il est en vous. Utilisez-le.

— Comment?

— Fermez les yeux.

Elle les ferma, puis les rouvrit.

— Est-ce un piège?

— Fermez les yeux, femme.

— Maintenant, lui dit-il lorsqu'elle l'eut fait, créez une image dans votre esprit. Imaginez les vêtements que vous voulez porter. Jusqu'aux moindres détails. Chaque bouton, chaque fermeture à glissière. Vous comprenez?

Elle grimaça, plissant les yeux pour les fermer très serrés pour mieux se concentrer, puis elle hocha la tête.

— Bien. Maintenant, gardez cette image dans votre esprit et cherchez en vous le pouvoir que vous avez employé pour arrêter ma putain de voiture.

Un rire pointu sortit brièvement de sa gorge, et Torin sourit en réponse. Elle était tout un personnage. Sa sorcière, avec ses cheveux en bataille, et sa peau lisse, enveloppée dans une couverture, éblouie par la lumière du feu.

Chaque cellule de son corps s'emballait. Son besoin d'elle était plus que de la convoitise. Des relations sexuelles avec elle lui semblaient aussi nécessaires que respirer l'air. Il devait la posséder. Il devait la toucher. La goûter. L'explorer.

— Et maintenant ?

Sa question le tira de ses fantasmes et l'obligea à se concentrer sur le moment. Bientôt, elle serait avec lui, là où était sa place.

— Appelez le pouvoir dans votre esprit. Sentez l'énergie, comment elle est en train de monter et de tout balayer. Gardez l'image des vêtements dans votre tête et libérez le pouvoir.

Un moment passa, puis deux. Et tout à coup, les flammes dans la cheminée dansèrent et crépitèrent. Un vent s'éleva dans le chalet et souleva ses cheveux en un enchevêtrement de boucles rousses autour de sa tête. Il vit l'éclat de sa peau avec le balayage du pouvoir et sentit l'air grésiller sous sa force.

Elle sourit, un beau et large sourire, sursauta, surprise, puis laissa tomber la courtepointe. Elle ouvrit les yeux. Baissant les yeux vers son jean bleu, sa blouse blanche et son pull vert foncé, elle se mit à rire de joie.

— Félicitations, dit-il.

Elle était si sacrément heureuse avec cette habileté de faire apparaître des vêtements par magie, et tout ce qu'il souhaitait, c'était de la convaincre de se mettre nue à nouveau. Il repoussa son propre besoin… *encore une fois.*

— Allez prendre une douche. Nous allons manger, puis nous penserons à ce que nous devons faire ensuite.

Rapidement, son sourire s'éteignit, et Torin se sentit presque coupable d'avoir gâché son plaisir. Mais cela valait mieux que de risquer sa vie.

Lorsqu'elle se dirigea vers la salle de bain, il prit son téléphone et il fit un autre appel.

Chapitre 24

Kellyn se délectait de la liberté de faire et d'être ce qu'elle voulait. Merci à la Lune, elle était sortie de cet affreux camp d'internement. Pendant une seconde, elle songea à l'expression de choc et de stupéfaction sur les visages des deux Éternels. Puis, elle sourit et les chassa de son esprit pour le moment.

Elle agita la main vers la distributrice automatique qui cracha instantanément des centaines de dollars. Elle sourit de nouveau et dissimula l'argent dans le sac à main haute couture sur lequel elle avait fait main basse dans un grand magasin à l'intérieur de Union Station. L'endroit avait servi de gare pendant la plus grande partie de son existence, mais le bâtiment des Beaux-Arts était aujourd'hui une sorte de trésor national, réfléchit Kellyn.

À l'époque, un centre pour les voyages en train, l'édifice aux plafonds voûtés et au plâtrage finement sculpté avec des kilomètres de planchers en marbre était maintenant l'emplacement d'un centre commercial haut de gamme. Ce qui, se dit Kellyn, était exactement ce qu'elle avait cherché. Après trop de temps passé dans la grisaille de la prison, il lui *fallait* voir quelque chose d'élégant. Avoir la chance de se perdre dans une foule bien vêtue et de se distraire en jouant à disparaître en utilisant son pouvoir quand elle le voulait.

Bien sûr, elle aurait pu se procurer tous les vêtements et accessoires qu'elle désirait en employant un sortilège. Ce n'était rien pour elle que de faire claquer ses doigts et de matérialiser un sac Coach ou une glorieuse paire de chaussures Prada. Mais il était bien plus agréable d'entrer dans un magasin et d'en sortir avec tout ce qui lui tentait, sachant que personne ne l'arrêterait — ou ne pourrait l'arrêter.

— Vraiment, les humains sont tellement bêtes, murmura-t-elle en jetant un coup d'œil autour d'elle sur la circulation qui voguait en continu tout le long de Massachusetts Avenue.

À la fin de septembre, D.C. était encore chaud et humide, mais elle s'en fichait. À l'aide d'une incantation et d'une poussée de pouvoir, elle régula sa propre température pour qu'elle puisse se sentir parfaitement à l'aise.

Elle prit une grande inspiration et capta l'odeur de pouvoir contenu. Quelque part ici, il y avait une autre sorcière qui essayait sans doute de se dissimuler au milieu de la foule. Les sorcières éveillées n'étaient pas les seules femmes de pouvoir sur la terre. Les sorcières existaient depuis le début des temps. Mais elles avaient gardé leur magie secrète jusqu'à ce que la première sorcière éveillée transforme son ancien amant en une torche tiki. Depuis, plus personne n'était en sécurité.

Elle plissa les yeux en même temps qu'elle sondait lentement les gens qui l'entouraient. Les sorcières étaient nombreuses, mais les sorcières en liberté constituaient une race en voie de disparition. La plupart étaient en prison ou vivaient dans la clandestinité. Pendant un bref instant,

Kellyn songea à trouver la sorcière, voir si elle pouvait lui être utile. Mais il y avait tellement de gens, chacun d'entre eux l'esprit tourbillonnant, que la cueillette d'une sorcière dans cette foule lui demanderait plus de travail que ce qu'elle était prête à investir.

Elle n'était pas là pour recueillir les sorcières errantes. Il fallait laisser cela aux Éternels. Comme ceux qui l'avaient sauvée.

« Que soient bénis ces imbéciles », se dit-elle avec un autre sourire.

Avec ce fichu or blanc autour de son cou, elle aurait pu terminer son existence là-bas, dans la maudite prison. Et quelle perte ça aurait été !

Elle sortit sur le trottoir, se déplaçant avec la foule, ses pieds foulant le sol au rythme de la ville pour n'être qu'une piétonne comme les autres. Une personne sans visage, perdue dans la foule.

Au coin, elle s'arrêta pour attendre un feu vert et remarqua un vieil homme qui portait des vêtements usés, assis sur un trottoir à côté d'un panier d'épicerie débordant de ses possessions. Il tenait un carton où était écrit à la main « SANS ABRI ».

« Non, sans blague », songea Kellyn.

Elle jeta un coup d'œil aux mortels qui passaient devant le vieil homme, l'évitant du regard. Poursuivant leur vie trépidante, leur ô si importante vie ; ils ne ralentissaient même pas et se précipitaient dans la rue. On aurait dit qu'en ne le remarquant pas, il n'existait tout simplement pas.

Quelque chose en elle se mit à brûler. Avant qu'elle n'ait pris le temps d'y réfléchir à deux fois, elle se dirigea vers le vieil homme qui regardait la foule à travers des yeux chassieux. Son regard balaya rapidement le chariot chargé, notant tout à partir de papiers et de canettes à recycler jusqu'à un collier de chien et une laisse, de même que plusieurs exemplaires du magazine *National Geographic*.

« Ses trésors », songea-t-elle avec ironie en même temps qu'elle plongeait une main dans son sac et en sortait un billet de cent dollars.

— Prenez ceci. Sortez de la rue pour une nuit.

Il vit l'argent, et un sourire ravi courba sa bouche. Il tourna ensuite ses petits yeux bleus vers elle, et son sourire se figea et disparut.

— Non, murmura-t-il en secouant la tête alors qu'il se remit maladroitement sur ses pieds.

— Quoi?

Kellyn le regarda, étonnée, alors qu'il remettait précipitamment son carton dans le désordre du chariot.

Quelqu'un la heurta alors que les gens se hâtaient de traverser la rue. Elle remarqua à peine l'individu.

— Non, non, je ne veux pas voir, gémit-il d'une voix chantante, secouant la tête jusqu'à ce que ses longs cheveux gris flottent comme des serpents dans l'eau autour de sa tête.

— Qu'est-ce que vous racontez? Je vous offre de l'aide, dit-elle, au cas où il n'aurait pas compris l'objectif de son action.

En fait, il tressaillit et courba les épaules jusqu'à ressembler à une vieille tortue.

— Je ne verrai pas l'obscurité en elle, chantonna-t-il pour lui-même. Je ne la verrai pas, pas là.

« C'est quoi, ce bordel? »

Kellyn regarda autour d'eux pour voir si quelqu'un écoutait le vieil homme, mais naturellement, il n'y avait personne. Qu'avait-il vu quand il l'avait regardée ? De quelque part au fond de son esprit, une voix cria, demandant à être entendue, mais Kellyn l'arrêta. Tout comme elle chassait ce vieil homme de son esprit.

Elle froissa le billet de cent dollars et le serra dans son poing. Quelqu'un d'autre s'écrasa sur elle, et cette fois-ci, Kellyn tourna rapidement la tête, prête à se battre.

— Mince alors, désolé, madame, dit le gamin en jeans baggy et t-shirt délavé. On reste calme, hein ?

« Calme ? »

C'était peu probable. Son pouvoir s'élevait, la remplissait, l'étouffant presque avec le besoin pressant de se libérer et d'anéantir ce qui l'environnait. L'empressement qui se tordait en elle secoua Kellyn, et elle se sentit à bout de souffle.

L'enfant la regarda jusqu'à ce que sa peau pâlisse et que ses yeux s'écarquillent, remplis d'horreur. Kellyn vit sa peur et elle la but comme s'il s'agissait d'ambroisie. Cela lui permettait de s'épanouir. La peur. L'horreur. Le vieil homme n'était plus qu'un mauvais moment. Tout le monde la regardait et ne voyait que ce qu'elle voulait qu'ils voient. Elle sourit, et l'adolescent attrapa sa planche à roulettes et s'élança dans la foule, disparaissant dans l'anonymat.

Kellyn le regarda fixement, luttant pour retrouver sa maîtrise, tenant les rênes du pouvoir à l'intérieur d'elle alors que sa peau frissonnait.

Un gémissement attira son attention, et elle pivota sur elle-même pour voir le vieil homme s'éloigner d'elle en traînant les pieds le plus rapidement qu'il en était capable. La roue cassée de son chariot retentissait d'un rapide *whappeta-whappeta* alors qu'il s'éloignait, les épaules voûtées, comme s'il s'attendait à recevoir un coup ; malgré cela, il jeta un autre coup d'œil par-dessus son épaule.

— Je ne verrai pas, renchérit-il encore, jolie dame avec l'intérieur noir. Je ne le verrai pas. Pas là, pas là du tout.

Les gens s'écartaient de lui comme s'il était quelque chose de contagieux. La foule avança dans la rue alors que le feu de circulation changeait, et Kellyn était encore debout, clouée sur place, regardant ce vieil homme courir pour s'éloigner d'elle.

On aurait dit qu'il avait senti en quelque sorte ce qui était tapi en elle. Était-il tellement plus sensible que ces autres êtres humains ignorants ?

« Intéressant. »

Elle le regarda s'éloigner et songea à le suivre. À le tuer. Observer la lumière alors qu'elle se vidait de ses yeux déjà ruinés. Mais quel serait l'intérêt ? Même s'il essayait de parler à quelqu'un de ce qu'il avait entrevu sur sa véritable nature, qui le croirait ? Zut ! qui l'*écouterait* ? Elle apporterait plus d'attention sur cet homme en le tuant qu'il ne le ferait en demeurant en vie.

— Non, murmura-t-elle. Laissons-le à sa misère.

Secouant la tête, elle chassa le vieux bouc de ses pensées et se mit à marcher dans la rue, sentant une brise chaude dans ses cheveux hérissés. Elle avait des choses à faire et pas de temps à perdre avec des détails sans importance.

S'arrêtant devant un kiosque, elle laissa son regard balayer rapidement les titres.

UNE SORCIÈRE EN FUITE ! DES DIZAINES
MEURENT DANS UN COMPLOT DE MAGIE
BÂCLÉ. LA SORCIÈRE TOUJOURS EN LIBERTÉ.

— Bien plus qu'une, murmura-t-elle en souriant pour elle-même.

Chapitre 25

Torin entendit couler la douche et tenta d'éloigner de son esprit l'image d'une Shea nue sous la vapeur d'eau chaude, des bulles de savon s'accrochant à sa peau...

— Tu as dit que tu as appelé Odell, lui dit Rune, fracassant les pensées de Torin. Connaissait-il cette Kellyn?

— Il la connaît, répondit Torin en marchant d'un pas raide vers la fenêtre avant pour regarder fixement dans la nuit.

La montagne était calme, le ciel noir couvert de poussière d'étoiles répartie sur toute sa largeur comme des piqûres d'épingle de lumière à travers une feuille de velours. Le vent s'écrasait contre la vitre et murmurait à travers le haut de la cheminée.

Heureux de constater qu'ils étaient encore seuls dans l'obscurité, il se concentra à nouveau sur son ami. Avant d'appeler Rune pour voir comment les choses se passaient, Torin avait appelé Odell, un Éternel basé près de sa sorcière, à Londres.

Odell observait toujours, attendant que sa sorcière entre dans l'Éveil. Il passait la plus grande partie de son temps à faire sortir les sorcières des camps d'internement dans la campagne anglaise. Il dirigeait son propre chemin de fer clandestin, faisant disparaître les sorcières et les humaines que l'on pourchassait afin de les emmener en sécurité.

— Odell dit que l'Éternel de Kellyn est Egan.

— Egan.

Rune marmonna quelque chose d'inintelligible.

— Je ne l'ai pas vu depuis quelques centaines d'années, admit-il ensuite. Après la dernière incarnation de sa sorcière, il a disparu.

— Il n'est pas bon d'être trop seul, murmura Torin, même s'il pouvait comprendre pourquoi Egan s'était senti poussé à chercher la solitude.

Il n'était pas facile d'observer sa sorcière vivre et mourir continuellement, et cela nuisait même à l'Éternel le plus vigoureux. Sauf, bien sûr, si comme Odell, vous trouviez quelque chose d'autre pour vous occuper.

Mais même si des milliers de kilomètres le séparaient de Kellyn, Egan aurait dû sentir son Éveil. Peut-être que cette Kellyn avait menti. Mais pourquoi ? Que pouvait-elle y gagner ?

Et si elle était une sorcière éveillée, pourquoi Egan n'avait-il pas été appelé vers elle ?

— Être seul, c'est ce que nous faisons de mieux, lui rappela Rune.

— Ça a été vrai pendant trop longtemps, mais ce n'est plus le cas, dit Torin. Trouve Egan.

— Je suis un peu occupé ici. Tu te souviens, il faut que j'emmène ces femmes au sanctuaire.

— C'est vrai. Oui.

Torin se tourna pour regarder la salle de bain où il entendait la douche changer pour la tête de massage, le jet d'eau battant à un rythme régulier. Il étouffa un gémisse-ment devant l'image qui remplissait son esprit. Shea, les cuisses étendues sous les jets d'eau pulsés, tremblante, hale-tante, impuissante à empêcher son propre plaisir qui pre-nait le dessus.

Son corps durcit comme du roc. Son souffle se bloqua dans sa poitrine, et les flammes, l'essence de son âme, mena-çaient de l'engloutir, de le réduire en cendres.

— Nous pourrions demander à Cort de le chercher, dit Rune. C'étaient des amis, à l'époque.

Torin s'obligea à se concentrer sur la tâche à accomplir.

— Oui. Bonne idée. Alors, appelle-le.

Un moment se passa.

— Où êtes-vous, toi et les femmes ?

Rune fit un petit rire.

— À Vegas, de tous les endroits imaginables.

Torin ravala un juron.

— Es-tu fou ? Avec tous ces gens...

— Y a-t-il un meilleur moyen de se perdre que de se trouver dans une foule ? interrompit Rune. Nous sommes à mi-chemin du sanctuaire. Je les déposerai là-bas demain. Mais j'ai utilisé la plus grande partie de mes énergies de réserve pour les transporter jusqu'ici. Je ne voulais pas ris-quer de me retrouver dans une voiture dans la région de Los Angeles. Il y a trop de gens qui nous cherchent pour être en sécurité sur une foutue autoroute.

Torin se souvint du bruit du coup de feu et du corps de Shea qui se chiffonnait à ses pieds.

— Bon point.

Comme il savait que Rune n'avait pas transporté plus d'une des femmes à la fois, il prit conscience que l'Éternel avait dû faire des dizaines de voyages. Transportant d'abord la première, puis les autres femmes et leurs affaires le long d'un long et dangereux trek.

— Peux-tu te procurer assez facilement une voiture?

Avec la rumeur de l'évasion de la prison qui avait atteint les chaînes de nouvelles et les journaux, ils savaient tous les deux que les autorités examineraient tout le monde de plus près.

— Je garde une voiture ici, dans un garage. C'est assez sûr. Je déposerai les femmes au sanctuaire d'ici demain soir.

— T'es-tu débarrassé du dispositif de pistage sur Terri?

— Ouais, dit Rune. Crois-moi quand je dis qu'elle n'a pas beaucoup aimé. Cette femme a un direct de la droite assez raide. Mais le truc est sorti, et nous devrions être tirés d'affaire. En attendant, je vais appeler Cort. Lui dire de commencer à s'occuper du cas d'Egan.

— Excellent.

Torin se mit à écouter alors que la douche de massage changeait de vitesse, les impulsions se faisant plus rapides. Il prit une grande inspiration et expira lentement.

— Je reste en contact. J'ignore où nous serons demain.

— Pourvu que tu termines la tâche. Le temps presse, Torin, et il ne faut pas que nous perdions.

Cette déclaration ne méritait pas de réponse, alors Torin ne répondit pas. Il ferma le téléphone et le jeta sur une table tout près.

Puis, il se retourna et se dirigea vers la salle de bain comme s'il était tiré par une corde invisible.

La stalle de douche était incroyable. Une douche de plain-pied, sans porte ou rideau pour la séparer de la pièce. Les murs et le large banc encastré étaient construits de carreaux couleur sable, lisses comme le verre; sauf au sol, sous ses pieds, où ils semblaient rugueux. Quatre robinets sortaient des murs à différents angles, et l'air était rempli de vapeur.

Shea se tenait devant les jets d'eau chaude palpitants, tournant le dos aux jets, laissant les explosions rythmiques de chaleur marteler ses épaules et son cou. Elle avait fui pendant des années. Les agents fédéraux. Elle-même. Son destin.

Maintenant, il n'était plus question de s'enfuir. Il y avait seulement ce moment et le prochain et le suivant. Elle n'était plus seule, non plus. Il y avait Torin. Et si une partie d'elle se retenait de lui appartenir, ne voulant pas faire confiance, refusant de partager complètement... une autre partie d'elle l'accueillait.

Et cette partie de Shea le voulait désespérément.

Elle brûlait pour lui. Simplement à penser à lui, son corps se transformait en chaleur liquide. Savoir qu'il se trouvait dans la pièce voisine la poussait à désirer vivement l'appeler, l'attirer à elle. Pourtant, elle résistait. Une fois qu'elle aurait ouvert la porte, elle ne pourrait revenir en arrière. Jamais. Elle serait fondamentalement transformée, et c'est ce qui l'effrayait. Elle sentait le pouvoir à l'intérieur, bouillonnant, agité, frénétique, prêt à être libéré.

Mais que se passerait-il lorsqu'il serait libéré?

Deviendrait-elle ce qu'elle avait vu dans sa vision? Serait-elle une fois de plus la femme qui pourrait appeler les ombres et condamner tout et tous autour d'elle?

La porte s'ouvrit, et elle leva la tête. Son regard croisa celui de Torin alors qu'il entrait dans la salle de bain. Ses longs cheveux noirs étaient balayés de son visage, et ses yeux gris pâle tourbillonnaient d'émotions accumulées. Il serrait la mâchoire alors qu'il s'approchait d'elle.

Nue, Shea se tint grande et droite devant lui. Elle se mit à trembler alors que son regard se déplaçait sur elle dans un rapide et complet balayage.

— J'ai attendu pour ceci, dit-il. Pour *toi*.

— Je sais.

— Je n'attends plus.

— Je sais, répéta-t-elle, et elle leva les bras pour l'accueillir.

Chapitre 26

Dans un éclair de magie, ses vêtements avaient disparu, et elle se rassasia dans la vision de son grand corps musclé. Son érection était épaisse et dure, et tout en elle pleurait pour sentir cette force en elle. Elle avait besoin qu'il la remplisse comme elle avait besoin de sa prochaine respiration.

Il fut sur elle en un instant.

Corps contre corps, chair contre chair. Elle inspira profondément lorsqu'elle sentit sa peau humide glisser contre la sienne. Ses mains se déplacèrent sur elle, explorèrent, fouillèrent, trouvant chaque courbe, chaque crevasse. Comme s'il lui était essentiel de toucher à chaque partie de son corps.

Et elle voulait qu'il le fasse. Partout où ses mains se posaient, des flammes suivaient. Le feu magique qui l'habitait sortait de lui en vibrant et entrait en elle, la remplissant d'une chaleur envahissante qui faisait bouillir son sang et dissolvait son esprit.

Il l'embrassa, sa bouche forçant la sienne, sa langue se glissant à l'intérieur, s'emmêlant avec sa langue jusqu'à ce qu'il lui soit difficile de respirer. Puis, ce moment passa, et

Shea se ficha complètement de ne plus jamais inspirer complètement. Pourvu qu'il continue de la toucher.

Il se pencha et souleva une de ses jambes, l'accrochant autour de sa hanche. Elle se balança vers lui. Son corps tendu par l'attente, par le besoin. Elle retint son souffle et attendit, sachant que son premier contact la ferait plonger. Sa main prit son centre, ses doigts trempés dans la chaleur, il caressa son corps.

— Torin !

Elle se balança, chancelant sur un pied, resserrant son autre jambe autour de lui pour garder son équilibre dans un monde soudainement éperdu.

— Viens pour moi maintenant, murmura-t-il, la caressant et la taquinant.

Ses doigts creusèrent plus profondément en elle, exigeant qu'elle lui donne tout ce dont il avait besoin.

— Viens pour moi maintenant, Shea. Et encore et encore.

Son corps entier était un nerf à vif. Elle gémit son nom, entendit le désespoir dans sa voix, mais elle s'en fichait. Elle tremblait de la tête aux pieds. Et à travers tout cela, l'eau chaude continuait à pulser, giflant son dos à lui, martelant le sien. La vapeur emplissait ses poumons, et Torin remplissait tout le reste.

Son pouce caressa le point sensible au sommet de ses cuisses jusqu'à ce qu'elle se brise en éclats, frissonnant dans ses bras, surfant sur la vague déferlante d'une sensation comme elle n'en avait jamais connu auparavant. Son corps vibrait au rythme des jets d'eau, et Torin la tenait fermement, en toute sécurité, alors qu'elle s'affaissait dans son étreinte.

Lorsqu'elle put entendre de nouveau, il se releva et s'accrocha à sa taille, ses grandes mains l'encerclant presque complètement. Elle le regarda avec des yeux éblouis et elle sut que lorsqu'il serait à l'intérieur d'elle, son corps rivé contre le sien, l'orgasme serait encore plus époustouflant que celui qu'elle venait de connaître. Elle ignorait si elle pourrait y survivre.

— Et maintenant, l'accouplement commence.

Shea rit un peu et posa son front contre sa poitrine.

— Tu veux dire que ce n'était pas le début ?

— Non, dit-il doucement, passant ses mains le long de sa colonne vertébrale, prenant son derrière dans ses mains et le serrant. C'était simplement pour soulager ton premier besoin. Le reste est tellement plus.

Les battements de son cœur s'affolaient dans sa poitrine, et elle se calma pour entendre le sien, pour voir si leurs cœurs battaient en tandem. Mais elle n'entendit... rien.

Surprise, elle leva la tête pour regarder dans ses beaux yeux gris.

— Tu n'as pas...

— De battements de cœur ? Non.

— Quoi ? Comment est-ce possible ?

Il la fit tourner dans ses bras jusqu'à ce qu'elle soit pressée contre lui, son dos contre son abdomen. Elle sentit sa longueur épaisse, et elle agita ses hanches pour mieux le ressentir en même temps qu'elle écoutait ce qu'il disait.

— Je suis un Éternel. Immortel. Mais je ne suis pas humain.

Cette déclaration aurait dû la faire chanceler, pensa Shea, mais pour l'instant, ce n'était pas important. Tout ce qui importait, c'était ses bras, ses mains sur ses seins, ses doigts sur ses mamelons sensibles et durs.

— Le feu est mon élément. Les Éternels ont été créés par Bélénos, le dieu du soleil. Il s'est saisi du feu du soleil et l'a moulé dans nos âmes. Il nous a donné la vie à travers les flammes éternelles. C'est mon essence, ajouta-t-il, plongeant sa tête pour lécher le côté du cou de Shea.

Elle frissonna.

— Le dieu du soleil ? Tu es en train de dire que les dieux existent vraiment ?

— Bélénos n'est pas *le* Dieu ; il fait partie d'un grand nombre d'autres dieux dans le panthéon.

Son corps entier tremblait pendant que Torin soufflait doucement sur sa peau humide.

— Grâce à l'accouplement, tu deviendras immortelle, et je recevrai un battement de cœur. Nous serons un, Shea.

Ses doigts tirèrent et tordirent ses mamelons jusqu'à ce qu'elle sente la sensation d'étirement dans le creux de son estomac.

— Comme nous devions l'être dès le début. Deux moitiés. Un ensemble.

— Je serai immortelle ?

Sa voix paraissait essoufflée ; et qui pourrait l'en blâmer ? Les choses qu'il lui disait — et lui faisait — étaient incroyables. Elle ouvrit ses jambes un peu plus, permettant à son membre large de s'y glisser, se frottant contre la chair déjà sensibilisée, jusqu'à ce qu'il lui soit difficile de rester sur ses pieds.

Il se mit à rire, un son doux et sombre qui se perdait presque dans le flot de l'eau qui les entourait.

— Un jour. L'immortalité n'est pas un don — c'est quelque chose qu'il faut gagner.

— Comme tu gagneras un battement de cœur.

— Oui.

— Alors, pourquoi ne l'avons-nous pas fait avant?

Il se pencha, saisit ses cuisses et la souleva du sol aussi facilement que si elle ne pesait rien du tout.

— Torin!

Elle glissa ses bras vers l'arrière en les reliant à son cou pour se maintenir en même temps que son dos se voûtait.

— Tu résistais, lui dit-il, la positionnant pour que le jet d'eau le plus proche la vise directement. Tu ne voulais pas l'accouplement, seulement le sexe.

— Le sexe est assez bon, admit-elle, et elle se prépara pour ce qui allait venir.

Elle savait ce qu'il allait faire et le voulait autant que lui.

— L'accouplement est mieux, murmura-t-il, et il la tint de telle façon que l'eau se mit à pomper et à marteler directement son mont de Vénus exposé.

Shea se mit à hurler alors que le premier des jets frappait son clitoris. Une incroyable sensation asservissante rugit à travers elle comme un train fou. Elle était incapable de penser. Incapable de respirer. Incapable de bouger. Elle était maintenue en place par des bras puissants, de sorte qu'elle ne pouvait même pas se tordre dans sa poigne. Elle ne pouvait rien faire d'autre que de se laisser ouverte à la pulsation, au martèlement, aux jets d'eau chaude. Il ne fallut que quelques secondes pour que son corps explose une fois de plus, ses hanches se balançant alors qu'elle était impuissante, montant vague après vague d'un plaisir si profond, si bouleversant, qu'elle crut ne pas pouvoir y survivre.

Et quand, enfin, il la relâcha, permettant à son corps de se glisser loin des pulsations incessantes de l'eau, elle comprit que ses jambes étaient trop faibles pour la soutenir.

Il la déposa sur la banquette, et dans l'air humide, elle lutta pour respirer. Puis elle le regarda dans les yeux.

— Tu essaies de me tuer, n'est-ce pas?

Un lent sourire courba sa bouche, et quelque chose à l'intérieur de Shea se transforma, devenant plus qu'un désir profond, quelque chose de plus personnel. Plus intime que le sexe ou le désir.

Des souvenirs s'agitèrent à l'arrière de son cerveau, et même si elle savait qu'elle devait se souvenir autant que possible, en ce moment, elle ne voulait pas être distraite. En ce moment, tout ce qu'elle voulait, c'était lui. Son regard chuta brièvement vers son érection, et avant d'y réfléchir à deux fois, elle tendit les bras et enveloppa ses doigts autour de lui.

Il aspira en sifflant, se poussant dans sa main, et Shea se sentit traversée par une vague d'énergie qui n'avait rien à voir avec la magie.

— Parle-moi de l'accouplement, murmura-t-elle.

Il lui prit la main et enfila ses doigts dans les siens. La voix serrée, les yeux labourés d'ombres et de lumière, il se mit à parler.

— L'accouplement nous relie. Nos âmes. Nos cœurs. Nos corps. Ensemble, nous devenons plus forts que lorsque nous sommes séparés. Nous nous unissons pour faire ce qui doit être fait. Chaque fois que nous nous unissons, les liens entre nous se renforcent. Au bout de trente jours — si nous réussissons à accomplir notre tâche — l'accouplement sera terminé.

— Et si nous ne le complétons pas?

— L'accouplement prendra fin, et nos âmes mourront.

Shea fronça les sourcils, mais elle se dit qu'il n'y avait maintenant pas de choix. Elle avait besoin de Torin. Il *fallait* donc qu'ils réussissent.

— Je ne me souviens pas de ce que j'ai à faire. De ce que *nous* avons à faire.

— Tu es en train de te souvenir, lui dit-il avec fermeté. Et avec l'accouplement, ton esprit s'ouvrira, de même que ton corps. La connaissance viendra. Mais tu dois l'accepter. Et tu dois m'accepter.

Elle se leva et regarda leurs mains jointes avant de lever à nouveau les yeux vers les siens.

— Dis-moi ce qu'il faut faire.

Il agita une main, et l'eau se coupa. Le silence résultant était aussi tonitruant qu'un rugissement. Shea aurait juré pouvoir entendre son propre cœur qui battait aussi fort qu'un tambour. Sa gorge se serra, et son estomac se retourna sous le lourd mélange de nerfs et d'anticipation.

— Viens, dit-il, l'attirant hors de la douche et marchant avec elle pour retourner dans la chambre.

Elle le suivit volontiers, avec impatience. Son regard s'abaissa, embrassant son dos musclé et son derrière sculpté. Ses sens s'agitaient sauvagement alors qu'elle accélérait le pas pour suivre les enjambées de ses jambes beaucoup plus longues. Dans la chambre, il s'arrêta et se retourna pour lui faire face.

« Il y a ici aussi une cheminée avec une flamme qui brûle déjà », songea-t-elle distraitement. Les ombres sautaient et dansaient sur les murs et dans ses yeux. Shea sentit l'importance de ce qu'ils s'apprêtaient à faire se poser sur ses épaules.

Ce n'était pas du sexe.

Ou du moins, pas uniquement.

Il s'agissait de faire un pas vers ce qu'elle était censée être. Ce qu'elle était censée faire. Il s'agissait de défaire ce qu'elle avait fait il y avait si longtemps.

Et instantanément, son esprit ressortit l'image de la vision qu'elle avait eue quelques heures plus tôt. Où elle se tenait sous des éclairs avec ses sœurs, appelant l'obscurité. Un frisson courut sur sa peau, marquant son corps de chair de poule. Elle se rappela le goût de la peur qu'elle avait ressentie cette nuit-là il y avait longtemps. Elle se rappela du moment, rempli de honte, de regret. Elle se souvint de ce que Torin avait dit à propos de l'expiation et de combien de temps ils avaient tous attendu pour que ce moment survienne. Et elle se rappela, enfin, que cet homme, cet Éternel, était sa seule chance de rédemption tant attendue.

Elle prit une grande inspiration et le regarda dans les yeux. Il y avait tellement là, songea-t-elle. Tellement plus que ce qu'elle avait aperçu dans les premiers moments terrifiants quand il avait surgi de nulle part pour l'éloigner de la foule dangereuse. Sa main pressée contre la sienne se resserra, appuyant ensemble leurs paumes à plat.

— Pour qu'un véritable accouplement commence, tu dois m'accepter et en même temps accepter ton destin. Dans le passé, tu t'écartais de moi. Même si nous avions des relations sexuelles, tu refusais l'accouplement.

— Pourquoi ?

Il haussa les épaules, mais elle soupçonna que ses sentiments étaient plus profonds que ce qu'il se permettait de montrer.

— Au début, tu ne voulais pas risquer de partager le pouvoir. Toi et tes sœurs sorcières, vous vous accrochiez les unes aux autres et vous excluiez ceux qui auraient été les autres moitiés de vos âmes. Ensuite, plus tard, ce n'était plus le temps. L'Éveil devait arriver avant que l'accouplement soit à nouveau possible.

— Et maintenant ?

— C'est le moment. Finalement. M'acceptes-tu ? demanda-t-il tranquillement, chaque mot comme une bénédiction, un espoir.

Cela coûtait beaucoup à ce fort et courageux homme de lui demander de l'accepter, et elle le savait. Elle le pressentait. Mais elle savait aussi que c'était la tradition pour laquelle il avait attendu pendant des vies. Était-elle prête ? Avait-elle le choix ?

Si elle le refusait maintenant, elle risquait de retourner à l'endroit sombre qui vivait encore à l'intérieur d'elle. Sa vision précédente était encore vive dans son esprit. Accompagnée de danger. De peur. Et de terreur. Seule, elle ne pouvait y faire face — et son Éternel l'attendait. Comme il l'avait attendue pendant si longtemps.

— Oui, murmura-t-elle, sa voix aussi respectueuse que la sienne. Je t'accepte.

— Et notre passé ?

— Oui.

— Et notre avenir ?

— Oui, dit-elle, et les doigts de Torin se rivèrent encore plus aux siens.

— Me prends-tu comme compagnon ? À tes côtés ? Pour combattre avec toi et rectifier ce qui jadis avait si mal tourné.

Elle avala difficilement sa salive et sentit l'importance du moment s'écraser sur elle. Chacune de ses réponses à ses questions avait poussé la chaleur à accélérer à l'intérieur d'elle. Maintenant, elle sentait des flammes jaillir et brûler avec tant d'éclat qu'il était miraculeux qu'elle ne soit pas en train de rayonner. Cette dernière question, elle le savait, était la clé de tout. De le prendre pour son compagnon. De jurer de se tenir à ses côtés et de combattre avec lui. De lui faire confiance.

Et même alors qu'elle ouvrait la bouche pour lui donner sa réponse, une partie d'elle retenait cette confiance aveugle qu'elle savait lui être si nécessaire. Comment pourrait-elle lui faire entièrement confiance, si elle-même ne se faisait pas entièrement confiance ?

— Shea.

Dans sa voix, il y avait une demande. Une insistance résultant du fait qu'ils avaient fait tout ce chemin, et qu'elle ne pouvait plus reculer maintenant.

Elle releva le menton et le regarda dans les yeux. Elle murmura :

— Oui, Torin. Je t'accepte. J'accepte la responsabilité. J'accepte le danger.

Des flammes enveloppèrent leurs mains jointes.

Des lumières orange clair et jaune pâle dansaient et bondissaient sur leur peau, les brûlant tous les deux ensemble. Il n'y avait aucune chaleur. Pas de feu, pas de carbonisation de chair. Mais les flammes bouillonnèrent et devinrent plus lumineuses, plus chaudes, jusqu'à ce qu'enfin elles s'éteignent quand Shea ressentit une secousse de chaleur qui s'élançait à travers sa paume. Elle serpenta le long de son bras et s'installa dans sa poitrine dans un nœud serré de chaleur qui éclatait avec chacun des battements de son cœur.

Elle prit une goulée d'air et le regarda, surprise.

— Quoi ?

— Nous commençons, dit-il, plongeant sa tête pour réclamer sa bouche contre la sienne.

Les mains toujours jointes, leurs corps se réunirent, et Shea s'arqua en lui. Dans le foyer, les flammes se brisèrent et sifflèrent alors qu'elles consommaient le bois empilé. Le seul autre bruit était celui du vent, raclant les vitres comme s'il était une entité qui exigeait d'entrer.

Mais pour elle, il n'y avait que son Éternel.

Torin la renversa sur le lit, et elle s'étala sous lui, maintenant affamée d'un appétit vorace de l'avoir en elle, sur elle, sous elle. Elle voulait sentir chaque centimètre de son corps dur. Elle écorcha son dos avec ses mains, les passa le long de ses fesses, faisant glisser ses ongles courts à travers sa peau. Il enfouit son visage dans la courbe de son cou, la mordillant, l'embrassant, la goûtant.

Elle s'arqua de nouveau, écartant ses cuisses, demandant qu'il le remarque, qu'il lui donne ce qu'elle désirait.

Il le fit. Il mit une main sur sa chatte et la toucha avec son pouce jusqu'à ce qu'elle se tortille et se torde sous lui. La tension rayonnait entre elle et lui. Elle sentit son sexe qui pressait contre sa hanche et elle le voulut en elle. Elle voulut qu'il se rive profondément en elle.

Lorsqu'il releva la tête, elle regarda dans ses yeux ; dans les profondeurs gris pâle, elle lut plus de désir qu'elle en avait vu auparavant. Elle crut que la chaleur de son regard pourrait la brûler et elle comprit que ça ne la dérangeait pas. Tant qu'elle pouvait le sentir glisser au fond d'elle, elle ne voulait pas se soucier de quoi que ce soit d'autre.

C'était maintenant une fièvre, un besoin du tréfonds de son âme qui demandait à être nourri.

— Maintenant, Torin, ordonna-t-elle en se tournant en lui et essayant de le chevaucher pour sentir sa dure bite à l'intérieur. Prends-moi maintenant, bon sang.

— Maintenant, accepta-t-il, et il se déplaça, la faisant rouler sur son dos à nouveau, se déplaçant pour s'agenouiller entre ses cuisses entrouvertes.

Puis il s'arrêta et se rassasia de la vue de son corps. Ses mains la touchèrent, écartèrent sa peau tendre et la caressèrent jusqu'à ce qu'elle se saisisse à pleins poings de la courtepointe sous elle et qu'elle s'y cramponne de toutes ses forces.

— La torture fait-elle partie de l'accouplement, salaud? demanda-t-elle en soulevant ses hanches vers son toucher, gémissant presque pour ce qu'il était en train de lui refuser.

— C'est la faim, lui dit-il dans une voix qui semblait étouffée. Les griffes de la soif sur toi. Sur moi. Une fois commencé, l'accouplement n'en deviendra que plus puissant. Plus dévorant. Nous en aurons besoin. Toujours.

— Alors, prends-moi, lui dit-elle, se dressant sur le matelas pour lier ses bras autour de son cou et tirer sa bouche vers la sienne pour un bref et dur baiser. Prends-moi maintenant et encore. Mais sois en moi, Torin.

— Toujours, lui promit-il.

Et son regard plongé dans le sien, il pénétra son corps en un coup rapide et décidé.

Elle hurla son nom en même temps que son corps réclamait le sien. Elle s'accrocha à ses épaules, à son dos, alors qu'il la relevait pour l'asseoir sur ses genoux. Elle se tortilla, moulant ses hanches contre lui, l'amenant plus profondément, plus haut. Elle frotta ses seins contre sa poitrine et sentit des flammes s'intensifier là aussi.

Ce nœud de chaleur à l'intérieur de sa poitrine flamboya brillamment pour un instant et brûla derrière son sein gauche en même temps qu'elle le montait. Elle ne se soucia pas de la brève secousse de douleur. Elle disparut en un instant, et tout ce qui restait, c'était *lui*.

Leurs regards se rivèrent l'un à l'autre. Shea remua sur lui. Les mains de Torin sur sa taille fixaient le rythme pour qu'elle le suive. C'était rapide, c'était dur, et c'était tout.

Les premiers frémissements de son orgasme s'animèrent et furent enveloppés dans une tempête de sensations. Elle laissa retomber sa tête sur son cou alors qu'elle se tenait à lui et qu'elle continuait de bouger, de se déplacer, de se tortiller, de se tordre, en le prenant aussi haut et aussi profondément que possible. Son membre l'emplissait et encore, ce n'était pas suffisant. Elle n'en aurait jamais assez de lui. Son cœur. Son âme. Son esprit. Elle sentit le lien entre eux s'animer et elle savait qu'elle ne ferait jamais rien qui soit aussi important que ce moment.

— Éclate pour moi, ordonna-t-il.

Elle le fit, instantanément. Son corps bascula, et elle appela son nom alors que les vagues la transportaient, les unes après les autres, au-dessus et au-delà de tout ce qu'elle avait connu avant.

Et presque avant que son corps soit traversé d'un dernier soupir, Torin la déplaça, la renversant dans ses bras, et l'installant sur le lit. À plat ventre, elle étreignit le matelas avec ses mains. Sachant ce qu'il voulait, elle se mit à genoux, soulevant ses hanches pour lui.

Ses grandes mains la maintinrent en place alors qu'il déplaçait son membre large de l'avant vers l'arrière dans son entrée si sensible. Shea avait de la difficulté à le croire elle-même, mais elle avait encore besoin de lui. Maintenant. L'orgasme qu'elle venait de vivre était à peine complété, et une faim nouvelle faisait irruption en elle.

Elle se déplaça, se poussant vers lui, tordant ses hanches malgré sa poigne ferme sur son corps, et lorsqu'elle regarda par-dessus son épaule, son cœur faillit s'arrêter. Dans la lueur du feu qui dansait, il avait tout à fait l'apparence d'un guerrier de l'ancien temps. Son corps était doré et dur et il semblait avoir été sculpté par un dieu généreux.

Et il lui appartenait.

Il croisa son regard et se poussa lui-même dans sa chaleur. Shea eut le souffle coupé et bougea contre lui en le prenant encore plus profondément et encore plus haut qu'elle ne l'avait fait jusqu'à maintenant. Il effectua un va-et-vient contre elle, et elle sentit chaque glissement caresser son corps, illuminant ses entrailles comme des feux d'artifice dans un ciel obscur.

Encore et encore, il la réclama, son corps entrant et se retirant dans un rythme rapide et furieux qui lui volait son souffle et fermait son esprit. Un autre orgasme éclata en elle, et elle cria de la même force qu'elle le sentit. Puis, il y en eut d'autres encore, et il toucha son centre, frottant son pouce sur ce point sensible jusqu'à ce qu'elle crie à nouveau son nom, encore et encore, le corps secoué, tremblant de la force de l'orgasme qui l'appelait.

Dans le tumulte de son propre battement de cœur, elle entendit son cri rauque alors qu'il se permettait finalement de la suivre dans le néant.

Chapitre 27

Quelques heures plus tard, quand la faim pour de la vraie nourriture les obligea à sortir du lit, Shea se dirigea en titubant sur des jambes flageolantes vers la salle de bain. Elle n'avait jamais été aussi complètement épuisée de toute sa vie. Et elle n'avait certainement jamais ressenti autant de bonheur à ce sujet.

Chaque muscle était douloureux, chaque centimètre carré de son corps avait été léché, embrassé, touché, exploré. Son esprit était inondé de souvenirs frais de ce que Torin et elle s'étaient fait l'un à l'autre au cours des dernières heures, et ce seul souvenir lui donnait envie de recommencer.

Lorsqu'elle fixa son reflet, elle se reconnut à peine. Ses yeux verts brillaient. Ses longs cheveux roux étaient entre-mêlés et enchevêtrés, et on aurait dit qu'ils avaient allongé de cinq centimètres. Comment était-ce possible ? Elle rit et se dit : « De la magie ».

Le pouvoir bouillonnait en elle — il augmentait et faisait irruption. Elle ressentait la transformation et s'y abandonna. Quoi qu'il puisse arriver ensuite, elle serait prête.

Torin entra dans la salle de bain et se tint derrière elle devant le miroir. Une de ses mains bronzées se glissa de haut en bas sur le devant de son corps, et elle se pencha en arrière contre lui alors qu'un nouveau désir était stimulé. Dieu, n'en aurait-elle jamais assez ? N'atteindrait-elle jamais un point où elle pourrait dire : « Non, merci, j'ai mal à la tête » ? Elle ne le croyait pas. Et voulait-elle atteindre ce point ?

Non. Vraiment pas.

Elle croisa son regard dans le miroir et vit ses yeux gris qui tourbillonnaient de passion et de secrets. Sa bouche, avec ses lèvres délectables, talentueuses qui étaient siennes, se courbait un peu aux coins alors qu'il observait son reflet. Il leva sa main gauche pour prendre son sein dans sa main, et son pouce et son index pincèrent son mamelon.

— Sérieusement ? dit-elle avec un demi-gémissement. Je ne sais pas comment nous arriverons un jour à quoi que ce soit si tu continues à me toucher ainsi.

— Ça fait des siècles, Shea, chuchota-t-il. Des centaines de longues et sombres années que j'attendais ce moment avec toi. Que j'attendais le véritable accouplement. Ma faim ne sera pas rapidement assouvie.

Elle sentit son érection frottant contre ses fesses, épaisse et dure et douce à la fois, et ses paupières se fermèrent lentement alors qu'elle écartait ses cuisses pour lui. Encore une fois. Et encore. Elle s'ouvrirait toujours pour lui. Elle accueillerait toujours son toucher, son invasion.

— Appuie-toi sur le comptoir, lui dit-il, et ouvre les yeux.

Elle le fit, incapable de s'en empêcher. Elle fixa le large miroir et regarda pendant qu'il la prenait. Il attrapa ses hanches en les soulevant pour se permettre d'entrer, et elle s'appuya contre le comptoir pour que ce soit plus facile pour lui.

Il s'enfonça en elle, et les sensations érotiques qui naviguaient en elle lui coupèrent le souffle. Il la prit rapidement, farouchement, une main sur sa hanche pour la maintenir en équilibre, l'autre sur son sein gauche pour continuer à tirer et à tordre son mamelon. Encore et encore, il s'enfonçait dans ses profondeurs, puis retraitait pour avancer de nouveau. Il l'emmena encore plus haut, et plus rapidement qu'il ne l'avait fait plus tôt, et Shea observa la scène dans le miroir.

Les traits serrés, son regard rivé sur le sien, il déplaça sa main de sa hanche à son centre, et au moment où il la toucha, elle frémit. Son corps se serra autour du sien, et l'ondulation de ses muscles l'étreignit, l'emprisonnant, l'obligeant à se joindre à elle dans une autre libération chancelante.

Lorsqu'elle s'appuya sur le comptoir, cherchant à respirer, il lissa ses cheveux par-dessus son épaule et releva son menton pour qu'elle le regarde dans le miroir.

— Regarde, Shea. Regarde ton corps et le mien. Vois ce qui se passe.

Elle le fit, et au début, elle ne put comprendre ce qu'il voulait qu'elle voie. Leurs reflets étaient brouillés à travers ses yeux vitreux de passion, mais elle put enfin se concentrer. Elle regarda la main de Torin sur sa poitrine et plissa les yeux alors que ses longs doigts se déplaçaient sur une tache sombre au-dessus de son mamelon.

— Qu'est-ce que c'est ?

Elle se pencha vers le miroir. Juste au-dessus de l'aréole rose foncé de son sein, il y avait une marque rouge sang.

Allongée, presque la forme d'une larme, on aurait dit un grain de beauté de forme irrégulière, mais elle savait que ce n'en était pas un.

— La marque de l'accouplement, lui dit Torin, un ton de satisfaction dans sa voix.

Elle déplaça son regard vers le sien.

— Une marque?

Il haussa les épaules.

— Une sorte de tatouage, alors. Lorsqu'ils s'accouplent, nos corps créent cette marque. J'en ai une qui lui correspond.

Shea se retourna pour lui faire face et regarda son mamelon gauche. Il y avait là la même marque rouge foncé. Son doigt en caressa les bords.

— Qu'est-ce que c'est? Ça ressemble à une larme.

Hochant la tête, il se pencha pour déposer un baiser sur la marque au-dessus de sa poitrine.

— C'est une flamme. Une flamme pour marquer le début de l'accouplement. Au cours du mois prochain, la marque va croître et s'étendre, nous marquant tous les deux comme appartenant l'un à l'autre.

Elle avait trouvé sa place.

Enfin, elle savait finalement où était sa place. Elle avait passé toute sa vie à tenter de s'adapter. À essayer de ne pas détonner, et cela n'avait jamais fonctionné. Il y avait toujours quelque chose de différent à son sujet. Même avant que sa tante lui ait montré que la sorcellerie faisait partie de son héritage.

Elle prit une grande inspiration et expira lentement.

— Au cours du mois prochain?

— Oui. L'accouplement se fait lentement, donnant à la sorcière et à son Éternel le temps de profiter l'un de l'autre et des changements qui s'opèrent entre nous.

Elle passa un doigt sur sa poitrine chaude et musclée et sourit lorsqu'il aspira en sifflant sous son contact.

— Des changements?

— Nous gagnerons en force l'un de l'autre, Shea.

Ses mains passèrent de haut en bas sur son corps, comme s'il ne pouvait se rassasier de la toucher.

— La marque est le début de ce changement, liant nos corps et nos âmes. Alors que les trente jours s'écouleront, la marque se répandra sur nos corps, et avec chaque nouvelle flamme qui apparaîtra, le lien entre nous sera d'autant plus fort.

Il baissa la tête pour réclamer un rapide et ferme baiser.

— Lorsque nous nous toucherons, nous serons en mesure de combiner notre magie pour augmenter notre force commune.

— Et quand les trente jours seront terminés?

— Mon cœur se mettra à battre, et si Bélénos est satisfait de moi, j'obtiendrai plus de pouvoir.

— Quel genre de pouvoir? demanda-t-elle, s'appuyant sur ses mains.

— Je l'ignore, admit Torin. L'accouplement est quelque chose de secret, même pour nous. Aucun de nous ne sait ce qui adviendra tant qu'il n'est pas terminé.

— Ton dieu ne t'a pas donné beaucoup de détails.

— Quel dieu le fait? demanda-t-il, un coin de sa bouche pulpeuse se courbant vers le haut. La déesse Danu, ta déesse, n'a pas été plus généreuse en fait d'information.

— Danu?

Shea secoua la tête et tenta de réfléchir. Mais c'était tellement difficile avec les mains de Torin sur elle.

— La déesse-mère, lui dit-il en haussant les épaules. Celle qui a créé la sorcellerie et qui a choisi les femmes qui l'exerceraient.

— Il y a tellement de choses que j'ignore, chuchotat-elle, puis elle appuya son front contre sa poitrine pour écouter le silence là où il aurait dû y avoir un battement de cœur.

— Je partagerai tout ce que je sais avec toi, promit-il. Mais pour l'instant, tu dois savoir que nous n'avons que jusqu'à la prochaine pleine lune pour remplir notre mission. Pour trouver ce qui a un jour été caché, pour le ramener en sécurité.

— Qu'est-ce que c'est ?

— L'argent noir, dit-il, et ces deux mots eurent l'effet d'une bombe.

Shea chancela alors que les images se bousculaient dans son esprit en l'écoutant parler. Un élément sombre créé par les sorcières, songea-t-elle. L'argent noir était imprégné d'un pouvoir qui avait crû rapidement avant de s'emballer.

— L'Artefact, murmura-t-elle, incertaine de savoir d'où venait ce mot.

— Oui, dit-il, caressant sa poitrine du bout des doigts. Tu te souviens ?

Elle secoua la tête, fronçant les sourcils alors que son esprit se détournait du souvenir.

— Non. Pas vraiment. C'est juste quand tu as dit : «Argent noir». J'ai eu comme un flash, mais il est disparu trop tôt pour que je l'attrape.

— Tu réussiras, dit-il. Il le faut.

— Oui.

Elle hocha la tête et baissa les yeux vers l'endroit où les doigts de Torin caressaient paresseusement son nouveau tatouage.

— Tu as dit qu'il y en avait d'autres comme moi. Les sorcières éveillées. Aurons-nous toutes ce tatouage ?

— Oui, répondit-il, se penchant maintenant pour appuyer sa langue sur le bout de son téton. Et chaque marque sera unique à une sorcière et à son Éternel. Vous serez toutes marquées en fonction de votre karma.

— Et toi ? demanda-t-elle, s'efforçant de s'accrocher à ses pensées malgré le fait que Torin avait placé son mamelon dans sa bouche. Qu'est-ce que les Éternels obtiennent de tout ça, en plus d'un tatouage correspondant ?

Il interrompit ce qu'il était en train de faire, recula sa tête et souffla un léger courant d'air sur son sein. L'humidité de sa langue, suivie de son souffle doux, provoqua un frisson de fraîcheur et de plaisir sur sa peau.

— Nous devenons un avec les autres moitiés de nos âmes. Nous cessons de simplement *exister* et nous commençons à *vivre*.

Sa langue caressa le bout de son mamelon, et Shea soupira. Tant de choses avaient changé et si rapidement qu'il était presque impossible pour elle d'imaginer que c'était maintenant sa vie. Elle baissa les yeux sur la bouche de Torin sur sa poitrine et elle soupira de nouveau alors qu'une autre petite flamme rouge explosait de l'intérieur pour apparaître juste à côté de la première marque.

Elle faisait maintenant partie de quelque chose.

De manière permanente.

Il n'était pas question de revenir en arrière. Il n'était pas question de changer sa décision, même si elle le voulait.

Déjà, Shea sentait qu'elle était en train de se transformer. Ce n'était pas seulement le tatouage qui consumait sa peau. C'était quelque chose de plus fondamental. Plus élémentaire.

Alors qu'elle acceptait qui et ce qu'elle était, la femme qu'elle avait essayé si difficilement d'être — une simple enseignante de sciences dans une école secondaire ordinaire — sombrait dans l'oubli. Elle n'était pas ordinaire.

Et elle ne ferait plus semblant de l'être, plus jamais.

Pas même pour elle-même.

Chapitre 28

Rune sentit la vague de magie dans l'air.

Le sanctuaire était proche.

« Merci aux dieux. »

Huit heures dans une voiture avec une petite fille curieuse et effrayée, de même qu'avec sa mère et sa grand-mère, c'était presque plus qu'un Éternel pouvait tolérer.

Depuis qu'ils avaient quitté Vegas dans les heures précédant l'aube, Amanda avait parlé sans arrêt. Pour sa mère, Terri, c'était le contraire. Elle avait à peine prononcé un mot. Quant à la mère de Terri, tout au long de leur trajet, elle avait entretenu une litanie constante de chapelets et de prières.

Leurs émotions et leurs peurs épuisaient les énergies de Rune, les dévorant comme l'eau sur la roche. Il serait heureux lorsque cette corvée serait bel et bien finie. Combattre le mal et chercher des sorcières éveillées commençait à ressembler à de sacrées vacances.

— Merde.

Il appuya lourdement sur le frein, envoyant déraper le VUS, et le faisant glisser sur le côté de l'étroite route de montagne.

— Vous n'êtes pas censé jurer, lui dit Amanda de la banquette arrière.

— Qu'est-ce que c'est? demanda sa grand-mère, la peur augmentant progressivement dans sa voix jusqu'à ce qu'elle commence à résonner comme une vieille porte grinçante.

— Un blocage routier, murmura Terri du siège avant tout en lançant un bref regard vers Rune.

— On dirait que vous avez raison, lui dit Rune. Pas un mot. Tout le monde.

Même Amanda ferma la bouche. Pas vraiment surprenant, puisque le monde de l'enfant s'était écroulé autour d'elle au cours de la dernière semaine. Elle s'attendait probablement à un autre désastre. «Et, songea-t-il, il est fort possible qu'il y en ait un.»

La route était jonchée de blocs de pierre qui bloquaient le passage. À première vue, ce ne semblait être qu'un éboulement de montagne. Mais Rune ne s'y fiait pas. Cela semblait sacrément commode qu'un glissement de terrain frappe juste avant les limites du sanctuaire.

— Je vais vérifier, leur dit-il, la voix douce mais déterminée. Vous trois, vous restez dans la voiture.

Il tendit le bras vers le pistolet sur le siège à côté de lui et fit glisser la culasse, puis déposa une balle dans la chambre. Peu importe qui était là, il ne ramènerait pas Terri et sa famille. Pas sans se battre, en tout cas. Il avait la magie de même que des balles à tirer et il était très capable de les utiliser toutes les deux.

Mais avant qu'il ne puisse ouvrir la porte de la voiture, des femmes se laissèrent tomber des arbres. Au moins une douzaine. Certaines sautèrent simplement sur la route, d'autres glissèrent le long de câbles qui serpentaient des hautes branches comme des tentacules.

— Que diable...

— Rune...

Terri recula sur son siège et jeta un regard rempli de culpabilité vers sa fille.

— Quoi qu'il arrive, sauvez Amanda.

— Il n'arrivera *rien* à aucune d'entre vous, murmura-t-il, rivant son regard sur les femmes qui s'approchaient de plus en plus de sa voiture.

Certaines d'entre elles tenaient des armes automatiques et paraissaient beaucoup trop à l'aise avec elles. D'autres tendaient leurs mains, les paumes vers le haut, invoquant des pouvoirs magiques et se préparant à les utiliser. Il sentit la magie dans chacune d'entre elles et il sut qu'il avait affaire à des sorcières.

La question était la suivante : était-il possible de raisonner avec elles ou étaient-elles plus portées à tirer d'abord et à poser des questions plus tard ?

— Qui diable êtes-vous ?

Une grande femme aux longs cheveux noirs tirés en arrière en une tresse qui pendait jusqu'à sa ceinture se mit à crier alors que ses camarades se plaçaient en position autour d'elle. Elle portait un jean bleu délavé et un pull noir et tenait un fusil d'assaut comme si c'était une extension de son bras.

Pour répondre à sa question, il se contenta de s'enflammer rapidement et apparut à nouveau en dehors de la voiture. Les armes se déplacèrent vers lui, et il sentit les regards durs et soupçonneux des femmes comme des couteaux en train de le découper.

— Vous êtes un Éternel.

Ce n'était pas une question. La femme aux cheveux noirs, apparemment la chef, se déplaça pour regarder la voiture.

— Qui sont-elles ?

— Des humaines, répondit-il. Qui diable êtes-vous ?

Un coin de sa bouche se souleva en un demi-sourire.

— Vous êtes très mal placé pour poser des questions, Éternel. Il y a au moins une douzaine de canons braqués sur vous, sans mentionner les armes magiques.

— Je suis immortel, lui rappela-t-il avec un petit sourire.

— Mais pas à l'abri des blessures. J'imagine que nous pouvons vous descendre si vous faites un faux mouvement, alors ne me tentez pas.

Elle le fixa les yeux plissés.

— Je vais vous poser la question une autre fois. Qui sont les femmes qui voyagent avec vous ?

Rune était aussi dégoûté que furieux. Il avait l'impression d'être un imbécile. Il était tombé dans un piège bien tendu et il ne pouvait trouver un moyen facile d'en sortir. Il examina son environnement, évalua la situation. Un côté de la route était une falaise abrupte et rocheuse de la montagne. L'autre côté était recouvert d'arbres si épais qu'il était incapable de voir au-delà. Derrière lui s'étendait une route qui menait vers la civilisation et le danger pour celles dont la sécurité lui avait été confiée. Et devant lui, il y avait le sanctuaire… s'il pouvait arriver à passer devant la gardienne des sorcières.

Des idées et des solutions se mirent à danser dans son esprit, mais tant qu'il lui fallait protéger Terri et sa famille, il n'avait qu'un seul choix. La vérité.

— Comme je vous l'ai dit. Ce sont des humaines. L'une d'elles s'est échappée du centre de détention de Terminal Island il y a quelques jours. Les autres sont sa mère et sa fille.

La femme aux cheveux noirs abaissa son arme et fit un signal silencieux aux autres amazones qui se cachaient à proximité. En un seul mouvement, elles se détendirent et adoptèrent une posture de vigilance prudente.

Au moins, songea-t-il avec ironie, les canons ne le visaient plus directement.

— Nous avons vu la couverture de l'actualité concernant cette évasion. On a rapporté que deux hommes faits de feu ont pénétré par effraction, ont tué des gardes et ont enlevé deux sorcières.

— Une sorcière, corrigea-t-il. Et une humaine soupçonnée de sorcellerie.

Elle sourit alors, et Rune prit une seconde de pure appréciation masculine. Non seulement était-elle sournoise comme un serpent et à l'aise avec des armes, mais elle était aussi une sacrée beauté. Ce qu'il aimait chez une femme.

— Maintenant, vous voulez bien me dire qui vous êtes ? demanda-t-il.

— Je suis Selena, commandante des gardiennes sorcières, dit-elle, puis elle regarda les femmes qui l'entouraient. Ce sont les gardiennes.

— Impressionnant, dit-il en déplaçant son regard de l'une à l'autre des sorcières qui le regardaient avec des expressions moins qu'accueillantes. Maintenant, que diriez-vous de me laisser passer pour que je puisse emmener ces femmes en sûreté ?

— Pas si vite, lui dit Selena, et elle cria : Rachel !

Une femme toute de noir vêtue s'approcha et tendit son arme à Selena. Ses yeux noirs fixèrent brièvement ceux de Rune, puis se déplacèrent vers la voiture et ses passagères.

— Je m'en occupe, dit-elle.

Rune s'avança pour l'intercepter, et elle grogna vers lui. Il ne s'en soucia pas.

— S'occupe de quoi ?

— Détendez-vous, Éternel, dit Selena. Rachel va vérifier les émetteurs. Sa magie va capter tout ce qui ne devrait pas être là.

— J'ai déjà enlevé le dispositif de poursuite de Terri, dit-il.

— Peut-être y en a-t-il plus d'un.

Selena hocha la tête vers Rachel qui contourna Rune comme s'il s'agissait d'un tas de merde et qu'elle ne voulait pas risquer de salir ses bottes.

Puis, la sorcière s'approcha de la voiture, et Rune vit que ses traits se détendaient un peu. Elle sourit à Terri et aux autres.

— Ne vous inquiétez pas. Ça ne prendra qu'une seconde ou deux.

Il regarda Rachel qui posait les deux mains à plat sur le toit de la voiture et fermait les yeux. On aurait dit que des étincelles de feu de camp s'élevaient pendant qu'un vent ébouriffait ses cheveux roux vif et secouait le lourd pull qu'elle portait. La magie grésilla dans l'air autour d'elle et tomba sur la voiture comme une couverture dorée qui brillait et se déplaçait comme si elle était vivante.

Quelques secondes s'écoulèrent.

— Il y a un dispositif de repérage !

Rachel avait crié l'avertissement, et instantanément, les autres amazones entourèrent la voiture, le dos contre l'engin, les regards fixés sur les arbres, la montagne et le ciel.

— C'est impossible, putain, insista Rune, qui se dirigeait déjà vers la sorcière rousse. J'ai enlevé moi-même la micropuce. J'ai ouvert son cou pour la sortir.

— Vous en avez manqué une, Éternel, lui dit Selena. Et jusqu'à ce qu'elle soit enlevée, personne n'avance plus loin. Telles que sont les choses, s'ils sont en train de la suivre, ils sont déjà arrivés trop près.

Elle jeta un coup d'œil vers l'autre sorcière.

— Rachel, trouve-la.

— D'accord.

— Juste une putain de minute, cria Rune.

— Ça va, cria Terri, puis elle sortit de la voiture.

Elle regarda toutes les femmes qui se tenaient prêtes à la protéger, elle et sa famille, puis elle regarda Rune.

— S'il y en a une autre, je veux aussi qu'elle soit enlevée.

Elle jeta un coup d'œil vers Rachel.

— Faites tout simplement ce que vous avez à faire.

La sorcière appela de nouveau sa magie et passa ses mains le long du corps de Terri. Des étincelles et du pouvoir frémirent dans l'air. Une concentration intense grava des plis dans l'expression de Rachel jusqu'à ce qu'elle s'arrête enfin.

— Je l'ai trouvée. Ici. Sous son sein.

— Impossible.

Rune fit non de la tête. Il avait vérifié Terri personnellement. Il n'était pas question qu'il ait pu manquer un dispositif de poursuite en argent.

— Rachel ne se trompe jamais, lui dit Selena d'un ton catégorique. Vas-y, Rachel.

— Faites-moi confiance, dit Rachel en regardant directement dans les yeux de Terri.

Une fois de plus, Rune était impressionné par la force de la volonté humaine. Elle se contenta de hocher la tête et de fermer les yeux. Mais il ne voulait pas détourner le regard. Il observa chaque mouvement que faisait la sorcière, prêt à bondir et à protéger Terri même si cela signifiait que chaque arme sur place tirerait sur lui.

Rachel souleva la blouse de Terri, découvrit sa poitrine, puis posa sa paume en dessous de la courbe pleine.

— Je le sens. C'est profond. Je peux y arriver, mais ça va faire un mal de chien.

— D'autres bonnes nouvelles, murmura Terri. Faites-le.

Il ne pouvait que regarder et attendre, des actions où Rune n'excellait pas du tout.

Rachel posa sa main sous la poitrine de Terri, ferma les yeux et appela à nouveau sa magie. Cette fois, les étincelles jaillirent comme des feux d'artifice. Ses cheveux furent à nouveau soulevés par le vent magique, et elle chantonna dans un murmure alors que Terri gémissait doucement et mordait sa lèvre inférieure.

— Maman!

Le cri bouleversé d'Amanda jaillit de la voiture, et l'une des sorcières tendit le bras à travers une fenêtre pour réconforter l'enfant en la touchant.

Les secondes se transformèrent en minutes, et les minutes devinrent une éternité. Rune ne détacha jamais son regard de Rachel, jusqu'à ce que finalement, après un cri discordant de Terri, la sorcière sourie et lève la main. Du sang couvrait sa paume, mais dans le centre de ce liquide rouge foncé, il y avait une puce d'argent qui clignotait, plus petite que celle qu'il avait enlevée à l'arrière de son cou. Rune fut forcé d'admettre qu'il l'avait manquée.

Mais comment ?

— Elle est enchantée, dit Rachel, répondant à sa question muette.

— Vous voulez dire qu'une autre *sorcière* a jeté un sort sur le métal utilisé pour traquer ses sœurs ?

La voix de Selena était horrifiée.

— C'est la seule explication, dit Rachel, et elle détruisit la micropuce sous le talon de sa botte.

Elle se retourna ensuite vers Terri, guérit sa blessure et lui tapota l'épaule.

— Vous avez été magnifique.

— C'est ce qui explique pourquoi vous n'avez pas pu la détecter, dit Selena à Rune. Si un sort la protège de la détection, vous n'auriez pas pu la remarquer du tout. Pour sentir la vibration magique, il aurait fallu que vous la recherchiez de façon précise.

— C'est tout simplement génial, murmura-t-il, et il se dit qu'il appellerait Torin dès qu'il le pourrait.

Si on avait placé deux puces sur Terri, il est fort probable que c'était aussi le cas de Shea.

— Alors ? demanda-t-il à Selena alors que Terri remontait dans la voiture pour réconforter sa fille. Allez-vous aider ces femmes ou non ?

Selena hocha la tête, se retourna et leva les deux mains vers l'éboulement qui bloquait la route. Un flot de magie se déversa d'elle, et la route s'ouvrit, montrant que l'éboulement n'était rien de plus qu'une illusion bien construite.

Laissant tomber ses mains, elle regarda Rune et les femmes dans la voiture.

— Bienvenue au sanctuaire.

Chapitre 29

Tandis que Torin était sorti pour acheter de la nourriture, Shea prit un moment pour essayer de remettre les choses en place dans son esprit. Tant de choses s'étaient passées si rapidement qu'elle ne savait plus quoi penser.

Mais une chose était claire. Rien ne serait plus pareil pour elle. Pas depuis son Éveil. Pas depuis Torin.

Elle se tint devant le miroir de la salle de bain et se glissa hors de sa chemise et de son soutien-gorge. Regardant fixement les deux flammes minuscules, le début de la marque de l'accouplement à la pointe de son sein, elle sentit un tourbillon de magie se précipiter en elle. Elle inspira profondément et l'accueillit, savourant les sensations de son âme qui s'ouvrait à de nouvelles possibilités.

— Torin a dit que les souvenirs viendraient, murmura-t-elle à son reflet ; et elle remarqua le froncement de sourcils sur son visage. Mais puis-je me permettre de simplement attendre ? S'il y a de la magie en moi, ne devrais-je pas être en mesure de l'utiliser ?

Cela semblait assez raisonnable, pensa-t-elle, les sourcils toujours froncés. La question, c'était de savoir comment y arriver.

— Peut-être n'était-ce qu'une question de concentration, dit-elle.

Levant les deux mains, elle les posa sur le miroir froid et fixa son regard. Avec son esprit centré sur la magie, sur les secrets qu'elle avait besoin de connaître, elle se concentra comme elle ne l'avait jamais fait auparavant.

Des secondes s'écoulèrent, et le silence dans la pièce se referma autour d'elle. Le monde se rétrécit jusqu'à ce que tout ce qu'elle voie soit le reflet de ses propres yeux verts qui la regardaient fixement. Et juste au moment où elle croyait qu'il ne se passerait rien, elle remarqua le changement dans les yeux de son moi reflété.

Le vert se remplit d'ombres, s'assombrit et s'enflamma d'étincelles. Puis, sa vision devint floue, indistincte pendant qu'au même moment, elle sentit une force brute vibrer en elle. Du pouvoir. De la magie. C'était là, à l'intérieur. Elle l'appela vers elle, se donnant à elle, acceptant tout ce qui pourrait venir ensuite.

Dans le reflet de ses yeux, elle vit… quelque chose. Une femme. Regardant dans un miroir, comme elle le faisait. Shea observa, chancelant sous les assauts de la vision alors que l'étrange femme murmurait un chant. Et dans le miroir que tenait la femme, des silhouettes apparurent. Une image de Shea, attaquée par une foule de gens, et Torin, luttant pour sa vie. Pour *leur* vie.

Et la femme entourée de ténèbres se mit à rire.

Shea recula brusquement pour s'éloigner du miroir, brisant le lien et frissonnant pendant que le son du rire diabolique continuait à se répandre tout autour d'elle.

— Je sais que je l'ai touchée, dit M. Landry.

Il se tenait au garde-à-vous devant le bureau de son supérieur. Il y avait toujours un rapport de suivi après une frappe. La police de la magie, tout comme les agents fédéraux, devait s'assurer que ses renseignements correspondaient.

— J'ai tiré, elle est tombée, l'homme s'est jeté par-dessus elle.

Son patron n'était pas heureux de la situation, voyant qu'on avait donné un ordre de Ne Pas Tuer et que Landry protestait, disant qu'il ne l'avait pas entendu.

— On vous avait dit de ne pas la tuer.

Landry haussa les épaules.

— La réception était mauvaise. J'ai manqué cette partie de l'appel.

— C'est certain que vous l'avez manquée.

Ordres ou non, se dit Landry, personne ne se préoccupait d'une sorcière morte. Pas vraiment. Eh bien, sauf peut-être quelque grand manitou qui avait d'abord lancé l'ordre. Mais pour ceux d'entre eux qui effectuaient le travail dans les tranchées, une sorcière morte était une sorcière sécuritaire.

— Peu importe, dit l'autre homme avec un soupir résigné. Avez-vous vu les corps?

— Non, admit Landry, se souvenant de la brume épaisse qui avait balayé la région, lui cachant ses cibles et effaçant la scène. Un brouillard est arrivé soudainement et les a cachés. Merde! il a aussi caché ma voiture. Ça m'a pris une demi-heure pour la retrouver.

Toujours assis, son supérieur se pencha sur son bureau, prit un stylo et tapa contre une liasse de papiers soigneusement empilés.

— Nous avons envoyé une équipe quelques heures plus tard. Ils ont constaté que la voiture se trouvait sur le côté de la route, mais la sorcière et l'homme avaient tous deux disparu. Nous avons trouvé le sang, oui, mais pas de corps.

Landry grinça des dents. Elle s'était échappée. Enfuie, une fois de plus. Mais il savait où sa balle l'avait frappée. Elle n'avait pu aller bien loin. Même pas avec de la magie.

— Permettez-moi de les retrouver.

Son patron soupira.

— À l'heure actuelle, ils se sont rendu compte qu'on lui avait inséré une micropuce et ils s'en sont débarrassés. Vous n'avez aucun moyen de savoir où elle est allée.

Appuyant ses deux mains sur le bureau, Landry regarda dans les yeux de l'autre homme.

— Je n'ai pas besoin de GPS. Je peux la trouver. Et quand je…

— Oubliez ça, dit l'homme en secouant la tête. Nous avons encore beaucoup d'autres sorcières aux alentours dont nous devons nous inquiéter. C'est le Bureau qui prend la relève. Pour nous, c'est terminé.

— Terminé? C'est moi qui l'ai d'abord attrapée.

— Et d'après les agents fédéraux, nous sommes ceux qui l'ont laissée s'échapper.

— C'est la faute de la PM si le camp est rempli de crétins incompétents?

— Oubliez ça, Harper. En ce qui concerne notre organisation, c'est terminé.

Il ramassa les papiers et commença à les feuilleter. Il en sortit un, et le lui tendit.

— J'ai une nouvelle mission pour vous. Cette sorcière se cache à Sunset Beach. On a eu un tuyau. Alors, oubliez celle qui s'est enfuie et allez attraper celle-ci.

Landry regarda l'avis juridique lui donnant le droit d'appréhender la sorcière et songea à ne pas le prendre. Il savait qu'il était capable de trouver cette sorcière et son homme. Le Bureau n'avait pas le droit de lui dire de reculer. Ses entrailles se contractèrent par l'adrénaline et la fureur contenue alors qu'il luttait avec lui-même pour décider comment gérer tout cela.

Il voulait cette satanée sorcière.

Mais alors que les secondes s'écoulaient, il dut admettre qu'il voulait aussi conserver son emploi. C'était important pour lui. Il devait être sur la ligne de front, il devait protéger l'humanité du fléau de la sorcellerie. Alors, s'il devait abandonner la quête d'une sorcière... il devait simplement intensifier ses efforts sur les autres. Et peut-être, un jour, aurait-il une autre chance d'attraper Shea Jameson.

Arrachant les papiers des mains de son patron, il regarda le nom et l'adresse de la sorcière et hocha la tête.

— Je l'amènerai à Terminal Island d'ici ce soir.

— Parfait. Vous pouvez disposer.

Alors qu'il partait, Landry se dit qu'il était un homme chanceux de pouvoir exécuter le travail qu'il adorait.

Chapitre 30

— As-tu reconnu la femme dans la vision? demanda Torin.

— Non, lui dit Shea. Je ne la reconnaîtrais pas non plus si je la voyais dans la rue. Elle était à peine plus qu'une ombre dans l'obscurité. Mais elle regardait dans un miroir et c'est *nous* qu'elle voyait.

— De la divination, dit Torin. C'est un moyen que prennent les sorcières pour voir le futur, le passé…

Il s'interrompit et il la regarda.

— D'une certaine manière, tu as réussi toi-même à faire un peu de divination. Ta magie va vite réapparaître. Pourtant, tu aurais dû attendre que je revienne pour utiliser la sorcellerie.

— Oh, voyons. Ce n'était pas de la sorcellerie, dit Shea. Je voulais juste *voir*. Et je ne peux pas toujours t'attendre, Torin. Je dois trouver des réponses par moi-même.

— Nous sommes ensemble dans cette quête, Shea, lui rappela-t-il.

— Oui, c'est vrai.

Elle posa une main sur son bras et fixa ses yeux gris.

— Mais la vérité, c'est que je suis la sorcière au passé diabolique et je dois faire ce que je peux, quand je le peux, pour connaître le fin fond de l'histoire. Alors, pendant que nous mangeons, pourquoi ne m'expliquerais-tu pas ce que nous sommes censés chercher ?

Il fronça les sourcils comme s'il n'aimait pas ce qu'elle venait de dire, mais il dut admettre qu'elle avait raison.

— L'argent noir, dit Torin, c'est l'élément qui a été créé par l'assemblée de sorcières il y a des siècles. Formé de souffle, de feu et de sang, mille ans avant la naissance de celui que nous appelons « Christ ».

Shea n'avait aucune idée que l'argent noir était si ancien.

— *Avant* la naissance du Christ ?

Il sourit devant l'expression stupéfaite sur son visage.

— Bien avant, quand la terre était jeune, et que la magie était largement sollicitée. Même alors, le clan était puissant, et ils cherchaient davantage de connaissances et espéraient que grâce à la création de l'argent noir, ils pourraient ajouter aux merveilles du monde.

— Mais, souffla Shea. Il doit y avoir un « mais », parce que les souvenirs que j'ai vus ne contiennent pas de petits lapins soyeux et joyeux. Ce sont des souvenirs de mort, de ténèbres et de terreur. Alors, que diable s'est-il passé ?

Torin fronça les sourcils pendant qu'il réfléchissait à sa question. Ses yeux pâles se rivèrent sur les siens.

— Es-tu prête à entendre la vérité tout entière ?

— Ça ne semble pas important, que je sois prête ou non, répliqua-t-elle en fronçant les sourcils alors que ses souvenirs s'effaçaient rapidement de son esprit. Tu l'as dit toi-même, nous avons un mois devant nous. Nous ne pouvons vraiment pas risquer d'attendre.

— C'est vrai, convint-il en lui remettant l'un des sandwiches qu'il était allé chercher lorsqu'il était sorti plus tôt.

Déposant son propre repas sur la table, il se pencha vers elle, la regardant dans les yeux.

Depuis qu'ils avaient quitté la sécurité de la maison sur la montagne, à l'extérieur de Palm Springs, ils avaient parlé de tout et de n'importe quoi. Torin lui avait donné des leçons de magie, mais même si elle sentait ses pouvoirs augmenter, Shea comprenait qu'il lui restait encore beaucoup à apprendre.

Ils s'étaient finalement arrêtés pour la nuit dans un petit motel à Flagstaff, en Arizona. Il y avait une ambiance amérindienne dans ce lieu. Kitsch, plutôt que de mauvais goût, avait-elle décidé. Il y avait de vieilles peintures sur les murs, des abat-jour en forme de tipi et un foyer inutilisable en forme de kiva. Les lits étaient bosselés, mais les draps étaient propres, et ils n'avaient pas voulu risquer de séjourner dans un hôtel mieux connu. Celui-ci était dissimulé dans les arbres, et l'on pouvait espérer qu'il se trouvait tellement éloigné des sentiers battus que personne ne remarquerait une sorcière en cavale et son Éternel.

Elle déballa son sandwich, en prit une bouchée et mâcha malgré le fait que pour le moment le sous-marin goûtait la cendre.

— Raconte-moi, l'invita-t-elle à continuer.

— L'argent est un élément de la terre, dit-il doucement, et même la pièce sembla retenir son souffle, attendant le reste. Le métal concentre, augmente, le pouvoir de la sorcière...

— Attends une minute.

Shea le regarda, confuse.

— L'or est aussi un élément. Alors pourquoi nous draine-t-il?

— L'or blanc draine. Ce n'est pas un élément naturel, Shea. C'est un alliage, créé par l'homme. Ils prennent de l'or et le contaminent avec d'autres métaux. Habituellement du nickel et du palladium. Séparément, ces métaux sont assez inoffensifs.

Il fronça les sourcils et fit non de la tête.

— Lorsqu'ils sont combinés, il y a quelque chose dans la composition métallique qui agit dans le sens directement opposé à l'argent.

— Bon, dit-elle en hochant la tête, et l'argent noir a été créé par *nous*, c'est donc encore plus fort que l'argent naturel.

— Exactement. Dans le temps, le clan avait décidé que si l'argent concentrait leurs énergies, ils augmenteraient incommensurablement sa force en y canalisant leur pouvoir.

— Ça a fonctionné, n'est-ce pas?

Il rit un peu, lui passa un soda et hocha la tête.

— Merde! oui, ça a fonctionné. L'élément lui-même était plus puissant que tout ce qu'on avait imaginé. Au fil du temps, l'argent noir a été incorporé à des objets de pouvoir qui ont pris plusieurs formes.

Shea prit une autre bouchée de son sandwich, sachant qu'elle devait manger. Mais son regard ne quitta jamais l'Éternel assis devant elle à la table branlante.

— Que veux-tu dire?

Ouvrant sa canette de soda, il prit une longue gorgée et la déposa de nouveau.

— C'était impossible à contenir, dit-il, perdu dans ses souvenirs d'une époque ancienne. Le pouvoir chantait à travers les pièces d'argent et appelait ceux qui avaient la volonté de le manier. Dépendant de la nature de celui qui le tenait, l'argent noir devint l'incarnation du diable ou une force du bien.

— Oh mon Dieu...

L'esprit de Shea bouillonnait de possibilités. Combien de choses avaient été accomplies sous le couvert de bonnes intentions ? se demanda-t-elle.

— Raconte-moi, dit-elle. Donne-moi des exemples. Des exemples que je peux connaître.

Torin frotta son visage d'une main, et elle l'observa pendant qu'il débattait silencieusement la question. C'était un homme tout à fait discipliné. Certains auraient probablement pensé qu'il était froid, détaché. Mais elle avait des raisons de savoir que son masque d'inaccessibilité déguisait un homme — un Éternel — profondément passionné et dont la loyauté était inébranlable.

De toute sa vie, elle ne s'était jamais sentie plus en sécurité qu'en sa présence. Ce qui, pour l'amour de Dieu, songeat-elle, était assez ironique étant donné que le premier jour où il l'avait sauvée, elle s'était enfuie de lui, et avait atterri en prison. Mais depuis cette nuit, elle en était venue à comprendre que ce n'était pas tant de lui qu'elle avait cherché à s'échapper que des sentiments qu'elle éprouvait pour lui.

— Raconte-moi, insista-t-elle.

— Très bien, alors. Quelques-uns que tu reconnaîtras. En 1776, on s'est servi d'un stylo fabriqué avec de l'argent noir pour signer la déclaration d'indépendance de ce pays.

Shea sourit.

— Eh bien, c'est une bonne chose.

— Et en 1862, la mine, aussi fabriquée avec de l'argent noir, fait sa première victime parmi beaucoup d'autres.

— Oh mon Dieu.

Son estomac fit un bond et vacilla, et elle mit son sandwich de côté, n'étant plus en mesure d'en sentir l'odeur.

— Vingt et un ans plus tard, l'argent noir s'est infiltré dans la croûte d'un volcan en sommeil. Le magma à l'intérieur a immédiatement éclaté, et le bruit de l'explosion du Krakatoa a pu être entendu à cinq mille kilomètres de distance.

— Des volcans, des mines terrestres...

— La première machine volante des frères Wright. Et plus tard, ajouta solennellement Torin, le *Titanic*. Hitler portait une croix de fer faite d'argent noir, et la lampe de bureau d'Albert Einstein avait été créée à partir de cet élément.

— Comment sais-tu tout ça ?

— J'ai disposé de nombreuses années pour suivre sa trace.

Shea hocha la tête, comme si tout simplement nier la vérité de ce qu'il disait anéantirait les possibilités.

— En 1969, le module lunaire de Neil Armstrong portait de l'argent noir dans son revêtement, et en 1994, les machettes d'argent noir portées par les Hutus ont été utilisées pour massacrer huit cent mille Tutsis en quelques semaines.

— Le bon et le mauvais, murmura-t-elle, le bien et le mal.

Il tendit le bras au-dessus de la table et croisa ses doigts sur les siens. Shea sentit sa chaleur se glisser dans son corps, chassant le froid qui la gelait jusqu'à la moelle.

— L'élément lui-même n'était ni bon ni mauvais, murmura-t-il. Il existait, tout simplement. C'est l'homme qui a choisi la manière de l'employer.

— Et à cause de cette raison, il est acceptable que les sorcières l'aient créé ? demanda Shea, puis elle retira sa main et se leva.

Elle se dirigea vers la fenêtre avant, et avec le bout de ses doigts, écarta les rideaux juste assez pour regarder dehors. Dans le petit parc de stationnement, les lumières étaient faibles puisque seulement deux des quatre fonctionnaient.

Au-delà de la partie asphaltée, les arbres se tenaient hauts et droits comme des soldats en parade. Et au-dessus, la lune continuait son chemin dans le ciel. Chaque nuit, la lune était un peu plus près de terminer son cycle mensuel. Et chaque soir, ils s'éloignaient un peu plus de la réussite d'une mission que Shea ne comprenait pas encore complètement.

— Éloigne-toi de la fenêtre, Shea.

— Qu'est-ce que l'association des sorcières a fait avec l'argent noir, Torin ? Tu as dit qu'elles l'ont créé, mais qu'est-ce qu'elles en ont fait ?

Il se leva, sa chaise raclant le plancher de bois marqué. Se dirigeant vers elle, il retira sa main des rideaux et l'attira loin de la fenêtre.

— On a décidé qu'elles allaient rassembler tout l'argent noir possible et créer l'Artefact.

D'autres souvenirs s'agitèrent dans son esprit, la tourmentant avec des bribes, des parcelles de reconnaissance.

— Une partie de l'élément magique avait disparu, s'étant dispersé dans le monde — comme je te l'ai expliqué, il est apparu à de nombreux moments et dans des lieux différents. Mais le clan a pu en recueillir le plus possible, et ensemble, elles ont utilisé leurs pouvoirs pour fabriquer l'Artefact.

Elle ferma les yeux, essayant de s'emparer d'un fil de mémoire.

— Décris-le.

— Un ornement d'argent noir, fabriqué à partir d'une série de nœuds celtiques interconnectés étant donné que plusieurs de celles qui faisaient partie du clan étaient originaires d'Eire.

Elle pouvait presque le voir, songea Shea en concentrant son esprit sur les images floues à la dérive dans sa conscience.

— Lorsqu'il est complet, l'Artefact est une clé pour les portails dimensionnels d'autres mondes, d'autres réalités. La magie capturée à l'intérieur était si puissante, si dévorante, que le simple fait d'y toucher pouvait rendre un homme fou, poursuivit-il, sa voix profonde, douce, hypnotique. Quand l'assemblée a compris ce qu'elle avait créé, même ces sorcières en ont eu peur. Et ainsi, les femmes d'un immense pouvoir le conservaient — et protégeaient le monde.

L'image dans son esprit fondit comme le sucre dans l'eau. Elle soupira, ouvrit les yeux et regarda Torin.

— Qu'est-ce qui a mal fonctionné ? J'ai vu cette vision, tu te souviens ? Je me suis vue — pas moi, mais moi — et les autres faire appel à quelque chose de sombre. De terrifiant.

Sa mâchoire se serra, et ses yeux gris pâle lancèrent des éclairs.

— C'était en 1200. La dernière grande assemblée de sorcières — les réincarnations de celles qui avaient créé l'Artefact. Elles ont pensé avec arrogance à en exploiter *toute* la puissance pour elles-mêmes.

Pendant qu'il parlait, elle commença à se souvenir. La vision flotta à nouveau vers elle sur des ailes sombres et s'installa dans son esprit comme des nuages d'orage. Elle revit tout cela pendant que Torin le décrivait. Plus encore, elle le *sentit* encore une fois.

— Elles ont créé un cercle, dit-il, et canalisé toutes leurs énergies dans l'Artefact, dans l'espoir d'ouvrir les portes à d'autres dimensions, à d'autres avenues de pouvoir. Au lieu de ça, elles ont ouvert les portes de l'enfer.

— Oh mon Dieu…

Il attrapa ses épaules alors qu'elle chancelait en réaction à ses paroles, au souvenir. D'autres images émergèrent dans son esprit, et elle regarda à nouveau Torin qui décrivait les événements de cette nuit-là, longtemps avant.

— Des démons se sont mis à surgir de la porte jusqu'à ce que Lucifer lui-même entre dans ce monde.

Il s'arrêta, prit une grande inspiration et admit avec regret :

— Les Éternels étaient incapables de rompre le cercle de pouvoir pour atteindre leurs sorcières. Nous avons dû rester à l'extérieur, à lutter contre les démons qui s'échappaient. Nous ne pouvions vous aider. Nous ne pouvions vous rejoindre.

Ses doigts se serrèrent sur les épaules de Shea, et elle leva le bras pour couvrir ses mains avec les siennes, les reliant comme ils auraient dû être liés en cette terrible nuit.

Elle vit tout cela dans un instant aveuglant. Le sang, la terreur. La douleur, la lumière et le bruit éclatèrent précipitamment dans son esprit. En réponse, Shea se mit à hurler, se tint la tête et s'effondra sur le sol aux pieds de Torin.

Il tendit le bras vers elle, et quelque chose s'écrasa à travers la fenêtre, faisant voler le verre en éclats dans la pièce jusqu'à ce qu'ils retombent dans une pluie tranchante et claire.

Un cylindre métallique se fracassa sur le sol à pas plus d'une douzaine de centimètres d'eux.

— Merde.

Torin passa ses bras autour d'elle et les transporta tous les deux hors de cet endroit en un éclair.

Un instant plus tard, le motel explosa dans une boule de feu qui illumina le ciel nocturne.

Chapitre 31

Le sanctuaire était isolé au fond des montagnes Uinta de l'Utah, une zone sécuritaire pour les femmes — sorcières et humaines. Ici, on ne les pourchassait pas. Ici, elles se contentaient de vivre. Bien sûr, la menace d'être un jour découvertes pesait continuellement sur elles, mais dissimulées comme elles l'étaient, cette menace était beaucoup moins importante qu'elle aurait pu l'être.

Rune était le seul homme dans le camp et alors qu'il marchait d'un pas raide à travers l'enceinte, il remarqua que plusieurs petites filles le suivaient en riant et en le montrant du doigt. Comme si sa place aurait dû être dans un zoo, se dit-il. N'était-ce pas déjà assez humiliant qu'il doive rester ici jusqu'à la fin de sa mission ? Son irritation monta d'un cran. Puis il s'arrêta, se retourna et s'enflamma.

Plutôt que d'être effrayées, les fillettes se mirent à crier de joie. L'une d'elles fit un geste de la main dans les airs, et de la pluie se déversa d'un nuage solitaire directement au-dessus de sa tête.

Ça lui apprendra à taquiner une sorcière, pensa-t-il alors que ses flammes magiques crachaient et grésillaient sous la pluie. Une sorcière de n'importe quel âge. Il essuya l'eau de pluie sur son visage alors que le petit nuage se dissipait.

— Les filles ! Allez à vos classes, s'il vous plaît.

Karen Mackey frappa dans ses mains, et les enfants se dispersèrent.

— Je suis désolée, dit-elle en lui lançant un sourire crispé. Elles n'ont pas vu un homme depuis — eh bien, depuis longtemps.

— Tout va bien. Je pars bientôt. Une fois que je saurai que Terri et sa famille vont bien...

— On leur a maintenant assigné un endroit pour se loger, dit-elle. Merci de nous les avoir emmenées.

Karen avait environ quarante ans, avec des cheveux courts et foncés qui se bouclaient autour de son visage en forme de cœur. Elle fixa ses yeux bleus sages sur lui.

— Ça n'a pas dû être facile.

— Ça ne l'a pas été.

Il ne voulait même pas penser à ces huit dernières heures, pris au piège dans une voiture avec trois femmes humaines. Ses pouvoirs et sa force commençaient juste à se régénérer. Mais ça en avait valu le coup, il le savait. Ils avaient réussi à sauver d'autres innocents du monde en général, et ça en valait la peine.

Au fil des ans, les sorcières avaient vécu en paix et pratiqué leur magie en secret. La croyance en la magie s'était éteinte. Le surnaturel avait été rejeté, mis au rang des légendes. Jusqu'à ce jour, il y avait dix ans, alors que le pouvoir avait explosé dans la conscience publique. Depuis lors, aucune femme n'était en sécurité. Sorcière ou humaine.

Le réseau des sanctuaires était né, et jusqu'à ce que le monde retrouve ses sens — si jamais ça arrivait — ces femmes devraient rester cachées.

— Elles seront en sécurité, ici, dit-il, et il jeta un coup d'œil au loin vers les cimes encore enneigées.

Spirit Lake s'étendait devant eux, brillant d'un bleu foncé à la lumière des étoiles. Le lac fournissait beaucoup d'eau fraîche aux sorcières, et le terrain accidenté décourageait la plupart des gens de la région. Ici, à trois mille mètres, le camp était isolé et caché par de lourds peuplements d'arbres autant que par des sorts magiques de protection. Si des randonneurs s'approchaient trop près du camp, une sensation de sombre menace les envahissait, les convainquant de partir en courant pour s'éloigner de la zone.

Jusqu'à présent, les seules autres créatures dont les sorcières avaient dû se soucier étaient les chèvres de montagne qui habitaient la région. Elles n'auraient pas pu disposer d'un endroit plus parfait pour se cacher.

La lune se glissa de derrière un flot de nuages et peignit d'argent la surface du lac. Des ombres se tapirent, et un vent murmura à travers les arbres.

— Elles iront bien, lui dit Karen. Ici, nous avons beaucoup de femmes et d'enfants humains. De nos jours, il n'est pas nécessaire d'être une sorcière pour avoir besoin d'un endroit sûr. Le sanctuaire est protégé à la fois contre l'incursion magique et contre l'incursion humaine.

— Magique? demanda-t-il en glissant un coup d'œil vers elle.

Les sourcils froncés, elle hocha la tête.

— Dernièrement, nous avons dû moderniser, pour ainsi dire, nos sorts de protection. Nous avons entendu parler de quelques sorcières qui, brisées par la torture, ont changé de camp. Dr Fender est toujours à l'œuvre quelque part, ajouta-t-elle avec un frisson de malaise.

Rune comprenait ce sentiment. Il y avait quelques années, le docteur Henry Fender avait commencé à effectuer des expériences sur les sorcières. C'est lui qui avait révélé au monde entier l'utilisation de l'or blanc comme moyen pour étouffer le pouvoir d'une sorcière. On racontait que toute sorcière qui se retrouvait sur sa table mourait en hurlant.

Apparemment, le bon docteur était maintenant en train de convaincre certaines de ses « patientes » de travailler pour lui.

Rune fronça les sourcils. Le médecin était devenu célèbre dans un très court laps de temps. Il avait dirigé les premiers efforts pour contenir les sorcières, mais bientôt, son sadisme avait forcé même le gouvernement à l'écarter. Apparemment, il y avait des limites à ce que le Bureau de la sorcellerie était prêt à faire.

— Le gouvernement a cessé d'utiliser Fender il y a quelques années déjà.

— Oui, mais il a pris la tête d'un important groupe d'action, lui dit Karen, contenant à peine une fureur qui teintait chaque mot. Les Chercheurs trouvent les sorcières et les retiennent pour que Fender puisse effectuer d'autres expériences.

Ça n'augurait rien de bon. Aucune sorcière ne serait en sécurité tant que Fender serait autorisé à poursuivre sa folie.

— Pour quoi faire ? demanda-t-il.

— Il est à la recherche d'un moyen de drainer nos pouvoirs pour les utiliser pour lui-même.

Une rage remplit Rune, froide et obscure, le forçant à combattre ses propres instincts pour demeurer calme. Ça ne suffisait pas de pourchasser les sorcières, de les emprisonner et de les exécuter. Des monstres humains cherchaient maintenant à les exploiter pour leur propre cupidité ? Ils parlaient d'éteindre le pouvoir, alors qu'en réalité, ce qu'ils voulaient, c'était de voler la magie par tous les moyens possibles.

« Et les gens prennent les sorcières pour des êtres diaboliques », se dit-il avec ironie.

Torin et les autres Éternels devaient être mis au courant. Ils devaient trouver Fender d'une manière ou d'une autre et l'éliminer de ce monde avant qu'il ne puisse causer plus de dégâts. Mais ce serait toute une tâche que de trouver un mâle humain sur cette planète surpeuplée. Pourtant, alors qu'il y réfléchissait, Rune se demanda si une sorcière éveillée ne pourrait pas lancer un sort de localisation. Pourquoi ne pas employer contre l'homme la magie qu'il désirait tant ?

Il tendit la main vers le téléphone satellite dans la poche de son jean noir. Il fallait qu'il en parle à Torin. Non seulement à propos de Fender, mais aussi au sujet du second dispositif que les sorcières avaient trouvé sur Terri. Si Shea avait toujours une micropuce sur elle, leur fuite serait de courte durée.

— Pas de réception ici, vous vous souvenez ? demanda Karen, souriant devant son téléphone. Nous enchantons un téléviseur pour pouvoir suivre les nouvelles, mais pour ce qui est du reste…

— C'est vrai.

Habituellement, son téléphone satellite captait une réception à peu près n'importe où sur la planète. Mais dans le sanctuaire, les protections magiques coupaient n'importe quel appareil électronique qui n'était pas spécifiquement protégé. Alors tant qu'il se trouvait sur cette montagne, il serait impossible de le joindre.

— Je suppose que vous n'envisageriez pas de couper l'enchantement pour que je puisse faire un appel?

Elle hocha la tête.

— Je ne le ferai pas.

Il marmonna quelque chose, mais elle l'interrompit rapidement.

— Nous ne pouvons pas prendre le risque, Éternel. Même pas pour vous. Il suffirait d'un signal parasite recueilli par la mauvaise personne pour que le sanctuaire soit en danger.

Elle glissa ses mains de haut en bas sur ses bras.

— Déjà, le dispositif que portait Terri s'est trop approché de l'entrée. Pendant les prochaines semaines, il nous faudra rester sur le qui-vive, juste au cas.

Il n'y avait pas pensé. Prendre conscience qu'il avait peut-être nui à cet endroit le gênait plus qu'il n'aurait voulu l'admettre.

— Avez-vous besoin que je reste? Je peux quitter la montagne, faire un appel et revenir pour vous aider à garder la place pendant quelques semaines.

Elle pencha la tête de côté pendant qu'elle l'examinait.

— Vous feriez ça?

Il inclina la tête.

— Nous, du monde de la magie, devons nous aider les uns les autres.

— C'est vrai, dit-elle, puis elle prit une profonde inspiration. Mais dans ce cas, c'est inutile. Les gardiennes seront en mesure de gérer tout ce qui vient à notre rencontre. Et s'il le faut, nous combattrons toutes. Humaines et sorcières.

Il la regarda dans les yeux et y lut une farouche détermination.

Mais il devait lui demander autre chose.

— Qu'en est-il du Rede wiccan… « Tant que cela ne blesse personne, fais ce que tu veux. »

La chef des sorcières lui adressa un sourire contrit.

— Les temps changent, Éternel. Vous savez que nous risquons de nous causer de très grands dommages à nous-mêmes en utilisant notre pouvoir contre nos ennemis.

— Oui, dit-il solennellement, sachant que tout le mal que causait une sorcière lui revenait en triple.

— Et pourtant, quel choix avons-nous ?

Elle secoua la tête et jeta un coup d'œil sur le lac éclairé par les étoiles.

— Nous utilisons des armes humaines lorsque nous le pouvons et nous recourons à la magie seulement quand il n'y a pas d'autre option. Chacune d'entre nous est prête à accepter le karma de ses gestes — pour s'assurer que nous ne soyons pas balayées de la terre.

— Vous croyez que vous pouvez garder ce camp contre tous les intrus ?

Elle sourit.

— Ça n'a pas été facile pour vous d'y entrer, n'est-ce pas ?

— Merde, non.

Il sourit tout à coup, se souvenant des femmes guerrières qui étaient tombées des arbres pour le défier.

— Ça reste qu'il n'est quand même pas facile de savoir à qui se fier.

— C'est assez vrai.

Elle regarda de nouveau le camp, de minuscules et coquettes cabanes de rondins avec la lumière des lampes qui tombaient des fenêtres pour se répandre au sol comme de la poussière d'or.

— Mais les sorcières qui se sont tournées contre nous — les traîtres — sont encore rares. Nous survivrons, tout comme les autres sanctuaires à travers le monde.

— Ce sont des moments difficiles, dit doucement Rune.

— C'est encore vrai, convint Karen, puis elle jeta un coup d'œil sur le paysage montagneux. Mais ce n'est pas la première fois que nous traversons des moments difficiles. Nous y arriverons encore une fois. Maintenant que l'Éveil est arrivé, tout va changer.

Il lui jeta un coup d'œil.

— Que savez-vous de ces choses ?

Elle sourit.

— Plus que vous ne le croyez, moins que je ne le voudrais.

Haussant les épaules, elle continua.

— L'histoire de la dernière grande assemblée de sorcières a été transmise de mère en fille depuis des siècles. Nous savons toutes que de rares sorcières ont été choisies. De même que les tâches qu'elles doivent accomplir pour assurer la sécurité de ce monde. Nous ne savons pas qui elles sont, mais nous savons que le temps est venu.

Rune pouffa de rire. Lui et les autres Éternels n'avaient pas envisagé que les sorcières auraient conservé une chaîne d'information continue pendant les siècles. Mais ils auraient dû s'en douter. Les sorcières étaient des femmes intelligentes. Et il n'était pas payant de sous-estimer une femme intelligente.

— Les sanctuaires détiennent des bibliothèques de livres de sorts. Des livres des ombres, dit-elle. Nous avons sauvé les tomes anciens et nous avons fait des ajouts au fil des années. Si les sorcières choisies ont besoin d'aide, elles n'ont qu'à chercher un sanctuaire.

Intrigué, il regarda fixement la petite femme à côté de lui.

— Tout ce temps, vous vous prépariez pour l'Éveil?

— Bien sûr, dit-elle. Nous devons tous aider les Éveillées à réussir. Si elles échouent... tout le monde y perdra.

— Bon point, dit Rune.

Mais elles n'échoueraient pas, se dit-il sombrement. Lui et ses collègues Éternels feraient tout ce qui est en leur pouvoir pour s'assurer du triomphe de leurs sorcières.

Karen posa une main sur son avant-bras.

— Dites-leur, Éternel. Informez les élues que les bibliothèques des sanctuaires peuvent être accessibles par un sort dimensionnel.

— Dimensionnel? Merde, c'est d'abord ce qui nous a causé des ennuis! C'est une mauvaise idée d'ouvrir des portails sur d'autres mondes.

— Ça l'est, convint-elle en hochant la tête. Mais ce n'est pas ce que je veux dire. Les sanctuaires ont tous été équipés de points d'accès dimensionnel sans fil, pour ainsi dire. Une façon pour nous de partager l'information.

— Vous manipulez les dimensions? demanda Rune, étonné du niveau de pouvoir de la petite sorcière qui lui faisait face.

— Lorsque nous combinons notre magie, nous devenons plus fortes, souligna-t-elle. Si les élues ont besoin de notre aide, elles n'ont qu'à se trouver à proximité d'un sanctuaire pour ouvrir le portail.

Rune baissa son regard sur elle, ses yeux brillant d'admiration.

— Vous m'étonnez.

— Nous faisons ce que nous pouvons avec ce que nous avons, dit-elle en hochant la tête. Mais en fin de compte, nous sommes toutes prisonnières ici. Dans ces endroits sécuritaires dans le monde entier. Coupées de nos familles, de nos amis, de l'*espoir*. La question demeure : combien de temps devrons-nous nous cacher ? Jusqu'à quand, Éternel ?

— J'aimerais bien le savoir.

Tout dépendait de l'Éveil, songea Rune. De l'Assemblée qui se réunirait à nouveau pour terminer ce que les sorcières avaient commencé il y avait si longtemps.

Si cela se produisait, alors elles prouveraient au monde que la sorcellerie peut être une alliée. Qu'on pouvait compter sur l'aide des sorcières quand le monde en avait le plus besoin.

Il déplaça à nouveau son regard vers la vallée remplie d'ombre.

«Pas de pression», se dit-il.

Chapitre 32

— Qu'est-ce que c'était?

Au moment où ses flammes magiques s'éteignirent, Torin jura d'un ton acerbe et poussa Shea au sol, la couvrant de son corps. Elle respirait rapidement et frénétiquement sous lui. Il sentait sa peur et il la partageait. Pas pour lui-même. Il avait été aux prises avec le mal depuis des lustres. Les effusions de sang n'avaient rien de nouveau pour lui. Mais en voyant Shea terrifiée et sachant que des humains quelque part, tout près, voulaient sa mort, il se sentit rempli d'une crainte qu'il n'avait jamais connue auparavant. Chacune de ses respirations en était teintée.

— Une grenade, murmura-t-il, même si la discrétion n'était évidemment pas nécessaire. Le bruit de l'incendie au motel plus bas grondait dans la nuit comme une bête captive, affamée.

Il regarda les grands yeux effrayés de Shea et voulut tuer celui qui l'avait amenée à cela. En l'espace de quelques jours, elle avait été capturée, torturée, pourchassée et abattue. Et maintenant, quelqu'un avait fait exploser la chambre où elle se trouvait.

« Assez. »

Il planta un dur et rapide baiser sur sa bouche, puis il la regarda dans les yeux.

— Celui qui a lancé la grenade dans notre chambre est probablement encore là. Je m'en vais le trouver.

Il leva la tête pour jeter un coup d'œil par-dessus le rocher derrière lequel il avait caché Shea. En regardant à travers les arbres, il pouvait voir ce qui restait du motel. Son sang se glaça, puis un instant plus tard, il commença à bouillir.

La chambre que Shea et lui avaient occupée était un brasier.

Le reste de la place ne paraissait pas beaucoup mieux. Il y avait des hurlements et des cris alors que les gens couraient pour se sauver. Mais Torin cherchait ceux qui couraient *vers* les flammes. Celui qui avait tenté de les tuer voudrait sans aucun doute vérifier la scène, s'assurer qu'il n'avait pas manqué son coup.

Ce qui signifiait que Torin allait à la chasse.

— Reste ici, ordonna-t-il, puis il roula sur le côté pour se remettre sur ses pieds en position accroupie.

Il baissa les yeux et vit les ombres de la lumière intense de l'incendie passer sur ses traits.

— Juste ici, tu comprends ?

Elle se leva sur un bras, balaya la poussière et les cailloux sur sa joue et le dévisagea.

— Pourquoi ? Peut-être pourrais-je être utile.

— J'ai besoin que tu restes ici pendant que je trouve les responsables.

— Pour faire quoi ? Les tuer ?

— Pas avant que nous ayons eu une *conversation*.

Il voulait de l'information. Il avait enlevé le dispositif de pistage du corps de Shea ; alors comment l'assassin les avait-il trouvés ? Il devait savoir quel organisme finançait cette chasse. Et il fallait qu'il sache comment l'arrêter.

Shea jeta un coup d'œil vers l'incendie ; les flammes brûlaient haut dans les airs, des étincelles se soulevaient, volaient dans le vent vers les arbres qui commençaient déjà à se consumer. Elle attrapa le bras de Torin et s'y accrocha.

— Pas question de le trouver. Il y en aura d'autres ici bientôt. Des pompiers. La police. Contentons-nous de partir. Pendant qu'ils combattent le feu.

— Pour aller où ? Shea, si nous n'arrêtons pas ce chasseur ici, celui qui est derrière tout ça ne fera que nous suivre.

— Qui s'en soucie ? cria-t-elle, mais sa voix se perdit dans le vacarme environnant. Tout ce qui existe dans le monde libre est déjà en train de me chercher, Torin !

Il posa un genou à côté d'elle et il lui saisit les bras assez fort pour laisser l'empreinte de ses doigts sur sa peau. Il lui suffisait de la toucher pour se calmer et clarifier ses pensées comme rien ne l'avait fait jusqu'à maintenant. Savoir qu'elle était maintenant sienne lui donnait une force devant laquelle même son dieu tremblerait. Il regarda dans ses yeux verts et se sentit envahi par l'amour. De l'amour comme il n'en avait jamais connu auparavant.

— Tu es mon cœur, Shea, dit-il, puis il glissa ses mains sur son visage et le prit entre ses paumes. Je ferai tout ce que je dois faire pour que tu sois en sécurité.

Elle couvrit ses mains avec les siennes.

— Penses-tu que tu n'es pas moins important pour moi ? N'y va pas, Torin.

— Je n'ai pas le choix. Personne ne pourra te faire du mal. Jamais.

Il se pencha et l'embrassa durement.

— Me crois-tu ?

Une seconde, puis deux, s'écoulèrent pendant qu'il attendait, ses yeux dans les yeux de la femme qu'il avait tant désiré au fil des ans.

— Oui, murmura-t-elle en croisant ses yeux. Mais…

— Non.

Il la relâcha et se releva. Elle le croyait. Il savait qu'il n'avait pas encore sa confiance, mais cela viendrait. Pourvu qu'il puisse la garder en vie assez longtemps pour devenir immortelle. Trente jours avant que le rituel d'accouplement soit complété. Trente jours pour trouver ce qui avait été perdu et le mettre en lieu sûr. Ensuite, ils seraient ensemble pendant des siècles à venir, et *personne*, se dit-il, n'allait les priver de cela.

— Reste. Ici.

Puis il s'enflamma et disparut.

— Comment diable pouvons-nous entrer pour voir les corps ?

— Nous attendons.

Le premier homme grogna, puis lança un regard de fierté vers l'incendie qui grondait en consumant l'extrémité arrière du petit motel.

— C'est comme d'attendre que les feux de l'enfer finissent de brûler.

— Ils sont morts, dit son ami, la voix assurée. Pas question qu'ils soient sortis à temps.

— Tu ferais mieux d'avoir raison. Le patron n'aimera pas ça si la sorcière s'est échappée.

— Et justement, qui est le patron? demanda Torin quand il apparut en flammes derrière les deux hommes.

L'un des hommes se tourna instantanément, souleva le fusil qu'il portait et le pointa sur la poitrine de Torin. Avant qu'il puisse tirer, l'Éternel avait attrapé le canon et l'avait poussé vers le haut. Il se déchargea de façon inoffensive dans l'air. Torin arracha l'arme de la poigne de l'homme et la jeta sur le côté, puis il tendit le bras et brisa le cou du tireur avec une torsion rapide de sa main.

L'ami de l'assassin paraissait avoir vu un fantôme. Et c'était le cas. Le fantôme de la mort qui venait pour lui. Torin n'avait aucune patience pour ceux qui étaient à l'affût et tuaient à distance. Il n'avait aucune sympathie pour ceux qui tuaient pour de l'argent. Quand il regarda l'homme qui restait et vit la lumière de la danse du feu dans ses grands yeux effarés, Torin ne ressentit rien pour lui.

Seule la pure détermination d'obtenir ce qu'il était venu chercher.

Autour de lui, la nuit s'animait de bruits. L'incendie. Les hurlements. Les cris. Et au loin, une sirène retentit, gémissant tristement.

À la limite des arbres derrière le motel, ils étaient bien cachés. Il attrapa l'homme par le cou, le souleva très haut au-dessus du sol et fixa de petits yeux effrayés.

— Pour qui travaillez-vous? Qui est après Shea Jameson?

L'homme tira frénétiquement la main de Torin, essayant vainement de desserrer son emprise. Ses ongles le griffèrent sans effet.

La main de Torin ne fit que se resserrer autour de la gorge de l'homme alors qu'il donnait des coups sauvages

avec ses pieds, à la recherche d'une prise, tentant désespérément de trouver l'air qui ne venait pas.

Torin le secoua comme un chien.

— Qui vous a envoyé ici ?

Les yeux de l'homme crachaient la fureur. Son visage
était rouge, marbré. Ses mains continuaient à attaquer l'emprise de Torin, espérant s'en libérer. Torin se retourna aisément et cogna l'homme sur un large tronc d'arbre, faisant
claquer si fort la tête de l'homme que ses yeux se mirent à
vaciller.

— Parle-moi, salaud, ou tu vas mourir ici.

Follement, l'homme hocha la tête. Des yeux frénétiques
se révulsèrent dans leur orbite et ses pieds frappèrent contre
l'arbre.

Torin relâcha légèrement la pression pour permettre è
un mince filet d'air de pénétrer dans les poumons asphyxiés
de l'homme.

— Parlez.

— Des ordres, répondit-il d'une voix étranglée même
s'il aspirait une petite bouffée d'air après l'autre. Au
téléphone.

— De *qui* ?

— Je ne sais pas, insista-t-il en frappant maintenant sur
la main de Torin, fermement rivée autour de sa gorge. L'ai
pas demandé ! Arrêtez !

Ce dernier mot sortit sur une respiration sifflante alors
que le poing dur de Torin serra plus étroitement encore.
Tout autour de lui, le feu grondait, et des humains se précipitaient, essayant de sauver quelque chose du motel en
flammes. La sirène continuait à hurler, plus proche

maintenant, et il savait que dans quelques instants, encore plus d'humains encombreraient la scène. Il n'avait plus de temps à perdre avec cette raclure.

— Vous prenez aveuglément des ordres pour tuer une femme ? Sans poser de questions ?

La fureur noire à l'intérieur de lui grandissait, se propageant.

— Pas... une femme... réussit à dire l'homme. *Sorcière.*

De la haine appuyait ce mot et brillait dans les yeux de l'homme en train de mourir. Il n'y avait aucun remords. Aucun regret. Seule une détermination qui brûlait avec autant d'acharnement dans son âme que les flammes qui avalaient le motel derrière eux.

— Je ne peux vous laisser vivre, lui dit catégoriquement Torin. Aucune femme n'est en sécurité — sorcière ou humaine — quand des hommes comme vous se promènent en liberté.

De l'inquiétude passa dans les yeux de l'homme, mais un instant plus tard, elle fut remplacée par de la résignation et une sorte de fierté fanatique. Alors que l'emprise de Torin s'assouplissait, il reprit d'une voix rauque.

— Me tuer n'arrêtera rien. Elle ne sera jamais en sécurité. Les sorcières doivent mourir. Ils vont la trouver. Ils la tueront...

Torin lui cassa le cou avec un bruit sec et le laissa tomber. Si personne ne déplaçait le corps, il serait consommé par les flammes de l'incendie qu'il avait causé et qui se propageait. Il y avait de la justice là-dedans.

Quoi qu'il en soit, la menace avait disparu pour le moment, et Torin déplaça son regard vers les arbres où attendait sa femme. Il avait perdu suffisamment de temps à effectuer cette tâche.

Il appela les flammes et apparut à côté de Shea.

Kellyn sentait que les étoiles commençaient à s'aligner. Elle fit même un sourire timide au réceptionniste de l'hôtel Renaissance Mayflower alors qu'il tapait sur le clavier.

— Je suis désolé, mademoiselle, finit-il par dire — et pour lui donner son dû, il semblait réellement déçu —, mais notre suite présidentielle a été réservée.

Un vif sentiment d'impatience la traversa, mais Kellyn sourit malgré tout. Penchée sur le comptoir de marbre, elle prit la main du jeune homme et la serra doucement. Les étincelles qui se projetaient à son contact ne furent remarquées par personne d'autre.

— Vérifiez encore. Je crois que vous trouverez que la chambre est à *mon* nom.

Il la regarda, les yeux vides, la bouche lâche. Son sort contrecarrait ses objections, et alors qu'elle attendait sa réponse, elle chuchota :

— Faites pour moi ce que je veux.

Le jeune homme cligna des yeux, prit une inspiration tremblante et hocha la tête.

— Oui, dit-il, sa voix aussi robotique que ses mouvements. Vous avez raison, bien sûr. La chambre vous est réservée. Je ne sais pas à quoi j'ai pensé.

Kellyn sourit encore, savourant la puissance qui coursait en elle. Comment les humains réussissaient-ils à avancer tant bien que mal à travers leur vie sans la pompe électrisante de quelque chose de magique à l'intérieur d'eux ?

Quelles minuscules créatures ennuyantes ils étaient. Et pourtant, se dit-elle, oh, tellement utiles lorsqu'on les motivait convenablement.

— Vous voyez? Je savais que vous trouveriez l'erreur, l'assura-t-elle gracieusement. Maintenant, je voudrais qu'on livre du champagne et des fraises à ma suite dans une heure. S'il vous plaît, soyez certain que le champagne est très froid. Je n'aimerais pas être déçue.

Encore une fois, son pouvoir crépita contre la peau du jeune homme, et il hocha rapidement la tête.

— J'y verrai personnellement.

— Vous êtes si compréhensif!

Lorsqu'il sortit un formulaire pour sa signature, elle se contenta d'agiter sa main libre vers le papier, et il disparut. Il exécuta les mouvements comme s'il remplissait le papier non existant, puis il lui tendit les cartes magnétiques.

— Vous avez été très utile — elle s'arrêta pour lire l'insigne épinglé à son veston portant son nom — Michael.

— Merci, mademoiselle. Tout le plaisir était pour moi.

— J'en suis certaine, dit-elle, le libérant enfin.

Sa main libre balaya le poignet qu'elle avait tenu pour le charmer et il se gratta la peau à cet endroit. Il sentirait la brûlure de son sort pendant quelques heures, mais il ne se souviendrait de rien d'autre à propos de cette rencontre.

Et si le client original se pointait pour réclamer sa suite présidentielle réservée… Eh bien, elle le traiterait de la même manière.

Se retournant, elle descendit le long hall de marbre, appréciant le doux claquement des talons de ses Ferragamo. Le pouvoir. Vraiment, tout était une question de pouvoir.

Elle agita une main devant les portes fermées de l'ascenseur, et elles s'ouvrirent instantanément. Elle entra, se pencha langoureusement contre le mur et se sourit en même temps que les portes se refermaient.

— C'est bon d'être une sorcière, murmura-t-elle à personne.

Elle avait attendu bien des vies pour cela, et maintenant, tout était à sa portée. Comme si c'était le destin. Comme si tout était tracé. Et elle croyait que c'était le cas. Comment pourrait-il en être autrement?

Elle avait un plan. De plus, elle avait de puissants soutiens. Oui, elle était forcée de traiter avec les humains, mais lorsque les enjeux étaient aussi élevés, elle était prête à supporter des trucs agaçants.

Bien sûr, ils ne comprenaient pas. Comment l'auraient-ils pu? Les humains croyaient qu'ils avaient la situation bien en main. Ils croyaient qu'elle était leur complice.

Elle rit un peu alors que l'ascenseur s'ouvrait sur la suite présidentielle. Au-dessus de sa tête, un large puits de lumière offrait une vue sur le ciel de nuit, illuminé par les étoiles et le croissant grandissant de lune. Le sol était une mosaïque de marbre incrusté, et les appliques murales jetaient de petits rais de lumière dorée.

Elle entra dans la suite, admira le mobilier élégant, se familiarisa avec le luxe, auquel elle s'habituerait rapidement. Puis, elle se dirigea vers la terrasse la plus proche et ouvrit les portes.

L'air de la nuit était doux et frais sur sa peau, et le bourdonnement de la ville s'étalait en dessous d'elle. Tout était juste comme il le fallait.

Le plan était en place. Tout ce qu'il lui fallait faire maintenant était d'attendre le signal de départ du jeu.

— Bientôt, murmura-t-elle, levant les yeux vers le ciel nocturne en même temps que la lune s'élançait derrière une bande de nuages comme pour se cacher d'elle. Bientôt, tout m'appartiendra, et personne ne pourra me contrer.

Seule sur la terrasse avec la nuit comme témoin, Kellyn se mit à rire alors que le pouvoir brillait tout autour d'elle.

Chapitre 33

Shea était en train de regarder l'incendie qui consumait le motel et les arbres à proximité, lorsque son pilier de feu personnel surgit à ses côtés. Que cela disait-il à son sujet, se demanda-t-elle, qu'elle ne sursaute plus quand Torin lui faisait le truc de l'homme enflammé?

— Il est mort, n'est-ce pas? demanda-t-elle en ne lui jetant même pas un regard. Celui qui a fait ça est mort. Tu l'as tué.

— Je les ai tués, corrigea-t-il, puis il prit son épaule et la retourna pour lui faire face. Il y en avait deux. On leur avait donné l'ordre de te tuer, mais ils ignoraient qui donnait les ordres.

— Donc, rien n'a été résolu, souligna-t-elle dans un murmure.

Elle tourna la tête alors que le premier camion de pompiers arrivait et que la sirène cessait brusquement de hurler. Les hommes se dispersèrent, courant pour trouver des boyaux, criant des instructions pendant que l'incendie faisait rage et sifflait vers eux comme s'il se raillait de leurs efforts dérisoires pour l'éteindre.

— Tu es de nouveau en sécurité, dit Torin.

— Pour le moment.

— Le moment présent est tout ce que nous avons, lui dit-il, et il l'attira vers lui.

Elle tenta de s'éloigner, mais ses instincts jouèrent contre elle. Elle avait beau ne pas aimer ce qui se passait, son esprit insistait pour dire qu'elle pouvait difficilement blâmer Torin de la protéger. Il y avait des gens — même maintenant — qui complotaient pour la tuer. Shea ferma les yeux et soupira pendant qu'elle enroulait ses bras autour de la taille de Torin.

Enfouissant son corps dans sa fermeté, dans sa chaleur, elle ne s'inquiétait pas du maintenant, mais plutôt du lendemain. Et du jour d'après. Comment étaient-ils censés accomplir leur tâche, quelle qu'elle soit, si elle ne pouvait déverrouiller le bon souvenir ? Comment était-elle censée se défendre, si ses pouvoirs étaient toujours sauvagement imprévisibles ?

Les mains de Torin balayèrent son dos de haut en bas, et malgré la situation, son corps réagit. Son désir pour cet homme était toujours à fleur de peau. Et apparemment, même la menace d'une mort imminente ne pouvait le vaincre.

— Il faut y aller, dit Torin en l'éloignant de lui pour la regarder dans les yeux.

— Comment ? demanda-t-elle avec un petit rire teinté d'une pointe d'hystérie. L'explosion a détruit ta voiture, dit-elle en pointant vers la colline.

Il ne jeta même pas un regard vers la carcasse noircie de l'élégante Viper.

— Nous en trouverons une autre. Mais pour le moment...

Il l'attira vers lui de nouveau, et elle hocha la tête, se repliant autour de lui aussi étroitement que possible.

— Nous nous transporterons par le feu.

— Ferme les yeux.

Si quelqu'un avait levé les yeux vers le peuplement d'arbres, il aurait pu penser que le brasier était en train de se répandre. Mais en un battement de cœur, la haute tour de flammes disparut, et l'obscurité régna à nouveau en maître.

Le téléphone de Rune, quelques heures plus tard, leur expliqua comment ils avaient été suivis.

— Il était sous le sein gauche de Terri, dit-il. J'ignore si ce sera la même chose pour Shea, mais ça semble un bon endroit pour commencer à vérifier.

— Je le ferai.

Torin jeta un coup d'œil dans la pièce vers Shea. Elle n'avait pas parlé depuis qu'il l'avait transportée par le pouvoir du feu dans un nouveau motel. Il avait pris plus de temps qu'il l'aurait voulu pour couvrir la distance entre Flagstaff, en Arizona, et l'endroit où ils se trouvaient maintenant dans le minuscule El Rito, au Nouveau-Mexique. Mais il avait voulu mettre autant de distance que possible entre eux et la dernière attaque.

Maintenant, il était heureux de l'avoir fait. S'il y avait un autre dispositif quelque part sur le corps de Shea, il fallait qu'ils le trouvent avant que quiconque se situant derrière eux ait le temps de les rattraper.

Shea arpentait la petite chambre du motel. Ses nerfs étaient tellement à vif qu'elle avait une telle montée de pouvoir, et cela donnait l'impression à Torin qu'il avait une fièvre. La tension dans l'air entre eux était vive, et qu'il soit damné s'il savait comment la briser. Il avait fait ce qu'il faisait toujours. Ce qu'il *devait* faire. La protéger. Il les protégerait toutes. Si elle ne pouvait pas le voir…

— Doc Fender est de retour dans le paysage aussi, dit Rune, et Torin prêta attention.

Il s'immobilisa complètement à cette nouvelle.

— En es-tu certain?

— Les sorcières du sanctuaire en sont sûres, dit son ami. Il est le chef des Chercheurs.

— J'en ai entendu parler.

Rien de bon non plus. C'était une bande de voyous du genre miliciens, bien armés et effrayés. Pas une bonne combinaison. Mais Torin ne savait aucunement qu'Henry Fender en faisait partie. L'homme était célèbre pour sa cruauté et son fanatisme. Sachant qu'il faisait partie d'un groupe organisé opérant en dehors des statuts et des règlements fédéraux, Torin comprenait que les enjeux venaient de s'élever.

Il était impossible de prévoir les actions de Fender. L'homme était fou et dédié à ce qu'il voyait comme un devoir qui lui avait été divinement assigné. Détruire les sorcières. On n'avait pas entendu parler de lui dernièrement, et Torin avait espéré qu'il soit mort.

— Les sorcières prétendent qu'il est en train de corrompre certaines de ses victimes, lui dit Rune. Il leur offrirait d'arrêter la douleur si elles l'aidaient à capturer d'autres comme elles.

— Le fumier.

— Exactement. Alors, garde les yeux ouverts. Les Chercheurs pourraient être sur vos traces autant que tous les autres.

— Je le ferai.

Son regard tomba à nouveau sur Shea. Il ne pouvait s'empêcher de la regarder partout où elle se trouvait. On aurait dit que lorsqu'il ne la touchait pas, il se sentait seulement à moitié vivant.

Ensuite, Rune commença à parler de nouveau, et Torin fut subjugué par les possibilités offertes par les bibliothèques de livres de sorts des sanctuaires.

— Elle peut les atteindre à partir de n'importe quel endroit?

— Selon Karen, oui. Bien que ce soit généralement plus facile si tu es au moins près d'un sanctuaire. Quelque chose à propos de ponts de pouvoir construits par les sorcières.

Il expira profondément.

— Les pouvoirs magiques sont plus forts quand on peut faire appel à un pouvoir combiné.

— Je comprends. Nous allons essayer.

Shea se tourna vers lui, le regard interrogateur. Il hocha la tête pour lui faire savoir qu'il allait tout lui raconter. Elle sourit brièvement, et Torin sentit une pointe de fierté le gonfler. Sa femme avait une âme d'acier.

— As-tu eu des nouvelles d'Egan?

— Non, admit Rune. Mais je vais vérifier auprès de quelques-uns des autres. Voir si quelqu'un l'a vu.

Il s'arrêta.

— Tu sais comment c'est, Torin. Après des siècles d'attente, certains n'en peuvent plus, et tout ce qu'ils peuvent faire est de disparaître. Et de s'isoler.

— Ce temps est révolu, dit Torin. L'Éveil a commencé, et nous devons tous soutenir nos sorcières. Il faut donc que tu trouves Egan.

— Je le ferai. Surveille tes arrières.

Torin raccrocha et jeta un coup d'œil à travers la pièce vers sa femme. La force de son regard finit par attirer son attention, et elle le regarda.

— Qu'allons-nous essayer?

— Les sorcières du sanctuaire ont mis en place une bibliothèque d'ouvrages sur les sorts anciens et de livres des ombres. Elles disent que tu peux accéder à tout ce dont tu as besoin à travers un portail dimensionnel.

Elle rit un peu, mais il n'y avait pas d'humour dans ce rire.

— Bien sûr. Des portails dimensionnels. Pas de problème. Je m'y mets tout de suite. Je n'ai aucune idée de ce qu'il faut faire, Torin, dit-elle en secouant la tête.

— Nous allons le découvrir, Shea. Ensemble.

Elle l'étudia pendant une longue minute.

— Il y a autre chose. Qu'est-ce que c'est?

— Il est possible qu'il y ait un autre dispositif de poursuite sur ton corps quelque part.

Elle sursauta et fit immédiatement claquer une main à l'arrière de son cou où ils avaient trouvé la première puce.

— Il ne sera pas là, dit-il en traversant la pièce vers elle en longues enjambées déterminées.

— Alors où?

Elle balaya ses propres mains le long de son corps, comme si elle n'avait qu'à chercher le fichu truc pour le trouver.

— Rune dit que le second dispositif de Terri a été découvert sous son sein gauche.

Les bras de Shea se posèrent instinctivement sur ses seins dans un geste protecteur qui était aussi futile qu'il était compréhensible.

— Mais ils ne m'ont pas donné d'injection à cet endroit. Je l'aurais su…

Il détestait voir ce regard sur son visage. Une expression à la fois furieuse et remplie de chagrin. S'il l'avait pu, Torin serait retourné à la prison où Shea avait été détenue et il l'aurait détruite, brique après brique, jusqu'à ce qu'il n'y ait plus une seule pierre encore debout.

— Ils auraient pu te rendre inconsciente pour effectuer l'intervention.

— Mais je m'en souviendrais.

— Pas nécessairement. S'il y en a un, Shea, nous devons le trouver.

Lentement, elle baissa les bras, prit une grande inspiration et se mordit la lèvre inférieure.

— Je sais. C'est juste que… peu importe.

Il vit des émotions différentes traverser son visage, chacune apparaissant et disparaissant si vite qu'il pouvait à peine les identifier. Mais il sentait sa détresse. Il sentait le mélange de peur, de colère et de chagrin se nouer en elle. Torin ne voulait pas admettre qu'il pourrait être la cause de sa détresse.

— N'ignore pas tes émotions. Qu'est-ce qui te tracasse ? Est-ce parce que j'ai tué ces hommes qui t'ont attaquée ?

Elle leva les yeux vers lui et secoua la tête.

— Non, non, Torin. Je sais pourquoi tu l'as fait. Je… c'est juste que je déteste tout ce qui se passe. Je déteste être pourchassée. Je déteste ne pas me souvenir de ce dont j'ai besoin de me rappeler. Je déteste sentir que je n'ai aucune emprise sur ma vie.

Torin sourit.

— Je ne t'ai pas entendu dire que tu me détestais. Je crois que nous faisons des progrès.

Shea rit un peu.

— Je ne t'ai jamais détesté, Torin. Tu m'as foutu la trouille, mais je ne t'ai jamais détesté. Et maintenant...

— Maintenant ?

— Je ne sais pas ce que je ferais sans toi.

— Tu n'auras jamais à le savoir, promit-il. Je te le promets. Je serai avec toi pour surmonter toutes les embûches. Tu peux compter sur moi.

— Je sais, dit-elle avec un sourire forcé qui n'atteignit pas ses yeux.

— Shea, je dois chercher le dispositif.

Elle hocha la tête, agita une main devant elle, et instantanément, ses vêtements disparurent.

La faim rugit à travers lui à sa vue, et il fut heureux de voir qu'elle avait finalement renoncé à son sentiment de gêne devant lui. Puis il sourit, tant à la vue de son corps nu voluptueux qu'à la démonstration de la maîtrise naissante de ses pouvoirs.

— Tu t'améliores. Tu es plus forte.

— C'est en forgeant qu'on devient forgeron, dit-elle dans un rire étranglé. Mon Dieu, Torin, trouve-le.

Il s'approcha, son regard descendant vers son sein gauche où le tatouage d'accouplement était inexorablement en train de croître. Les petites flammes rouges formaient maintenant un cercle autour de l'aréole et déferlaient en une courbe délicate qui suivait le gonflement du sein et serpentait vers son dos où elles finiraient par se courber au-dessus de son épaule.

Il se sentit rempli de fierté. C'était sa marque. La marque qu'ils avaient créée ensemble. Et l'ombre de sa marque à elle tachait maintenant sa peau dans le même motif, proclamant qu'ils ne faisaient qu'un. Deux moitiés d'un même tout. Sa bite s'agita, prête à la prendre à nouveau. Pour stimuler d'autres de ces flammes brûlantes et les faire vivre sur sa peau. Pour sentir sa chaleur tout autour de son membre.

Ses doigts tracèrent les flammes, et il leva les yeux vers elle. Il lut une passion semblable qui s'agitait dans ses yeux d'émeraude, et en réaction, sa bite devint dure comme de la pierre.

Elle leva la main et tint celle de Torin contre sa poitrine, allant à la rencontre de son contact, puis elle soupira quand elle sentit la fraîcheur du glissement de la peau contre la peau.

— Touche-moi d'abord, Torin, dit-elle, le souffle presque coupé. Ensuite, tu trouveras le dispositif. J'ai besoin de toi. J'ai besoin de te sentir en moi. J'ai besoin que tu chasses les cris et l'incendie et les gens fous qui nous pourchassent.

Son pouce et son index pressèrent son mamelon jusqu'à ce qu'elle gémisse.

— Je te veux, lui dit-il. Je te veux toujours. Je m'éveille fiévreux de l'envie de te toucher et je dors en rêvant de toi. Tu es la sorcière qui règne sur mon cœur.

Elle claqua des doigts, et il fut nu, son corps gorgé de désir fut exposé complètement et fièrement pour elle. Shea sourit et le rejoignit, fermant ses doigts autour de sa lourde queue. Torin aspira en sifflant, et laissa ses yeux se fermer sur une vague de pur plaisir.

Au milieu de la folie, dans la tourmente du danger, tout ce à quoi il pouvait penser, c'était de la posséder. La réclamer encore et encore. Il avait besoin de sentir la chaleur de la marque jaillir sur sa peau et de voir la marque couvrir un peu plus son corps. Il voulait enfoncer son corps dans le sien, sentir sa chaleur humide et lisse l'accepter, le prendre profondément.

Le pouce de Shea caressa son extrémité, faisant glisser la perle d'humidité qu'elle y avait trouvée en cercles serrés et rapides. Il gémit et il sut qu'il était perdu. Il devait la posséder. Même si les Chercheurs arrivaient en trombe à cet instant, il devrait encore la posséder.

Torin baissa la tête et prit son mamelon gauche dans sa bouche. Il goûta son odeur, ce mélange élémentaire de la terre, de l'océan et de Shea elle-même, et la tiède chaleur de sa peau. La brûlure de la marque l'envahit et augmenta le besoin qui escaladait déjà jusqu'à des sommets vertigineux en lui.

Shea tint la tête de Torin contre sa poitrine et caressa ses joues du bout de ses doigts, l'encourageant à goûter plus profondément, à téter plus violemment. Pendant qu'il le faisait, elle gémit, et le doux soupir glissa au fond du cœur de Torin.

Il baissa une main vers son sexe, et la trouva humide et chaude pour lui. Plongeant profondément deux doigts, il l'entendit gémir et il poussa ses doigts encore plus, de sorte qu'il pouvait caresser son corps de l'intérieur.

Elle fit des va-et-vient sur son toucher, chevauchant sa main comme si le sort du monde entier dépendait des prochaines minutes. Ils ne faisaient qu'un. La respiration saccadée, le corps tendu.

Sa langue et ses dents travaillaient son mamelon pendant que ses mains s'activaient sur son sexe. Son pouce caressa la petite bosse de sensations jusqu'à ce qu'elle laisse retomber sa tête sur son cou et soupire son nom sur ses lèvres.

Ce n'était pas suffisant, songea-t-il sauvagement. Il avait besoin de faire partie d'elle. Maintenant. Il la fit basculer sur le lit et ne fut que vaguement conscient des hurlements du vieux sommier sous eux.

Shea continua de se tordre contre sa main, sa voix l'encourageant dans un murmure rauque plus convaincant qu'un cri.

— Je suis si proche, Torin. Si proche.

— Viens pour moi, Shea, exhorta-t-il, son souffle chaud contre sa peau alors qu'il levait les yeux vers les siens.

— Non, pas encore.

Elle secouait sauvagement la tête d'un côté à l'autre, riant et haletant en même temps.

— J'ai besoin de toi. J'ai besoin de toi en moi. Nous venons ensemble.

— Ensemble, répéta-t-il, les yeux dans les yeux.

Il la couvrit de son grand corps et poussa son membre dur dans ses profondeurs avec une longue poussée. Rivés ensemble, les corps tendus avec la tension non libérée qui les réclamait, ils se tinrent parfaitement immobiles, savourant simplement du plus profond de l'âme le plaisir de la réunion.

Puis, elle leva ses jambes vers ses hanches, se pencha pour courber ses doigts sur les fesses de Torin et lui sourit.

— Prends-moi maintenant, Torin. Durement, rapidement et profondément. Ne retiens rien.

— Jamais, promit-il, et il garda son regard rivé dans le sien alors que ses hanches pompaient furieusement contre elle.

Le rythme qu'ils avaient fixé était aveuglant. Des éclairs blancs crépitaient entre eux, allant de l'un à l'autre alors que le pouvoir se rencontrait, se heurtait et se mêlait.

Encore et encore, il se poussa dans la femme qui depuis toujours était la seule qui ait compté pour lui. Il sentit son cœur qui ne battait pas bondir dans sa poitrine alors qu'il observait l'extase traverser ses traits.

Torin sentit une brûlure cuisante sur sa poitrine. Il observa le tatouage sur le sein de Shea et regarda alors que les flammes s'obscurcissaient puis flamboyaient alors que leur accouplement s'accélérait, les englobant tous les deux avec la force de la magie.

L'incroyable glissement de son corps contre le sien hâtait le besoin qui l'envahissait déjà. Il était implacable, poussant toujours de plus en plus profondément. La friction entre leurs corps attisait les feux intérieurs jusqu'à ce qu'ils vivent et respirent autant que les flammes qui composaient l'être de Torin.

Tout ce qu'il était, il le lui donna, tout ce qu'elle était, il le prit. Il pencha à nouveau la tête, goûtant sa peau, la léchant comme l'aurait fait un chat avec un bol de crème. Il ne pouvait se rassasier d'elle. Maintes et maintes fois, elle cria, adaptant son corps à chaque poussée, le stimulant, criant son nom.

Il prit son mamelon dans sa bouche et le téta longuement et profondément pendant que son corps assiégeait le sien. Et finalement, il sentit qu'elle atteignait la fin de son endurance. Elle s'abandonna à la houle liquide de sa libération.

Alors que son corps se serrait comme du velours chaud autour du sien, Torin versa tout ce qu'il était dans ses profondeurs.

Chapitre 34

— Si nous nous tuons l'un l'autre, au moins nous mourrons heureux, dit Shea quand elle fut sûre de pouvoir parler sans que sa voix se brise.

De minuscules et délicieux frissons vibraient encore à travers tout son corps, lui faisant pousser des soupirs de plaisir discrets. La sensation de brûlure sur sa poitrine avait disparu, et elle savait que d'autres flammes avaient été marquées dans sa peau. Torin se tenait à ses côtés, un bras passé autour de sa taille, une jambe balancée sur les siennes.

Il prenait beaucoup d'espace, son Éternel, mais c'était plus que sa taille massive qui se taillait une place dans son cœur. C'était sa féroce tendresse. Sa vulnérabilité qu'elle avait aperçue à l'occasion. La protection qu'il offrait si généreusement et sa détermination silencieuse à faire tout ce qui était nécessaire pour assurer sa sécurité.

En outre, il était l'amant le plus incroyable qu'elle aurait pu imaginer.

— Tu ne mourras pas, lui dit-il, son visage dans le creux de son cou et son souffle chaud contre sa peau. Je ne le permettrai pas.

Elle glissait ses doigts le long de son bras, aimant la sensation de sa peau sous la sienne.

— Je sais que tu feras tout ton possible, Torin.

— Non.

Il se leva sur un coude et croisa son regard. Elle fixa ses yeux gris pâle et se demanda comment elle avait pu craindre ce regard inhabituel. Maintenant, lorsqu'elle regardait dans ses yeux, elle voyait le passé et l'avenir, et le présent qui changeait constamment.

— Ne fais pas de promesses que tu ne pourrais pas tenir, dit-elle avec douceur alors qu'elle levait une main pour toucher le coin de sa bouche.

— Je tiendrai cette promesse. À tout prix. Ne te l'ai-je pas déjà prouvé ?

Son cœur se serra dans sa poitrine. Oui, il avait montré qu'il ferait n'importe quoi pour elle. Pour la sauver. Les gardiens de la prison qu'il avait tués pour l'aider à s'échapper. Les assassins qu'il avait tués pour tenter de prévenir de nouvelles attaques.

— Tu l'as fait. Mais même le protecteur le plus fidèle ne peut pas défendre contre tous les dangers, Torin. Tu n'es qu'un homme.

— Un Éternel.

Elle sourit et se corrigea.

— Je sais que tu feras tout ce que tu peux, Éternel. Mais juste au cas où il arrive quelque chose…

Dieu, elle ne voulait pas penser à la possibilité de lui être arrachée. De mourir juste au moment où elle découvrait comment vivre. Mais il fallait reconnaître que la menace était là.

— Je veux que tu saches, ce temps passé avec toi a été le meilleur de ma vie.

Il se mit à rire brièvement.

— Quoi?

Offensée, elle lui poussa le bras, mais il ne bougea pas d'un centimètre.

— Tu as été enlevée, on t'a implanté des puces électroniques, on t'a emprisonnée, tiré dessus, et presque fait exploser en l'espace de moins de deux semaines.

— C'est vrai. Mais tu sais ce qui m'est aussi arrivé?

Il secoua la tête.

— J'étais avec toi, dit-elle en faisant glisser ses doigts sur la largeur de sa poitrine, traçant la courbe de la marque d'accouplement. Je faisais partie d'une équipe. J'ai découvert qui je suis et j'ai commencé à apprendre à me servir de ce que je suis. Je me suis fait faire l'amour par un sacré expert…

Il lui fit un sourire béat tout à fait masculin.

— … et si tout se terminait demain, je regretterais de te quitter, mais je ne regretterais pas un seul moment de tout le reste de ma vie.

Son bras autour d'elle se serra, et le sourire sur son visage disparut.

— Il ne t'arrivera rien, Shea. Je t'ai enfin, et je ne te laisserai pas partir. Peu importe ce qui se passe. J'ai besoin que tu le croies. Que tu croies en moi.

— Je crois en toi, lui dit-elle, le serrant contre elle et s'agrippant de toutes ses forces à l'homme immense qui était si rapidement devenu la personne la plus importante de son univers. Je crois vraiment en toi, Torin.

— Bien.

Il l'embrassa, vite et fort.

— Maintenant, allonge-toi et laisse-moi trouver ce fichu dispositif pour que nous puissions sortir d'ici.

Shea fit comme il lui demandait et roula sur le dos. Levant les bras, elle les déploya derrière sa tête, se découvrant à son regard concentré. Ses doigts se déplacèrent tout autour de la courbe de son sein gauche, suivant la piste de son tatouage de sorcière qui devenait plus défini, qui faisait encore plus partie d'elle chaque jour.

— Le sens-tu ?

— Non, dit-il. Je vais faire appel au feu et me servir de la magie pour le trouver. Ne bouge pas.

Elle le regardait, incapable de détacher son regard de l'homme. Ses longs cheveux noirs tombaient sur ses épaules, et ses yeux pâles se plissaient et se concentraient sur sa tâche.

Des flammes apparurent au bout de ses doigts. De sa main droite, il traça lentement la courbe de son sein, pressant le feu vif dans sa peau.

La chaleur qu'elle sentit lui donna le vertige alors qu'elle se répandait sur sa poitrine, sur son ventre, puis plus bas, s'installant même dans son bas-ventre. La chaleur devint un désir, et malgré la situation où elle se trouvait, Shea sentit les frémissements du besoin la fouetter à nouveau.

Torin avait expliqué que, une fois l'accouplement commencé, ils sentiraient un besoin constant. Avec chaque jour qui passait, leur lien devenait plus fort. La marque se développait et se propageait sur leur peau. Leurs liens mental et physique se redéfinissait à chaque instant.

On aurait dit qu'ils étaient vraiment deux moitiés d'un tout, se réunissant enfin après une éternité de séparation.

Tout ce que Shea savait, c'est qu'elle se languissait de lui. Elle se languissait de son corps pressé contre le sien. Jusqu'à la fin de leurs trente jours, leur accouplement se ferait plus frénétique, plus intime, plus vital. Même si elle ne pouvait imaginer que ce puisse être meilleur que ce ne l'était déjà.

Torin continua son exploration de la courbe et du monticule de son sein, forçant les flammes et le pouvoir d'où elles émergeaient à creuser plus profondément en elle. D'aller sous la peau et dans les muscles mêmes de son corps, et enfin, il trouva ce qu'il cherchait.

— Il est là, dit-il, la voix serrée d'une colère qu'il refusait de libérer. La magie l'a trouvé, mais je devrai te couper pour le sortir comme je l'ai fait la dernière fois. Rune m'a dit que l'une des sorcières pouvait manipuler le métal et qu'elle avait retiré le métal du corps de Terri. Je ne possède pas cette magie.

Shea hocha la tête, puis serra les poings sur la tête de lit derrière elle.

— Tout va bien. Je suis prête. Sors-le de moi, Torin.

Il se redressa, leva une main, et son couteau apparut, la lumière artificielle se reflétant sur la longue lame meurtrière. Baissant les yeux vers elle, il retint le regard de Shea pendant un long moment.

— Fais-le, Torin.

— Ça va faire mal, mais je vais prendre autant de ta douleur que possible.

Elle hocha la tête et se prépara. La pointe de sa lame creusa dans sa chair à la base de son sein. Elle se cambra par-dessus le lit et serra très fort les mâchoires sous la force de la douleur. Il dut creuser pour trouver le dispositif, et jusqu'à ce qu'il ait terminé, Shea gémissait de douleur. Les muscles de ses bras étaient figés en position dans la prise qu'elle avait sur la tête de lit. Une unique larme s'infiltra hors du coin de son œil, et un soupir de soulagement glissa de ses poumons alors qu'il élevait la puce pour la lui montrer.

— C'est ça? demanda-t-elle. Y en a-t-il d'autres?

Il tendit la main, posa le dispositif sur la table de chevet et le brisa avec le manche de son couteau. Les sourcils froncés, il se pencha de nouveau sur sa poitrine.

— Tiens-toi sur moi pour que je puisse sceller la plaie.

Elle arracha une main de la tête de lit et la posa sur l'épaule de Torin. Un instant plus tard, la chaleur s'épanouit sur sa chair alors que leurs pouvoirs combinés se liaient pour guérir la coupure sous son sein.

Lorsqu'il eut terminé, il baissa la tête et embrassa tendrement l'endroit où son couteau l'avait coupée. Sa langue traça le motif de flammes de la marque rouge sur sa peau et suivit le tatouage circulaire jusqu'à ce qu'il arrive à son mamelon. Puis, il le prit dans sa bouche et se servit de sa langue et de ses dents pour chasser ce qui restait de douleur de son corps et de son esprit.

— Torin...

Il la regarda, leva la tête et murmura :

— Je vais moi-même vérifier ton corps. Chaque centimètre carré, jusqu'à ce que nous soyons certains que tu es libérée de leurs pièges.

Shea se perdit dans la passion qui les unissait. La douleur était oubliée. Une fois de plus, la peur fut rapidement écartée. Plus que tout, elle voulait se sentir vivante.

Entièrement vivante. Et ce n'était possible que lorsqu'il était en elle.

— Peut-être, dit-elle, se roulant sur le ventre et regardant en arrière par-dessus son épaule, que tu devrais commencer à inspecter mon corps maintenant. Si tu dois le faire minutieusement, ça pourrait prendre un certain temps.

Il lui fit un lent sourire satisfait.

— Peut-être que tu as raison, dit-il en faisant glisser le plat de ses mains le long de ses cuisses jusqu'à la courbe de ses fesses. Je devrais approfondir.

— Laisse-moi t'aider, lui offrit-elle, montant sur ses genoux alors qu'elle attrapait à nouveau la tête de lit.

Elle tortilla son derrière et écarta les jambes en guise d'invitation.

— Je ne veux pas que tu manques quoi que ce soit, n'est-ce pas ?

— Je te le promets, dit-il doucement, peu importe le temps qu'il faudra, rien ne sera négligé. Je suis un homme très patient.

Torin arriva derrière elle et passa ses doigts dans les boucles roux foncé qui gardaient sa peau humide et chaude jusqu'à ce que ses hanches se mettent à se balancer et qu'elle commence à respirer en courts halètements. Lorsqu'aucun d'eux ne put supporter d'être séparé plus longtemps, il la monta et se poussa dans ses profondeurs.

Le claquement de la chair rencontrant la chair, la respiration rauque et laborieuse et les promesses et les supplications chuchotées étaient les seuls bruits dans la pièce faiblement éclairée, car une fois de plus, la sorcière et son Éternel accomplissaient une magie aussi vieille que les temps eux-mêmes.

— Le sanctuaire le plus proche est seulement à une journée d'ici, l'assura Torin. Nous sommes assez près pour que tu essaies de prendre contact avec le portail.

— Je comprends.

Nue, Shea était assise sur le sol, les jambes croisées, en face du miroir que Torin avait arraché du mur. Elle était sur le point de tenter un sort d'ouverture de portail et elle savait que le travail d'enchantement serait plus efficace si elle était nue. Bien qu'il lui semblait bizarre d'être assise nue devant un miroir. Ils se trouvaient dans un motel juste à l'extérieur de Norman, en Oklahoma. Elle jeta un regard autour vers le ô si familier mobilier commun du motel et soupira bruyamment.

Depuis qu'ils étaient en fuite, ils s'étaient trop souvent trouvés dans ce type de chambres de motel.

— Si tu as des problèmes avec le sort que tu as écrit, nous pouvons nous rendre en personne au sanctuaire demain.

Elle hocha la tête, leva les yeux vers lui et lui fit un bref sourire.

— Nous nous sommes concentrés pendant des jours, nous avons canalisé et combiné nos forces pour être assez forts pour entrer dans le portail. Je peux y arriver.

— J'ai la foi, dit-il.

Tenant le miroir debout pour elle, Torin l'observa alors qu'elle allumait une bougie jaune.

La mèche s'enflamma, et une flamme vacillante dansa dans le silence.

— Jaune pour la confiance, pour la divination, pour stimuler l'esprit conscient, chuchota-t-elle.

— Tu te souviens, dit-il tout aussi doucement.

— Oui. Un peu plus chaque jour. Mais ce n'est pas assez rapide.

Prenant une profonde inspiration, elle ferma les yeux, agita à trois reprises les mains au-dessus de la flamme de la bougie et chuchota le chant qu'elle avait écrit le matin même.

Élargis mes yeux pour que je puisse voir
les secrets de l'éternité.
Un sort afin d'ouvrir mes pouvoirs
Est en cette heure ma nécessité.
Mes sœurs attendent le résultat de ma corvée,
Un peu d'aide est tout ce que je voudrais demander.

Torin sourit, mais il demeura silencieux pour ne pas interrompre sa concentration. Mais damné soit-il s'il ne se réjouissait pas de voir sa femme retrouver l'usage de ses pouvoirs magiques. Elle était fière, résiliente et aussi têtue que jamais. Mais au fond d'elle, elle était une femme pure. Et totalement sienne.

— Je vois le portail, dit-elle, un demi-sourire sur son visage.

Elle ouvrit les yeux, regarda dans le miroir et se mit à parler sans regarder Torin.

— On dirait une bulle. Lumineuse, avec la lumière d'un million de soleils. Ça miroite, comme un mirage dans le désert.

— Peux-tu y entrer ? demanda-t-il calmement.

— Je crois que oui.

Elle prit une longue et profonde inspiration et elle se pencha vers l'avant, au-dessus de la flamme dansante de la bougie, vers le miroir.

Torin ne dit rien alors qu'elle entrait *dans* le verre, sa main et son bras disparaissant de la vue. Ses traits étaient tordus en un masque de concentration.

— C'est juste là. Je peux y toucher. Le sentir. Je n'ai qu'à le... *saisir* !

Alors qu'elle prononçait le dernier mot, elle sursauta vers l'arrière et sortit du miroir. La flamme de la bougie s'éteignit, comme si un courant d'air invisible avait soufflé sur elle.

— Je l'ai fait, murmura-t-elle en levant les yeux vers lui avec un grand sourire.

Il jeta un coup d'œil sur le livre de cuir usé qu'elle tenait à deux mains et il sentit qu'un sourire lui répondait sur son propre visage.

— Tu as trouvé le livre que tu voulais ?

— J'ai trouvé le livre pour lequel j'avais créé le sortilège, dit-elle en caressant la couverture. J'espère qu'il me donnera ce que je dois connaître pour jeter d'autres sorts et recueillir la magie dont nous avons besoin.

Une semaine plus tard, Torin et Shea étaient enfermés dans un autre motel quelque part en Ohio. La dernière ville qu'elle se souvenait d'avoir traversée était Brecksville, une banlieue de Cleveland. Étant donné que même dans le meilleur des cas il était déjà difficile pour elle de se situer géographiquement, elle n'aurait pu trouver cet endroit sur une carte. Tout ce dont elle se souciait vraiment, c'était qu'ils étaient aussi perdus qu'ils pouvaient l'être pour le reste du monde.

Même si elle ne savait que trop bien qu'on ne pouvait trouver la sécurité nulle part.

Pas pour Shea.

Elle et Torin avaient découvert cette dure vérité pendant leur voyage à travers le pays. Peu importe s'il avait retiré tous les dispositifs de poursuite électroniques de son corps. De toute façon, leurs ennemis finiraient par les trouver. Le visage de Shea apparaissait sur toutes les chaînes de nouvelles. Ses yeux les fixaient à partir des couvertures de magazines et des premières pages granuleuses des journaux.

Elle avait espéré qu'à mesure que le temps passait, on oublierait son histoire — ou du moins qu'on la déplacerait à la fin des nouvelles, derrière d'autres infos de dernière minute. Mais au lieu que l'histoire perde de l'importance, elle en prenait encore plus alors que le pays tout entier s'intéressait à la sorcière qui s'était échappée de Terminal Island.

Donc les deux continuèrent de se déplacer, roulant lorsque les incroyables réserves d'énergie de Torin étaient sapées. Il était assez facile de trouver des voitures. La magie leur permettait de prendre ce dont ils avaient besoin, ne laissant derrière aucun souvenir de leur présence à cet endroit. Voler des voitures n'arrivait pas en première place sur la liste des occupations pour Shea, mais tout de même, elle préférait être une voleuse qu'être morte. Au fil des jours et des nuits qui suivirent, Shea vit plus de pays qu'elle n'en avait jamais vu avant et elle savait que si elle n'avait pas été répertoriée comme ennemie publique numéro un, elle aurait même pu apprécier le voyage.

Ainsi, tout ce qu'elle ressentait, c'était d'être prise au piège. Le motel était petit et propre, mais il avait été décoré dans les années soixante-dix. Il y avait des carpettes rose et orange à poils longs sur le plancher et des couvre-lits sauvagement fleuris. Les murs étaient peints en rose foncé et affichaient une bordure de papier peint avec des marguerites orange et roses au plafond.

Dans d'autres circonstances, la place l'aurait peut-être même amusée — c'était comme remonter dans le temps. Mais pour Shea, cette pièce était encore une autre boîte dans une série de cases où elle avait été rangée, où on lui niait toute liberté de mouvement. Partout où ils se trouvaient, cette sensation d'enfermement s'élevait comme des murs d'or blanc massif autour d'elle, et Shea se demandait s'il lui arriverait un jour d'être à nouveau vraiment libre.

Chaque soir à la télévision, les nouveaux canaux diffusaient leurs Avis d'alerte aux sorcières. Sur des cartes du pays, de minuscules punaises de couleur pointaient l'endroit exact où des sorcières avaient été arrêtées et emprisonnées. Il y avait des animateurs de débats télévisés qui faisaient des blagues sur les sorcières et suggéraient à leur auditoire d'examiner le ciel nocturne et de mettre leurs balais en lieu sûr. Dans les rues, des enfants jouaient à la police de la magie et aux sorcières.

Et pire encore — pour eux de toute façon — il y avait une récompense de cinquante mille dollars offerte pour la capture de Shea.

Ce qu'elle ne comprenait pas du tout. Elle était une sorcière comme tant d'autres qui étaient envoyées dans des camps et des prisons partout dans le monde. Pourquoi est-ce qu'on la pointait du doigt?

— Reste à l'intérieur, dit Torin en se dirigeant vers la porte de la chambre. Je vais chercher de la nourriture et je serai de retour dans une demi-heure. Reste loin des fenêtres et n'ouvre la porte à personne.

— Je comprends, d'accord ? dit sèchement Shea, irritée. Voilà des jours que nous faisons ça, Torin. Je connais les règles.

Sa mâchoire se serra, mais il hocha la tête alors qu'il partait.

Dès l'instant où il fut parti, elle regretta de lui avoir parlé comme elle l'avait fait. Après tout, il était tout ce qu'elle avait. L'Éternel avait été à ses côtés pour traverser tout cela, il l'avait gardée en sécurité, et chaque jour, elle sentait de plus en plus la connexion entre eux. Elle n'avait pas besoin de voir le tatouage se répandre sur sa peau, dans son dos jusqu'à sa colonne vertébrale pour savoir que la liaison entre eux était presque complète.

Elle le sentait chaque fois qu'elle respirait.

Chaque fois qu'il la touchait, elle savait qu'elle lui appartenait à lui et pas à un autre. Chaque fois qu'elle pensait à son passé ou à son futur, il était là. Il faisait partie de tout cela. Il était la seule personne au monde sur qui elle pouvait compter. Et tout de même, il demeurait encore un peu mystérieux.

Il ne lui avait rien dit de plus sur la dernière grande assemblée et sur ce qui s'était passé lorsque le portail vers l'enfer avait été ouvert. Il avait insisté pour qu'elle se souvienne du reste elle-même.

— Tu en sais assez maintenant, avait-il dit, se tenant tout près d'elle, leurs corps encore verrouillés ensemble. Je t'ai donné une partie de la connaissance, mais l'Éveil doit venir de l'intérieur de toi. Tu dois pouvoir appeler tes souvenirs de même que ton pouvoir si nous voulons accomplir cette tâche avant que le mois se termine.

— Mais le mois est presque à moitié terminé, murmura-t-elle à la pièce maintenant vide. Et je n'ai pas encore les réponses dont j'ai besoin.

Oh, elle était en train d'apprendre, de se souvenir. Ses rêves étaient remplis d'images anciennes. De Shea et de Torin à travers les années. Elle le voyait immuable, inébranlable, toujours là, toujours près d'elle. Elle se voyait en train de fabriquer des sorts, d'appeler la magie — et ces rêves avaient accéléré ses pouvoirs latents et lui avait donné une sorte de carte routière pour trouver ses sorts et ses chants.

Pourtant, l'information la plus importante continuait de lui échapper.

Shea frotta ses mains de haut en bas sur ses bras et lutta contre les vrilles de malaise qui se faufilaient à travers elle. Sans Torin avec elle dans la chambre, elle se sentait vulnérable. Étonnant de voir combien *d'espace* cet homme prenait. Et l'aura de force et de courage qu'il dégageait suffisait généralement à calmer ses propres angoisses.

Il était maintenant si rare qu'elle soit seule que chaque son, chaque bruit de la vitre la faisait sursauter. Elle s'attendait presque à voir une de ses anciennes gardiennes de prison sortir des ombres pour bondir sur elle. Pour l'enfermer de nouveau et la transporter au loin.

Loin de Torin.

Elle aurait pu étudier à nouveau le livre qu'elle avait cueilli au sanctuaire, mais elle croyait qu'elle avait appris autant qu'elle le pouvait de l'ancien volume. Écrit en vieil anglais, il n'était pas facile à lire, mais les sorts et les enchantements qu'il contenait avaient nourri le pouvoir naissant à l'intérieur de Shea.

Elle retournerait le livre et en prendrait un autre dès qu'ils s'approcheraient d'un autre sanctuaire. Jusque-là, son subconscient continuait d'examiner ce qu'elle avait appris pour trouver des façons de l'utiliser. Même si son pouvoir se développait, elle se sentait révoltée contre la cage qui l'enfermait.

Comment pourrait-elle remplir sa tâche si elle ne pouvait jamais sortir du cercle protecteur que Torin avait dessiné autour d'elle?

Avec les murs qui lui donnaient l'impression de se refermer sur elle, elle s'avança vers la fenêtre, et malgré les ordres de Torin, elle tira soigneusement seulement l'extrémité des rideaux fleuris criards. Instantanément, elle poussa un soupir de soulagement. Le simple fait de regarder à l'extérieur suffisait à calmer les nerfs qui vibraient en elle. Mais même si elle admirait l'étendue du monde derrière la vitre, elle se souvint qu'elle avait des ennemis et qu'ils pourraient être plus proches qu'elle le voulait.

Elle jeta un coup d'œil rapide sur son environnement et, les bras croisés, elle remarqua que la plupart des motels en bordure de la route se ressemblaient tous exactement. Des bâtiments peu élevés avec des parcs de stationnement presque vides situés en dessous de lumières qui clignotaient jusqu'à ce qu'elles s'éteignent toutes ensemble. Au moins, celui-là, songea-t-elle, offrait une vue d'un peuplement d'arbres de l'autre côté de la rue.

Levant son regard au-delà des arbres, Shea regarda le croissant de lune qui brillait dans un firmament parsemé d'étoiles. La lune en forme de croissant ne jetait pas beaucoup de lumière, mais son éclat nacré l'hypnotisait. Plus elle regardait, plus elle avait l'impression de répondre à une attirance psychique inexorable. Des murmures résonnaient dans sa tête et faisaient écho dans son âme. On aurait dit que l'univers lui-même se tendait vers elle. Elle sentait sa peau chargée, comme s'il y avait de petites impulsions électriques qui battaient dans ses os.

Elle prit une profonde inspiration, puis une autre. Le pouvoir crût et barbota à l'intérieur, et elle comprit ce qu'elle devait faire. Cette attraction magique sur son âme était quelque chose qu'elle ne pouvait ignorer. Peu importe l'ennemi qui attendait, peu importe la fureur de Torin lorsqu'il découvrirait qu'elle avait ignoré ses ordres, la lune l'appelait, et elle devait y répondre.

Chapitre 35

Pendant une seconde, Shea s'arrêta pour considérer le danger inhérent à ce qu'elle allait faire. Il était important qu'elle suive ses instincts — n'était-ce pas ce que Torin lui avait dit? N'avait-il pas insisté pour qu'elle fasse confiance à l'Éveil? Par ailleurs, se dit-elle, lorsqu'elle avait accepté l'accouplement, elle avait également accepté le danger. Alors, elle n'avait pas vraiment le choix, n'est-ce pas?

Avec précaution et sans faire de bruit, elle ouvrit la porte et sortit dans l'air immobile. La soirée de fin de septembre en Ohio portait encore l'humidité de l'été. Doucereux, presque étouffant dans sa chaleur humide, l'air enroba Shea comme une couverture dont elle ne pouvait se débarrasser.

Le parfum des arbres la remplit, et elle sentit qu'à nouveau le pouvoir s'accélérait en elle. Les sorcières appartenaient à la terre, et les éléments la renforçaient à chaque respiration.

Au cours des derniers jours, des bribes de connaissances et de rituels magiques lui étaient revenues. La lecture du livre de charmes ancien avait entrouvert un peu plus la porte de son esprit pour permettre aux souvenirs d'entrer subrepticement. Des images, des pensées apparaissaient soudainement dans son esprit comme si elles avaient toujours été présentes; et elle avait été tout simplement assez ouverte pour les reconnaître.

Elle savait que la nouvelle lune était un bon moment pour les sorts de renouveau. Pour recommencer. Pour travailler vers des objectifs.

Et quel meilleur objectif que de demeurer vivante et de résoudre son propre mystère intime?

La chaleur se pressait autour d'elle, et un vent doux souffla suffisamment pour lui apporter un souffle de fraîcheur. Elle portait un jean, un t-shirt et des bottes qu'elle avait fait apparaître par la magie. Commençant à traverser le parc de stationnement, elle continua à frôler les ombres et marcha presque sur la pointe des pieds pour que ses pas restent aussi silencieux que possible. Elle s'arrêta au bout de quelques secondes pour écouter, mais tout ce qu'elle entendit furent les aboiements d'un chien au loin et les gazouillements furieux de quelques criquets solitaires.

Le bureau du motel se trouvait là à l'avant du bâtiment, et la chambre qu'elle et Torin avaient prise était située tout à fait à l'arrière du motel. Depuis l'incendie en Arizona, elle ne voulait pas mettre des innocents en danger, elle avait donc insisté pour demeurer aussi loin que possible de tout le monde.

Il n'y avait que quelques voitures dans le parc de stationnement. Elle se précipita devant elles, espérant que personne ne regarde par les fenêtres et ne la voie. C'était un risque, et elle en était consciente. Tout comme elle savait que tout dépendait du fait qu'elle retrouve ses souvenirs perdus. Devait-elle rester dans sa chambre de motel, en sécurité, mais ignorante ? Ou était-il préférable de faire confiance à son instinct et de convoquer la lune en espérant recevoir la révélation qui lui était nécessaire ?

Elle n'avait aucun doute sur ce qu'en aurait pensé Torin. Mais c'était son choix. Sa décision. Elle n'était pas téméraire. Elle était proactive.

Torin serait furieux s'il revenait et la trouvait à l'extérieur, sans protection. Et c'était peut-être stupide, se dit-elle. Mais en même temps, si elle ne trouvait pas un moyen de déverrouiller sa vie passée, ses erreurs passées, comment pourrait-elle corriger ce qui un jour avait mal tourné ?

Elle garda la tête baissée et se précipita dans le parc de stationnement obscur. De l'autre côté de la rue, il y avait une rangée d'arbres, et au-delà, elle le savait, se trouvait une prairie. Elle l'avait vue quand ils étaient arrivés plus tôt dans l'après-midi.

Shea jeta des coups d'œil furtifs d'un côté et de l'autre sur la route peu fréquentée, puis s'élança vers l'orée de la forêt. Elle poussa les branches basses et respira l'odeur des pins. Des aiguilles tombées sous ses pieds amortissaient le bruit de chacun de ses pas, comme si la nature l'aidait à rester cachée.

Lorsqu'elle atteignit la prairie, elle continua à marcher, voulant s'éloigner le plus possible de la route. Aucune maison n'était en vue, et un silence religieux régnait. Les seuls bruits étaient le léger soupir du vent à travers les herbes à hauteur des genoux et le grondement lointain d'un engin qui se déplaçait le long de la route.

Elle ne disposait que de peu de temps et elle le savait. Torin serait bientôt de retour. Elle voulait être dans leur chambre de motel en train de l'attendre quand il arriverait.

Seule sous la lune, Shea leva les yeux vers le vaste ciel nocturne. Un léger flou semblait descendre des cieux, et comme elle tirait la nuit dans ses poumons, elle sentit la puissance de la nature se glisser dans ses veines. C'était de la sorcellerie à son meilleur, songea-t-elle sans être certaine d'où cette idée insistante avait jailli. Une sorcière et la nuit. C'était là que résidait le pouvoir, et c'était là qu'on acquérait des connaissances. C'était là qu'habitait le cœur de sa force.

Elle avait toujours aimé la nuit. Dès son enfance, elle s'était sentie attirée par l'obscurité. Par l'observation des étoiles au-dessus d'elle. Par les phases de la lune. Plus à l'aise dans l'ombre que dans la lumière vive, Shea ne s'était jamais demandé pourquoi elle était tellement plus une personne de nuit qu'autre chose. C'était ainsi... tout simplement.

Maintenant, enfin, elle comprenait.

Son corps était vivant. L'air chaud et humide se cramponnait à elle comme les mains d'un amant. Elle languissait pour le contact de Torin et elle savait que l'attraction de la lune combinée à sa connexion à son Éternel accélérait la puissance du désir qu'elle ressentait toujours pour lui.

Mais alors quelle magie était meilleure que celle du sexe bien fait ?

— *Shea ?*

Tressautant, Shea se rendit compte que la voix de Torin murmurait dans son esprit.

— *Es-tu en sécurité ?*

Elle concentra son propre pouvoir pour le rejoindre. Se fermant au fait qu'elle était à l'extérieur et seule, elle se contenta de le rassurer.

— *Je vais bien. Je suis juste en train de travailler un sort.*

Ce qui de toute façon était assez vrai.

— *Je reviendrai bientôt.*

Ce qui voulait dire, songea-t-elle, lui fermant son esprit, qu'elle n'avait pas beaucoup de temps.

Souriante, elle secoua ses cheveux pour les éloigner de son visage et accepta que le temps soit venu. Mais c'était magique, et elle avait appris de ses rêves et de ses souvenirs qu'il était préférable d'être nue pour faire de la haute magie.

Elle regarda une fois de plus autour d'elle, juste pour s'assurer qu'elle était seule, puis elle prit une grande inspiration, claqua des doigts, et les vêtements qu'elle avait fait apparaître ce matin-là disparurent. Elle se tenait nue et chaude sous le mince éclat de la lune.

Le vent lui baisait la peau, et la froide lumière blanche de la lune semblait s'infiltrer dans son corps, la remplissant d'une sensation de paix bienvenue, apaisante. Comme si la lune l'attendait, espérant être redécouverte.

— Je suis ici maintenant, murmura Shea, s'abandonnant à cette paix qui déferlait sur elle.

Elle pencha la tête en arrière pour regarder vers le haut dans les cieux. Ses longs cheveux effleurèrent la peau nue de son dos. Elle leva les mains, les paumes vers le haut, comme pour capter la pâle lumière qui dérivait sur elle. Les yeux écarquillés, elle fixa son regard sur le croissant blanc comme le lait, le centre de qui et de ce qu'elle était.

Et alors qu'elle se tenait dans cette lumière douce, des mots lui vinrent. Des mots de pouvoir. Des mots de supplication.

— Déesse, écoute-moi. Je cherche des réponses, dit-elle d'une voix forte et régulière. Je cherche la vérité. La vie que je menais est passée depuis longtemps, mais ses échos demeurent. Aide-moi à trouver mon chemin, Déesse. Remplis mon cœur de force et mon esprit de vérité.

Ses paroles résonnèrent trop fort dans le calme profond. C'était comme si la terre elle-même avait pris une grande inspiration et l'avait retenue. Shea avait l'impression d'être en équilibre sur un fil mince et tendu entre sa vie passée et le présent. Comme si un faux pas d'un côté ou de l'autre amènerait la fin de sa quête avant même qu'elle n'ait commencé.

Et encore, elle se tenait sous la lune, accueillant sa lumière, la force que sa puissance élémentaire faisait glisser à travers elle. Le vent se leva, la caressant avec des doigts soudainement glacés. De la chair de poule courut le long de sa peau. Son rythme cardiaque tonna dans ses oreilles. Elle attendit, implorant silencieusement la lune d'ouvrir les portes de son esprit et de lui donner accès à tout ce qu'elle avait déjà revendiqué.

Ses mains restèrent là, en forme de coupe, puisant dans la puissance de la lune, l'attirant en elle-même.

— Mère Lune, écoute-moi, dit-elle dans un murmure. Accorde-moi le savoir. Aide-moi à parvenir à l'Éveil.

L'instant d'après, elle chancela comme si on avait laissé tomber sur elle un poids invisible. Son souffle s'étrangla dans sa poitrine, et son esprit se dilata pendant que des centaines d'images apparaissaient dans ses pensées, comme si quelqu'un avait soudainement retiré un rideau dissimulé.

Shea eut le souffle coupé devant le déferlement d'information, essayant désespérément de donner un sens à tout ce qu'elle voyait, à tout ce qu'elle ressentait. De nouveau, elle invoqua la lune en murmurant :

— Montre-moi. Enseigne-moi. Aide-moi à trouver le chemin.

Quelques instants s'écoulèrent, et elle se perdit dans la magie de la lune. La lumière la remplit, ruisselant à travers son corps, le long de ses bras, à l'extrémité de ses doigts. Elle sentit le gonflement du pouvoir qui augmentait et elle s'y livra. Son corps vibrait de chaleur, de vie et de force. Elle sentit les talents innés qu'elle avait transportés à travers les siècles remuer en elle. Elle ressentit la joie complète de connaître ce pour quoi elle était destinée.

Shea sourit avec satisfaction alors que le passé s'animait dans son esprit.

— Regardez ce que nous avons ici.

Stupéfaite, elle se sortit de la magie de la lune, comme une femme en train de se noyer qui perce la surface de l'eau. Elle chercha à respirer alors que l'air lui semblait trop épais et trop chaud. Son esprit était confus devant l'assaut de trop d'information absorbée trop rapidement. Pendant un moment, elle ne se souvenait même pas où elle était.

Puis, elle aperçut l'homme qui s'avançait vers elle dans la prairie au clair de lune et elle se souvint de tout.

— Tu es une sorcière, n'est-ce pas ? demanda-t-il, répondant ensuite à sa propre question. Bien sûr que tu en es une, tu es ici nue comme un ver à regarder la lune. Tu es en train de jeter un sort, sorcière ?

— Non, dit doucement Shea, sachant que peu importe ce qu'elle avait gagné avec ce sort, elle avait risqué sa propre sécurité en sortant seule dans la nuit.

Elle aurait dû attendre Torin, se dit-elle. Mais il était trop tard pour les regrets.

Elle fit face à l'homme et le regarda avec méfiance alors qu'il s'approchait. Environ quarante ans, les cheveux grisonnants et un ventre de buveur de bière, il souriait, mais ses yeux ne souriaient pas. Dans une main, il tenait un pistolet, le canon pointé vers le sol. De l'autre, il frottait sa mâchoire barbue comme s'il essayait de décider quoi faire ensuite. Il laissa son regard se déplacer sur elle avec une admiration évidente.

Shea frémit de dégoût alors que les yeux de l'homme déferlaient sur elle comme une coulée de boue.

— Tu es une jolie fille, réfléchit-il, je te l'accorde. Mais tu es quand même une sorcière.

Il leva l'arme et la pointa vers elle avec désinvolture.

— Il me semble que je pourrais te tuer juste ici, et que personne n'en penserait rien. Merde, probablement qu'on me remercierait.

« Et qu'on lui remettrait la récompense. »

Mais il ne savait pas qu'elle était la sorcière que tout le monde au pays cherchait. Cela, songea-t-elle, était du moins un bon point pour elle.

Devrait-elle se mettre à courir ? Non. Il la pourchasserait tout simplement, ou lui tirerait dessus. De plus, qu'elle soit damnée si elle s'enfuyait encore. Elle en avait assez de se cacher de ce qu'elle était. De s'excuser de son existence devant une société tellement aveuglée par sa propre peur qu'elle était incapable de voir la merveille de la magie ou des femmes qui la maniaient.

Elle n'était pas la sorcière qu'elle était il y avait deux semaines seulement. Elle ne se permettrait plus jamais de se laisser capturer ou utiliser. Elle ne permettrait à personne de poser les mains sur elle. Plus jamais. Les temps avaient changé. *Elle* avait changé. Elle avait beaucoup trop appris pour retourner à ce qu'elle était.

Cet homme croyait qu'il pouvait la capturer. La terroriser. Elle le regarda, et il lui sembla soudain petit et beaucoup moins effrayant qu'il l'avait été seulement un moment plus tôt.

Il allait être surpris.

— Oui, dit-elle, je suis une sorcière.

Il écarquilla les yeux comme s'il ne s'était pas vraiment attendu à ce qu'elle l'admette.

Shea claqua des doigts, et instantanément, les vêtements dont elle s'était débarrassée un moment plus tôt recouvrirent à nouveau son corps. Cela avait peut-être été une erreur de donner à cet homme la preuve qu'elle était une sorcière, mais qu'elle soit damnée si elle allait se tenir devant lui en le laissant la regarder comme si elle était le dernier steak sur le barbecue.

— Tu as du pouvoir, hein? demanda-t-il, levant le canon plus haut et prenant pour cible un endroit juste entre ses yeux. Tu crois que ça suffira?

Il n'y avait pas si longtemps, quand un homme avait sauté sur elle à l'école, elle avait été terrifiée. Elle avait réagi par instinct — elle l'avait tué sans même le vouloir. Cette fois-ci, c'était différent. Cette fois-ci, elle ne perdrait pas cette maîtrise durement gagnée.

Il tendit la main, et Shea le laissa l'attraper. Elle avait besoin qu'il soit proche. Et plus il était proche, moins il allait être tenté de tirer sur elle.

Le pouvoir qu'elle avait senti sous la lune déferla en elle dans un déploiement délicieux de magie étonnant. À travers sa peur, Shea sentit monter sa force.

— Tu ne vas pas te débattre, hein ?

Il sourit comme si on venait de lui donner un cadeau.

— C'est bon pour toi.

Elle sourit, leva la main et posa deux doigts sur son front. Il tomba comme une pierre et ronflait déjà avant qu'il ne frappe le sol.

— Oui, dit doucement Shea. C'est bon pour moi.

Chapitre 36

Dès l'instant où Torin entra dans la chambre du motel, il sut que quelque chose n'allait pas.

Plissant les yeux, il balaya à fond la petite chambre d'un rapide coup d'œil. Shea n'était pas là. Il ouvrit ses sens vers elle, laissa immédiatement tomber les sacs de nourriture qu'il avait apportés et apparut à côté d'elle au milieu d'une prairie au clair de lune.

— Mon Dieu !

Elle fit claquer une main sur sa poitrine et recula en chancelant.

— Tu m'as foutu la trouille !

Il la saisit et la serra contre lui, enroulant ses bras autour d'elle et la serrant contre sa poitrine jusqu'à ce que le battement régulier de son cœur calme la fureur qui bouillonnait en lui.

— Comment crois-tu que je me suis senti quand je suis revenu à la chambre et que j'ai vu que tu étais partie ?

Si son cœur pouvait battre, il se serait arrêté au moment où il s'était rendu compte qu'elle n'était pas là où elle devait être. Maintenant qu'ils s'étaient accouplés, les instincts protecteurs qu'il ressentait pour elle étaient plus exclusifs que jamais.

— Je t'ai dit de ne pas quitter la chambre…

Il s'arrêta, baissa les yeux sur l'homme qui ronflait à ses pieds.

— Qui est-ce ?

Elle haussa les épaules.

— Je l'ignore. Il est arrivé de nulle part pendant que j'étais en train d'attirer les pouvoirs de la lune.

Torin la regarda, bouche bée.

— Il t'a *vue* travailler un sort ?

— Oui.

— Femme, n'as-tu aucune idée de la menace qui plane au-dessus de nous ?

Elle s'arracha de lui, et croisa les bras sur sa poitrine.

— Je sais exactement dans quel danger nous sommes. Tout comme je sais qu'à moins que je ne me souvienne de ce que nous avons besoin de savoir, nous n'allons pas pouvoir terminer cette quête, ou mission ou quelque damné truc que ce soit.

— Et tu as pensé qu'il te fallait retrouver ce souvenir en public ? Où il est possible de te voir ?

«Pendant que j'étais parti ?» Quand il pensait à tout ce qui aurait pu lui arriver pendant qu'il n'était pas à ses côtés, il se sentait transi de froid.

— Me fais-tu si peu confiance que tu ne peux attendre jusqu'à mon retour ? Alors que je pourrais être avec toi ? Pour te protéger ?

— Si je n'avais pas confiance en toi, je ne serais pas avec toi.

Elle souffla et fit non de la tête.

— Il n'est pas question de *toi*, Torin. J'ai senti l'appel de la lune et j'y ai répondu. Je savais ce que je faisais. J'étais consciente des risques. Je ne suis pas simplement une héroïne stupide dans un mauvais film d'horreur.

Il passa une main dans ses cheveux longs.

— Tu as pris le même genre de risque que courent toujours ces femmes.

— Non, c'est faux, affirma-t-elle. Je ne suis pas impuissante. Je peux prendre soin de moi.

Elle pointa l'homme recroquevillé dans l'herbe, profondément endormi.

— Voilà ma preuve.

Détestant admettre qu'elle avait un bon argument, Torin fut contraint de reconnaître, du moins pour lui-même, qu'elle avait réussi à se protéger. Puis, il remarqua le revolver posé à côté de l'homme endormi.

— Est-ce qu'il t'a menacée ?

— Bien sûr qu'il l'a fait, mais je m'en suis occupé, dit-elle, relevant le menton comme pour le mettre au défi.

Donc, elle l'avait fait. Un mélange de fierté et d'impatience s'agitait à l'intérieur de lui. Elle commençait à être autonome, mais en même temps, il craignait qu'elle devienne trop confiante. Qu'elle prenne un risque de trop. Si elle avait fait une erreur et que cet homme l'avait tirée... Elle n'était pas encore immortelle. Elle pouvait encore mourir. Et si l'Éveil était interrompu avant d'être complété, il mourrait avec elle. Sans âme. Vide. Il n'y aurait plus d'éternité ensemble. Pas maintenant. Pas après avoir finalement fait l'expérience d'une véritable union avec elle après tant de siècles de solitude.

— Tu aurais dû m'en parler quand nos esprits se sont connectés, dit-il.

— Tu m'aurais arrêtée, répondit-elle.

— Probablement.

— Tu devrais être fier de moi, pas en colère, dit-elle.

Et malgré sa façade courageuse, il détecta un léger tremblement dans sa voix. Ainsi, la rencontre de cet attaquant anonyme l'avait secouée plus qu'elle ne voulait l'admettre. Mais même en étant effrayée, elle avait gardé la situation en main. Elle s'était sauvée.

— Je suis heureux que tu sois bien, Shea. Et que tu aies été capable de t'occuper de cet humain.

Il agita une main dédaigneuse vers l'homme qui ronflait.

— Mais c'était un choix stupide de te lancer seule vers l'inconnu.

Elle se hérissa, mais il valait mieux qu'elle soit furieuse contre lui que morte.

— J'ai survécu.

— Cette fois-ci.

— Torin…

Elle s'avança vers lui et posa ses deux mains sur ses avant-bras. Son contact le calma instantanément.

— Je sais que nous sommes dans le même bateau. Je sais que tu veux me protéger. Et je peux te promettre de faire attention. Mais c'est tout ce que je peux te promettre. Si quelque chose doit être fait, je le ferai. D'accord ?

«Non», pensa-t-il.

Il n'était pas d'accord avec l'idée qu'elle se mette en danger. Mais il trouverait un moyen de la protéger malgré elle. Par ailleurs, le mal était fait, et maintenant, il avait besoin de savoir à quoi ils pouvaient s'attendre de l'homme une fois qu'il se serait réveillé.

— Je peux t'entendre penser, tu sais, dit-elle doucement. Tu ne protèges pas tes pensées.

— Tant pis, dit-il sèchement. Tu dois savoir ce que ça
me fait quand tu es en danger.

Elle s'avança vers lui et posa une main sur sa large
poitrine.

— Je comprends, Torin. Mais tu dois aussi savoir ce que
ça me fait de ne rien faire. D'être passive et de te laisser
prendre le dessus.

— Je ne prends pas le dessus. Je te protège.

— Il faut aussi que je sache comment me protéger, lui
rappela-t-elle.

— Tu ne serais pas obligée de te protéger si tu m'écou-
tais, grommela-t-il.

Shea se mit vraiment à rire, et il ne put s'empêcher de
sourire en entendant le son de son rire. Elle ne se ferait pas
mettre en cage, pensa-t-il. Pas par ses poursuivants. Pas par
lui.

Torin hocha la tête vers l'homme sur le sol.

— Pendant combien de temps dormira-t-il ?

— Je n'en suis pas sûre. Une journée. Peut-être deux.

Un petit rire fusa de sa gorge. Il pouvait très bien imaginer la consternation de l'homme quand il se réveillerait. Il
serait confus et embrouillé et il se demanderait quand et
comment la situation lui avait échappé. Torin connaissait
lui aussi cette impression. C'était un exercice futile que d'essayer de contenir Shea Jameson.

— Se souviendra-t-il de toi ? demanda Torin tranquillement, regardant l'homme et souhaitant qu'il soit éveillé
pour qu'il puisse purger une partie de la colère accumulée
en lui et qui l'étouffait.

Elle fronça un peu les sourcils.

— Oui. Je l'ai endormi, mais j'ignorais comment modifier sa mémoire.

Hochant la tête, il prit une décision.

— Nous allons manger et puis nous partirons. Nous ne pouvons pas risquer qu'il se réveille trop tôt. Quand il se lèvera, il communiquera certainement avec les autorités. Et s'il prend conscience de qui tu es...

— Je sais, murmura-t-elle en levant son visage dans le vent. Mais Torin, il fallait que je le fasse.

Son regard croisa le sien, demandant silencieusement sa compréhension. Son soutien.

— Il fallait que je fasse ce que je pouvais pour trouver les réponses dont nous avons besoin.

Il la comprenait. Il n'aimait vraiment pas cela, mais il comprenait l'appel de la lune pour une sorcière. Il savait qu'une femme comme Shea ne se satisferait jamais d'errer longtemps dans l'obscurité. Elle avait besoin d'être responsable de sa propre vie — et qui était-il pour essayer de l'en empêcher?

— As-tu découvert ce que tu cherchais, Shea? demanda-t-il en l'attirant plus près de lui et ignorant le mortel inconscient à ses pieds. As-tu trouvé la vérité?

— Oui, dit-elle, puis elle se déplaça plus près de lui et fit serpenter ses bras autour de sa taille. Je l'ai fait. Mes souvenirs sont éveillés maintenant. Du moins, la plupart. Mais c'est seulement qu'ils sont tellement pêle-mêle, j'aurai besoin de temps pour faire le tri.

Il posa son menton sur le dessus de sa tête et la berça vers lui en une douce étreinte.

— Nous avons encore du temps, Shea.

— Pas assez, murmura-t-elle. Pas assez.

La section locale des Chercheurs de l'Ohio se rencontrait dans le sous-sol d'une église.

La grande salle était principalement utilisée pour jouer au bingo, mais ce soir, des ballons et des banderoles décoraient les murs lambrissés pour la prochaine danse père-fille. Des tables et des chaises étaient éparpillées autour de la salle, et une chaîne stéréo avait été installée dans un coin pour le DJ. De longues tables de buffet étaient décorées, mais vides de la nourriture qu'on livrerait bientôt.

La danse ne commencerait pas avant deux heures encore, de sorte que les Chercheurs avaient beaucoup de temps pour leur réunion d'urgence.

— Nous allons commencer !

La présidente, Martha Chapman, fit claquer le marteau sur la table de desserts pour demander le silence.

Elle jeta un coup d'œil sur la foule et se sourit à elle-même. Ils n'étaient pas nombreux, mais ils étaient fiers. Et déterminés. La poignée de bien-pensants qui se présentaient chaque semaine pour la réunion des Chercheurs constituait des gens sur lesquels elle pouvait compter. Des gens qu'elle avait connus pendant la plus grande partie de sa vie.

Il y avait parmi eux son pasteur, la coiffeuse locale et le meilleur mécanicien de l'Ohio. Il y avait aussi quelques adolescents qui avaient vu la lumière, et le pédiatre de sa fille assistait à sa première réunion.

— S'il vous plaît, tout le monde ! cria-t-elle en faisant claquer de nouveau le marteau.

Elle aimait les voir tous revenir à l'ordre et tourner leurs visages souriants vers elle.

— Les traiteurs arriveront dans une demi-heure pour installer ce qu'il faut pour la grande danse de ce soir, et il faut passer à travers certaines choses avant leur arrivée.

La foule s'apaisa avec bonhomie, désireuse de passer aux affaires de la soirée.

— D'abord, je tiens à exprimer ma gratitude, puisque vous êtes plusieurs à vous être déplacés dans un délai aussi court. De toute évidence, notre chaîne téléphonique est très efficace, et un grand merci à Shauna d'en avoir pris la responsabilité pour nous.

Martha applaudit avec la foule alors que sa coiffeuse saluait.

— Nous avons de bonnes nouvelles, dit ensuite Martha en souriant. Selon les rapports de nos organisations sœurs, la sorcière échappée est quelque part en Ohio à cet instant même.

Des murmures d'excitation s'élevèrent comme une vague à travers la salle.

— Savons-nous exactement où ? cria quelqu'un. L'Ohio est plutôt grand, Martha !

— Oh, Hank, ce n'est pas le temps de parler, reprocha-t-elle, agitant son doigt comme si le pompier costaud était un jeune espiègle de six ans. Est-ce que je serais venue ici sans avoir des renseignements à diffuser ? Maintenant, la rumeur veut que l'homme soit avec elle…

— L'homme de feu ?

— Oui, Tessie, lui-même, dit Martha, fronçant les sourcils devant l'interruption de la chef des meneuses de claques. La dernière fois qu'on les a vus, ils se trouvaient dans un motel juste à l'extérieur de Brecksville.

— Tiens, à pas plus de trente kilomètres d'ici !

— Exactement!

Martha sourit, heureuse de voir qu'ils étaient aussi anxieux qu'elle de se montrer dignes de leurs statuts de Chercheurs.

— Maintenant, qu'en dites-vous? Pourquoi n'allons-nous pas attraper cette sorcière pour la remettre au Dr Fender?

— Y a-t-il une bonne récompense si on l'attrape? demanda l'un des adolescents d'un ton nostalgique.

— Oui, Christopher, il y en a une, dit Martha, sa voix teintée de déception. Mais seulement si vous la remettez aux autorités, et ce n'est pas ce que nous voulons, n'est-ce pas?

Remis à sa place, Christopher secoua la tête.

— Non, madame.

— Souvenez-vous, dit-elle, tournant son attention à nouveau vers le groupe. Nous ne travaillons pas pour les récompenses, mais pour la satisfaction d'accomplir le travail de Dieu. Ce que nous faisons, nous le faisons pour l'humanité. Pour la société. Pour *Dieu.*

Des applaudissements éclatèrent, et Martha se délecta de la reconnaissance pendant une longue minute. Avec la menace de la sorcellerie qui planait sur le monde, Martha avait enfin trouvé sa voie. Pendant la plus grande partie de sa vie, elle avait eu l'impression d'être un peu *moins* que ce qu'elle voulait être. Lorsqu'elle était enfant, elle avait prévu réaliser de grandes choses, mais d'une certaine manière, le mariage et la maternité lui avaient volé sa vie et éloigné ses rêves.

Maintenant, enfin, elle avait la chance d'opérer un changement réel dans le monde. Elle était en train de faire une différence. De défendre les droits des gens ordinaires. Elle faisait ce qu'elle pouvait pour que ce monde devienne un endroit plus sécuritaire pour ses enfants et pour ses petits-enfants. Et la fierté qu'elle ressentait la gonflait tellement à l'intérieur qu'elle avait l'impression qu'elle allait éclater.

— Sachez, dit Martha à tous, que le Dr Fender veut vraiment cette sorcière en particulier. La partie scientifique me confond toujours énormément, mais il semble penser que cette sorcière est spéciale. En tout cas, elle et les autres qui lui ressemblent constituent peut-être la clé qui permettra enfin de trouver un moyen de drainer *l'ensemble* de leurs pouvoirs.

— Et de nous les remettre, non ? demanda Tony, le propriétaire du restaurant italien de la ville.

— C'est vrai, Tony.

Martha lui sourit radieusement et imagina qu'un jour elle détiendrait le pouvoir qui lui permettrait de défendre sa ville et le pays.

— Une fois que nous aurons évacué les sorcières, les justes seront dotés des pouvoirs tirés de leurs âmes obscures.

Tessie reprit la parole.

— N'est-ce pas, euh, dangereux ? Je veux dire, si leurs pouvoirs sont obscurs, ne deviendrons-nous pas obscurs, nous aussi ?

Martha quitta l'estrade, se dirigea vers l'adolescente et prit le menton de la jeune fille dans sa main. Voilà une autre âme qu'elle influençait. Qu'elle aidait à marcher dans le bon chemin.

— Pas du tout, ma chérie, dit-elle. Ces pouvoirs sont arrachés des impies et remis aux vrais croyants...

Elle s'arrêta et laissa la lumière de son regard zélé balayer les visages de ses amis et voisins. Qu'ils voient la gloire de ce qu'ils étaient en train de faire. Qu'ils sentent l'importance de la mission qui leur avait été confiée. Ce pourrait être la soirée la plus importante de leur vie. Tour à tour, elle sourit à chacun, leur montrant à quel point elle était fière de servir avec eux, à quel point elle était certaine de leur victoire.

— Quand le travail de ce soir sera réalisé, nous serons les vrais guerriers du Seigneur ! Nous serons les instruments de Sa paix.

— Amen, murmura quelqu'un, et des applaudissements éclatèrent.

— Et souviens-toi toujours, ma chérie, dit-elle en baissant les yeux vers les grands yeux bleus de Tessie. Dans ce domaine, tu es du côté du bien. Voyons, c'est la Bible qui nous le dit. « Une magicienne, tu ne la laisseras pas vivre. » Le Seigneur n'aurait pas pu être plus clair dans ses instructions, n'est-ce pas ?

— Je suppose que non, murmura Tessie.

Martha lui tapota l'épaule.

— Tessie, ici, nous accomplissons le travail de Dieu, ajouta-t-elle, tous autant que nous sommes, et ne l'oublie jamais.

— Non, madame, répondit la jeune fille.

Les traiteurs entrèrent en s'affairant, portant des plateaux fumants, envoyant dans les airs l'odeur de poulets grillés et de pommes de terre et de sauce.

— Mon Dieu, dit Martha, ça sent vraiment bon, n'est-ce pas ?

Puis, elle frappa dans ses mains et elle sourit.

— Maintenant, je ne sais pas pour vous, mais j'ai un rôti dans le four à la maison. Alors, que diriez-vous d'aller recueillir cette sorcière pour qu'aucun d'entre nous ne soit en retard pour souper?

Chapitre 37

Shea s'assit au pied du lit et appuya son visage dans ses mains. Elle n'aimait pas sentir la frustration de Torin devant les gestes qu'elle accomplissait. La colère qu'il ressentait pour avoir été exclu de sa décision. Mais ils devraient tous les deux apprendre à vivre avec cette façon d'agir. Elle avait fait ce qu'il fallait faire et elle avait survécu. Il était temps de passer à autre chose.

Elle écouta le bruit de la douche et pensa à rejoindre Torin dans la salle de bain. Mais elle écarta cette idée une seconde ou deux plus tard. Ils devaient partir, et si elle entrait là avec lui, il faudrait peut-être des heures avant qu'ils soient prêts à se déplacer à nouveau.

Alors elle se mit plutôt à fouiller dans ses souvenirs retrouvés. Comme elle l'avait dit à Torin, ils étaient tous tellement pêle-mêle — il y en avait pour des siècles —, il lui faudrait du temps pour trouver celui dont ils avaient le plus besoin. Shea savait qu'il attendait qu'elle lui dise où ils devaient se rendre. Qu'elle ait la vision. Qu'elle réveille le souvenir qui les orienterait. Les mènerait à toute allure sur le chemin qui leur permettrait de réparer ce gâchis.

Mais jusqu'à présent, elle n'avait rien.

Hochant la tête, elle attrapa la télécommande du télévi-seur et passa les chaînes une après l'autre en espérant tomber sur une stupide sitcom.

Naturellement, les nouvelles apparurent. Avant qu'elle ne puisse changer de chaîne, elle fut aspirée par le compte-rendu. À son sujet.

— *Shea Jameson est portée disparue depuis maintenant deux semaines.*

La caméra se déplaça pour montrer la cour de Terminal Island et la centaine de femmes toujours emprisonnées. Le journaliste fit un commentaire sur les images.

— *Une enquête sur la fuite est en cours, et le Bureau de la sorcellerie a été appelé en renfort. Interrogé par ce journaliste, le gardien Salinger a insisté pour dire qu'il s'agit d'un incident rare et que sa prison ne présente aucune menace pour la population en général.*

L'estomac de Shea se souleva alors qu'elle vit les gar-diens de prison dans leurs tours pointant des armes à feu vers les femmes détenues qui marchaient sans but autour de la cour.

— *Le gardien Salinger affirme en outre qu'on s'est servi de magie pour faire disparaître les sorcières manquantes et que lui et ses hommes étaient impuissants à se défendre contre ce phénomène.*

— Ce n'est probablement pas une bonne idée de pré-ciser ce point, murmura Shea, puis elle s'arrêta lorsque son portrait apparut sur l'écran.

On utilisait la photographie de son permis de conduire, et elle paraissait hideuse, mais elle était reconnaissable.

Elle regarda l'écran alors que le reporter donnait sa des-cription à l'auditoire. Nerveusement, elle passa ses doigts dans ses longs cheveux roux et fit la grimace. Elle avait essayé d'en couper plusieurs centimètres et de les teindre brun foncé, comme elle l'avait fait il y avait très longtemps lorsqu'elle était seule et en fuite. Mais cette fois-ci, cela n'avait pas fonctionné. Le lendemain matin, ses cheveux avaient repoussé jusqu'au milieu de son dos, et la couleur châtain foncé avait remplacé le brun indéterminé. Il semblait que ses pouvoirs d'Éveil l'empêchaient de modifier l'apparence de ses cheveux. Bien sûr, une fois qu'elle maîtriserait mieux ses pouvoirs, elle pourrait peut-être essayer d'effectuer un changement en se servant de magie.

Dégoûtée, elle éteignit le téléviseur, se leva et se mit à marcher. Si elle avait compté tous les pas effectués de long en large et sans but au cours de la dernière semaine, elle aurait probablement fait le tour du monde.

Donc, elle décida plutôt de canaliser ses énergies sur un charme qu'elle avait étudié dans le livre ancien du sanctuaire. Si tout le monde était en train de la chercher, il était temps qu'elle s'adonne elle-même à un peu de recherche.

Elle s'allongea sur le lit, fixa le plafond pendant de longs moments silencieux et laissa son esprit se vider. Elle se détendit, comptant chaque légère respiration, jusqu'à ce que son corps soit mou et que son âme s'élève de son corps. Au moyen de la projection astrale, elle se concentra sur la recherche de cette femme qu'elle avait entrevue un jour dans un miroir de divination.

Son esprit s'envola, sans entraves, par une nuit étoilée, passant des maisons où les gens étaient rentrés. Elle faisait partie de la nuit tout en étant une entité séparée. Elle cherchait une femme dans la masse. Lorsqu'elle entendit le chant murmuré, Shea se retourna, étant emportée infailliblement vers son but. Son esprit était en train de chercher alors que son corps gisait encore sur le lit, une coquille vide. Des lumières brillantes l'attirèrent, la voix chantante devenant plus distincte.

Une femme était assise seule dans une pièce obscure, les traits cachés par les ombres projetées par les flammes d'une dizaine de bougies blanches.

« Blanc, songea Shea, pour la purification et les rituels de protection. »

— Je vous sens, dit la femme, la tête penchée au-dessus des flammes dansantes. Vous n'auriez pas dû venir.

— Pourquoi me poursuivez-vous ? demanda Shea tout en s'efforçant de garder la connexion avec cette femme. C'est vous qui avez envoyé ces hommes qui ont incendié le motel, n'est-ce pas ?

— C'était moi, répondit-elle.

Même si Shea ne pouvait voir son expression, elle savait que la femme souriait.

— Mais ne vous inquiétez pas. Je ne veux pas vous tuer.

— Alors cet incendie était probablement une erreur, dit-elle, sentant le pouvoir en réserve à l'intérieur de la femme.

— Une erreur de calcul. Les imbéciles étaient censés éliminer votre Éternel et vous emmener à moi.

— Pourquoi ?

— Parce que, Shea, soupira la femme, séparées, nous sommes toutes les deux puissantes, mais limitées. Ensemble, il serait impossible de nous arrêter.

— Qui êtes-vous ?

— Pas d'autres questions !

La femme agita une main, et Shea se sentit retomber comme elle était venue pour se retrouver dans son corps, fixant le plafond sans le voir.

Son souffle soulevant et abaissant sa poitrine, Shea lutta pour se stabiliser. Elle avait entendu la voix de son ennemie. Elle avait senti la puissance qui l'entourait. Et elle savait que la femme était beaucoup plus puissante qu'elle.

Elle se redressa lentement, sa magie bouillonnant en elle. Il avait été dangereux d'attirer la lune, mais cela en avait aussi valu la peine. Elle n'aurait jamais pu même tenter ce qu'elle venait de faire sans cela. Le charme de renouvellement qu'elle avait travaillé l'avait rendue plus forte. Tout comme l'accouplement avec Torin renforçait ses pouvoirs. Elle se sentait soulagée de savoir qu'il lui apparte-nait. Qu'il demeurerait à ses côtés, peu importe ce qui arri-vait. Même si elle n'avait pas hâte de lui parler de la femme qu'elle venait tout juste de voir et à qui elle venait de parler.

Après tout, elle avait vu elle-même ce qu'elle et ses sœurs avaient fait plusieurs siècles plus tôt. L'appel du pou-voir avait été si séduisant qu'elles en avaient voulu plus encore. Et elles s'étaient abandonnées à quelque chose d'obscur et de maléfique. Elle n'était pas encore capable de voir l'entièreté de sa vision. Elle ne trouvait pas la clé men-tale de cette serrure ; mais elle sentait le danger jusque dans ses os. Et cela l'inquiétait.

Si elle avait déjà été tentée par le mal auparavant... qu'est-ce qui empêcherait l'histoire de se répéter ?

Peut-être que c'était parce qu'elle était déjà tellement chargée par la magie. Peut-être était-elle plus vulnérable après sa rencontre avec la femme dans l'ombre. Quelle que soit la raison, un souvenir s'éleva soudainement à la surface de son esprit, balayant Shea dans un passé encore vivant de pouvoir.

La nuit froide et sombre n'était éclairée que par les éclairs qui fouettaient occasionnellement le ciel. Des nuages couvraient la lune, mais son éclat arrivait tout de même à teindre les bords d'un éclat argenté. Le vent hurlait, et tout près, la mer s'écrasait contre les rochers du rivage.

Torin lui attrapa le bras alors qu'elle marchait à flanc de colline, ses pas assurés, ses traits fixés dans une expression de farouche détermination. Elle s'arrêta et lui lança un regard noir en voyant sa main sur son bras.

— Ne faites pas cela, dit-il, sa voix, profonde, urgente. Ne sentez-vous pas l'obscurité qui voltige tout près ? L'air lui-même hurle.

— Vous vous inquiétez trop, dit-elle avec un hochement de la tête alors qu'elle se glissait devant lui sur le chemin. Mes sœurs et moi savons ce que nous faisons.

— Non, vous ne le savez pas.

Il apparut en flammes et lui bloqua le chemin.

— Votre soif de pouvoir vous rend toutes aveugles à ce qui se passe réellement.

— Que savez-vous du pouvoir ? demanda-t-elle, puis elle rassembla sa cape et se glissa une fois de plus devant lui.

Au-dessus de leur tête, les nuages se réunissaient, et la foudre s'abattit. Le vent était froid et tranchant, et le soupir de la mer bourdonnait comme le pouls d'un dieu agité.

— En tant qu'Éternels, lui rappela-t-elle d'un air hautain, il est de votre devoir de vous tenir à nos côtés. Pour nous défendre. Nous protéger. Pas pour pleurnicher au sujet du danger quand vous perdez la foi.

Ses yeux gris pâle brillèrent, et des explosions de magie y tourbillonnèrent alors qu'il tendit le bras pour la retenir. Il la secoua très fort jusqu'à ce que le capuchon de sa cape tombe. Le vent souleva immédiatement ses longs cheveux roux foncé dans un halo emmêlé autour de sa tête.

— Mes frères et moi agissons comme guerriers. Nous avons été choisis pour vous défendre toutes, même de votre propre arrogance.

— Arrogance ?

Elle répéta le mot avec un rire sauvage.

— Est-ce de l'arrogance de savoir qui et ce que nous sommes ? De quoi nous sommes capables ? Non, Éternel. C'est vous qui êtes arrogant. De penser que vous pourriez nous empêcher de faire ce que nous avons à faire.

— Je ne suis pas le gringalet pleurnichard que vous me croyez être, et qui reste blotti dans la nuit, lui dit-il, le visage sombre, les yeux tourbillonnant toujours dangereusement de magie. Je suis le guerrier qui n'a jamais manqué d'être à vos côtés dans les moments de danger. Pourtant, je ne resterai pas silencieux quand je vous vois marcher aveuglément vers le désastre.

Le vent glacial poussa ses cheveux sur ses yeux, et elle s'arrêta pour les libérer. Levant les yeux vers l'homme géant qui était à la fois son amoureux et son gardien, elle s'obligea à sourire et lutta pour rester patiente.

— Torin, ne comprenez-vous pas à quel point nous serons plus lorsque tout ceci sera terminé ? Nous avons quitté le cloître de Haven pour puiser la magie de l'Artefact pour le bien de tous. Ne pouvez-vous concevoir l'attrait de la connaissance que nous allons gagner ?

— À quel prix ? répliqua-t-il. Allez-vous troquer votre âme ?

Elle fronça les sourcils, à bout de patience, manquant de temps.

— *Si on en arrive là, c'est mon âme, et je peux en faire ce que je veux. Accompagnez-moi ou pas, Éternel. Mais ne pensez pas à m'arrêter. Je vais à la danse de la pierre pour rejoindre mes sœurs.*

— Shea ?

La main de Torin sur son épaule la tira de son souvenir, et elle frissonna alors qu'il s'estompait.

— Mon Dieu, tu as essayé de me mettre en garde, n'est-ce pas ?

— Quoi ?

Elle tremblait. Elle tremblait de la tête aux pieds à ce souvenir. Elle pouvait encore sentir la morsure du vent, entendre l'océan, *voir* la fureur qui s'accumulait dans les yeux de Torin.

— À l'époque, dit-elle. Quand nous étions à l'âge des ténèbres ou peu importe, tu as essayé de me prévenir. Tu as essayé de m'empêcher — de nous empêcher — d'ouvrir cette maudite porte. Je ne voulais rien entendre.

Toujours nu et humide de la douche, il l'attira vers le bord du lit. Il s'assit, puis l'attira près de lui. Elle accepta l'invitation, se pelotonna sur ses genoux et enfonça sa tête dans le creux de son épaule.

— Eh bien, peu de choses ont changé au fil des siècles, murmura-t-il.

Elle pencha la tête en arrière.

— Tu le crois vraiment ?

Il croisa son regard et lissa doucement ses cheveux pour les enlever de son visage.

— Non. Non, je ne le crois pas. Tu es toujours aussi têtue, mais il n'y a pas de très grande soif en toi, Shea. Tu as appris qu'il y a des limites à tout. Tu ne m'écoutes toujours pas, mais…

Elle le gifla.

— J'écoute. Quand je veux.

— Ah. Oui, une belle distinction.

Il agita une main, et ses vêtements disparurent. Shea était reconnaissante. Elle avait besoin de sentir la chaleur de sa peau contre la sienne. Sa force et sa solidité.

— C'est tout ce que je peux te promettre, Torin.

Elle leva les yeux vers lui.

— C'est bien ce que je croyais, murmura-t-il.

Puis sa main se figea sur son dos.

— Nous devons repartir, Shea.

— Je sais.

Elle se mordit la lèvre inférieure.

— Quoi?

Il lui lança un regard mauvais jusqu'à ce que Shea lui ouvre son esprit et qu'il voie lui-même ce qu'elle avait fait pendant qu'il était en train de prendre sa douche.

— Merde, Shea! Tu as permis à une ennemie d'entrer dans tes pensées.

— J'étais aussi dans les siennes.

— Et qu'as-tu découvert?

— Pas grand-chose.

— Était-ce la même femme que tu avais vue avant? Qui est-elle?

— Oui — et je ne sais pas, admit Shea en frottant ses mains le long de ses bras. Tout ce que je sais, c'est qu'elle est puissante et qu'elle me veut.

— Eh bien, elle ne peut pas t'avoir.

Il l'attira plus près de lui.

— C'est une affaire dangereuse que de quitter ton corps, Shea. Tu ne devrais pas essayer ça sans être ancrée.

La projection astrale est une méthode de voyage spirituel — un moyen de laisser son corps en arrière en permettant à l'esprit, à notre essence même, de voler librement. Le seul problème, c'est que si on est coupé de son corps, on peut finir par être coincé dans l'entre-monde — pas vivant, pas mort, juste... *pas.*

— La prochaine fois, je t'emmènerai, d'accord?

— D'accord. Maintenant que tu as débloqué tes souvenirs, sais-tu où nous devons aller ensuite?

Elle se saisit mentalement du souvenir qui l'avait tourmentée quelques instants plus tôt.

— Je ne connais pas encore l'endroit exact, mais j'ai senti que nous devions d'abord nous rendre en Angleterre.

— J'ai pensé que nous finirions par y aller.

Elle se retourna contre lui, appuyant ses seins contre sa poitrine.

— Bien sûr que tu l'as pensé. Tu te souviens de l'endroit où nous étions.

— Non, dit-il doucement tout en croisant son regard. Aucun des Éternels ne se souvient très bien de cette nuit. Je sais seulement que l'assemblée des sorcières était installée en Europe pendant très longtemps.

— Je me suis souvenue d'autre chose, lui dit-elle. Un nom. Haven.

Elle étudia sa réaction.

— Tu connais ce nom. Sais-tu où c'est?

— Non, pas précisément.

Il lui caressa la joue.

— L'assemblée ne permettait à personne d'entrer à Haven. Je sais seulement que c'était caché à tous, sauf à l'assemblée. Mais après?

Il haussa les épaules.

— À l'époque, aucune de vous ne risquait de partager beaucoup de choses avec nous. Aucune d'entre vous n'était disposée à nous permettre de nous approcher trop près tellement vous craigniez de perdre certains des pouvoirs dont vous étiez si désespérément assoiffées.

Elle émit un petit rire, et le son était rempli d'une grande tristesse.

— Mon Dieu, comment avez-vous pu nous supporter? Je me souviens seulement de bribes, mais toi, tu as tous les souvenirs, n'est-ce pas?

Elle leva les yeux vers lui.

— Comment peux-tu me voir moi sans *la* voir?

Il prit son visage dans ses paumes, ses pouces traçant ses pommettes. Son regard se riva au sien, et il dit simplement :

— Je t'ai toujours vue, Shea. Pour ce que tu es. Pas pour les désirs ou les besoins qui t'empoignent comme ils nous empoignent tous. Mais pour la femme à l'intérieur. La femme dont l'âme a enfin trouvé sa voie. Ton temps est enfin venu.

Shea laissa tomber la tête sur sa poitrine et se contenta de s'appuyer sur lui, sentant sa force. Sa permanence. Cet homme l'avait accompagnée pendant toute l'éternité. Il avait veillé sur elle, même quand elle n'avait pas mérité sa protection. Et il était toujours là, la soutenant même s'il avait toutes les raisons de se méfier d'elle.

« C'est drôle », songea-t-elle. Depuis le moment où elle l'avait rencontré en dehors de l'école — et ne semblait-il pas s'être passé toute une vie depuis ? — elle s'était demandé si elle pouvait lui faire confiance. Elle s'était retenue, incertaine de lui ou de sa loyauté.

Il était ironique de constater que pendant des siècles, c'est *elle* qui n'avait pas été digne de confiance.

La grosse main de Torin caressa l'arrière de sa tête et la tint près de lui.

— Aie confiance en toi, Shea. Aie confiance en l'Éveil.

Elle hocha la tête.

— Je finirai par comprendre, Torin. Je nous emmènerai à Haven.

— Je sais que tu le feras.

Shea prit une profonde inspiration et la laissa hors de ses poumons.

— Peux-tu nous emmener jusque-là par le pouvoir du feu ?

Il sourit.

— Non. C'est trop loin.

— Alors, je suppose que ce n'est pas le bon moment pour mentionner à quel point je déteste voler, hein ?

— Nous ne volerons pas non plus, lui dit-il, baissant la tête pour un rapide et dur baiser. Avec ton Éveil magique, tu pourrais faire tomber l'avion.

— Oh mon Dieu.

Elle resta bouche bée à la pensée qu'un avion puisse s'écraser à cause de ses pouvoirs.

— D'accord. Pas d'avion. Peut-être plus jamais.

Il sourit, passant ses mains le long de son dos jusqu'à ce qu'il crée une merveilleuse friction qui éloigna son esprit des problèmes présents.

— Quand ta magie sera stable, il sera assez sécuritaire de voler. Plus sécuritaire même, puisque tu pourras t'assurer qu'il n'arrive rien de mal à l'avion.

— Ouais, chuchota-t-elle, ne l'écoutant qu'à moitié maintenant que les mains de Torin se glissaient vers l'avant et caressaient ses seins, ses mamelons sensibles. Elle n'avait plus envie de parler d'avions. Ou de sorcellerie. Tout ce qu'elle voulait maintenant, c'était de faire l'amour avec lui une fois de plus avant leur départ.

— Alors, disait-il, nous prendrons un bateau.

— D'accord...

Elle se tortilla sur ses genoux et sentit son érection durcir instantanément. Puis, elle sourit, baissa la tête sur sa poitrine et l'embrassa sur le tatouage enflammé qui le marquait comme lui appartenant.

Il haleta en sifflant.

— Nous partirons immédiatement pour New York. La traversée va prendre plusieurs jours.

Elle pressa sa langue sur le tatouage.

— Bon, alors. Nous ferions mieux d'y aller.

— Mais pas tout de suite, je pense, murmura-t-il ; et il la souleva de ses genoux juste assez haut pour lui donner la place dont il avait besoin pour entrer dans son corps.

Il la regarda dans les yeux.

— Je te veux, Shea. Maintenant et toujours.

À ces mots, elle se déposa lentement sur son large membre. Elle le prit profondément et sentit tous les morceaux déchiquetés d'elle-même se remettre en place. C'était ce dont elle avait besoin. Cette connexion. Cette union avec Torin.

Il bougeait en elle, son regard rivé sur le sien, et à chaque mouvement de son corps, ses yeux s'embrasaient avec encore plus de passion qu'elle en avait connu auparavant. Ses mains sur ses épaules, elle se donna à lui et à la vraie magie qu'il créait en elle.

Encore et encore, ils se déplacèrent ensemble. Elle tordit ses hanches sur lui, déclenchant en elle une délicieuse friction qui grésillait le long de ses terminaisons nerveuses comme des fils sous tension. Son pouls battait, son sang pompait, épais et chaud dans ses veines. Alors qu'elle le montait, Torin laissa tomber sa main vers sa chatte et se servit de son pouce pour la caresser sur le point le plus sensible.

Encore plus d'électricité s'arqua entre eux. Plus brillante. Plus chaude. Elle laissa retomber sa tête et se déplaça en lui. Shea sentit le corps de Torin se tendre et elle sut qu'il était près de se libérer. Tout comme elle savait qu'il allait attendre, contenant ses propres passions jusqu'à ce qu'elle ait trouvé les siennes. Il repousserait ce moment à jamais, si cela signifiait qu'elle puisse avoir encore un autre moment de plaisir. Et sachant cela, ressentant cela, elle atteignit la félicité et la saisit.

Appelant son nom, elle frémit dans son étreinte alors que son corps éclatait en une série d'orgasmes exquis qui la laissèrent tremblante et molle. Ce ne fut qu'à ce moment que Torin réclama ce qui lui appartenait. Ce n'est qu'alors qu'il tint son corps sur le sien et qu'il se vida en elle, avec un gémissement qui était son nom.

— Wow, murmura-t-elle, reposant son front sur son épaule. Ça devient de mieux en mieux.

Il l'embrassa sur le côté de son cou.

— Et nous aurons l'éternité pour l'améliorer encore davantage.

Elle se raidit dans ses bras.

— Torin. Quelque chose ne va pas.

Il la souleva de ses genoux et sauta sur ses pieds.

— Qu'est-ce que c'est?

— L'obscurité, murmura-t-elle. Elle arrive.

Puis le monde explosa.

Chapitre 38

L a porte s'ouvrit avec fracas.
Des fenêtres se brisèrent dans une pluie d'éclats de verre.

Shea se mit à hurler et tenta de s'éloigner du verre en sautant, mais son pied se posa durement sur un fragment dentelé, et la douleur s'élança tout le long de sa jambe. Deux grands hommes l'attrapèrent, chacun d'eux tenant un de ses bras en les tordant dans son dos. Nue et terrifiée, secouée de la brume sexuelle confortable qui l'avait habitée à peine un instant plus tôt, Shea jeta un coup d'œil vers Torin alors qu'une demi-douzaine d'étrangers affluaient dans la pièce, criant, agitant des matraques et des pistolets.

Torin rugit de fureur et tendit la main vers elle juste au moment où une femme d'âge moyen jetait une couverture tricotée sur lui. Les plis souples se drapèrent sur lui, et il tomba sur le sol sous son poids.

— Torin!

Le cri de Shea secoua la pièce. Elle se tordit et se débattit contre les poignes des hommes, mais elle était incapable de libérer ses mains. Que diable se passait-il? Qu'y avait-il dans cette couverture qui pouvait faire tomber Torin ainsi?

— Qui êtes-vous? cria-t-elle. Que voulez-vous?

— Ça suffit, ma petite, dit la femme plus âgée en secouant la tête. Baissez le ton. Pas la peine de crier, personne ne va venir aider une sorcière!

L'estomac de Shea s'effondra.

«Oh mon Dieu.»

Ils étaient là pour elle. Pour l'emmener Dieu sait où. Peut-être y avait-il des gardiens de prison en attente dans le stationnement. Peut-être... peut-être pas. Elle arrêta délibérément son imagination qui s'élançait au-devant de la situation. La femme avait dit que personne ne viendrait l'aider. Ce qui signifiait probablement que personne ne viendrait, point. Ces gens, qui qu'ils puissent être, agissaient probablement de leur propre chef.

— Regardez-vous.

La vieille femme fit claquer sa langue avec dégoût.

— Nue comme un ver, et lui n'est guère mieux!

Elle fit volte-face, fixa une adolescente et se mit à crier:

— Tessie Marie Grainger, fermez les yeux immédiatement. Je n'ai pas envie de devoir expliquer à votre maman que vous avez vu un homme nu pendant que vous étiez sous ma protection.

La jeune fille blonde en question fixa Torin un instant de plus, puis ferma les yeux à contrecœur. Mais le sourire sur son visage disait que le souvenir la satisfaisait.

Shea se tortilla et se tordit inutilement, essayant de se libérer des deux hommes qui tenaient ses bras derrière son dos. Mais leur emprise sur elle était si serrée, si solide, qu'elle ne pouvait même pas faire claquer ses doigts pour se vêtir. Au lieu de cela, elle était obligée de se tenir nue devant une pièce remplie d'étrangers psychotiques. Elle sentait leurs regards sur elle comme la caresse d'une main sale.

— Qui êtes-vous ? exigea-t-elle, jetant ses cheveux en arrière et soulevant son menton en guise de mépris impuissant.

— Surveillez votre ton, ma petite, dit la femme, de toute évidence la responsable du groupe, alors qu'elle baissait le bras pour tirer le bord de sa couverture sur la partie inférieure du corps de Torin.

— Honnêtement, vous, les gens de la magie, vous n'avez aucun sens des convenances. Vous êtes nus tous les deux, et il n'est pas encore dix-huit heures ! Nul doute que vous étiez en train d'avoir des relations sexuelles, et il fait à peine sombre à l'extérieur. Faut-il s'étonner que des chrétiens pieux doivent prendre les choses en mains ?

Shea grogna devant le ton moralisateur de la femme.

— N'en faites pas un cas de religion, dit-elle. Ce n'en est pas un. C'est juste de la peur. Vous avez peur, alors vous vous en prenez à nous.

Martha grogna.

— Il me semble qu'ici, c'est vous qui avez peur.

Torin gémit et lutta pour s'asseoir. Il échoua, et ses yeux gris lancèrent un avertissement qui disait à tous dans la pièce qu'ils feraient mieux d'espérer qu'il ne se libère pas.

— Ne perdez pas votre temps là-dessus, monsieur, lui dit la femme. J'ai moi-même tricoté cette couverture. Il y a des fils d'or blanc mêlés à la laine, donc elle vous retiendra.

Eh bien, cela expliquait pourquoi la couverture avait autant d'effet sur Torin. Cela coupait aussi court à tout espoir de le voir échapper à cette couverture et de les faire sortir de là. Le regard de Shea balaya la chambre, passant d'un visage à l'autre. Ils ont tous l'air si... normaux, pensa-t-elle. Sauf le fait qu'ils aient en main des matraques et des pistolets, et qu'ils les tenaient captifs, elle et Torin. Son regard se tourna à nouveau vers la femme plus âgée debout devant elle.

— Vous avez tricoté une couverture avec des fils d'or blanc ?

Les yeux écarquillés, la femme se retourna pour regarder Shea.

— Oui, bien sûr. Comment pourrions-nous autrement le contenir pendant que nous vous emmenons ? Et laissez-moi vous dire, ma petite, les fils d'or blanc sont sacrément chers.

Shea rit presque. Presque. Elle était prisonnière à nouveau, mais cette fois, ce n'était pas des gardiens de prison. Cette fois, cela ressemblait à une section locale de l'association de parents d'élèves, pour l'amour du ciel.

— Que voulez-vous de nous ?

— Eh bien, commençons par le commencement, je crois, dit la femme. Je m'appelle Martha Chapman. Je suis la présidente de la société locale des Chercheurs.

« Les Chercheurs. »

L'estomac de Shea se noua d'un coup. Shea. Elle connaissait cette organisation. Elle était au courant des expériences. Des tortures. La mort de trop de femmes — sorcières autant qu'humaines — pour qu'on puisse les compter. Elle jetait maintenant un regard différent sur les visages qui l'entouraient et elle n'aima pas ce qu'elle vit. Ils n'avaient rien à voir avec des fous.

Simplement des gens déterminés.

— Ah, dit Martha, lui adressant un sourire heureux. Je vois que vous avez entendu parler de nous. N'est-ce pas sympathique ?

— Il n'est pas nécessaire que vous fassiez ça, lui dit Shea, se creusant frénétiquement les méninges afin de retrouver ses souvenirs pour un charme, une incantation, tout ce qui pourrait être utile en cet instant.

Mais il y avait un vide dans son esprit, juste au moment où elle en avait le plus besoin.

— Nous nous apprêtions à quitter la ville. Nous aurions été partis d'ici une demi-heure.

— Eh bien, dit Martha, se déplaçant vers le lit et faisant glisser le couvre-lit fleuri, n'est-ce pas de la chance que nous soyons arrivés à ce moment, alors ? Tony ? Hank ? Vous continuez à bien la tenir pendant que j'enveloppe cette couverture autour d'elle.

— Elle est difficile à tenir, Martha, dit l'un des hommes. Nous pourrions employer les menottes.

— Bien sûr. Où avais-je la tête ?

Martha se retourna et regarda un jeune homme.

— Michael, allez chercher les menottes dans la voiture.

Puis, elle s'affaira à nouveau à envelopper la couverture autour du corps de Shea.

— De grâce, une femme tatouée. Et sur votre sein, en plus ! Vous souhaitez nourrir votre bébé avec cette encre terrible couvrant ce que Dieu vous a donné ? Vous, les sorcières, vous n'avez aucune pudeur, n'est-ce pas ?

C'était clairement une question rhétorique. Shea tenta de s'éloigner de la femme. Il y avait une lueur fanatique dans ses yeux bleu pâle qui était sacrément dérangeante.

Elle crut avoir été surprise à lancer un coup d'œil rapide sur Torin qui gisait immobile sur le sol. La couverture tissée de fils d'or blanc recouvrait son corps de la poitrine vers le bas, et quand il la regarda, elle lut une fureur impuissante dans ses yeux.

— Son homme ici a un tatouage assorti, Martha, dit l'un des ravisseurs de Shea.

— Effectivement.

Martha se retourna pour le regarder, à plat sur le sol.

— Dieu seul sait ce que cela signifie. Mais ça n'a pas vraiment d'importance pour nous, n'est-ce pas ? De toute façon, ce n'est pas pour lui que nous sommes ici.

— Je n'aime pas le regard dans ses yeux, Martha, dit l'un des hommes. Je pense que nous devrions lui tirer dessus maintenant et en finir avec lui.

La panique s'éleva et s'accrocha au fond de la gorge de Shea. Torin était immortel, oui, mais s'ils lui tiraient dans la tête ? Quelles seraient les conséquences pour lui ? D'ailleurs, elle était absolument incapable de supporter l'idée de ces maniaques en train de tirer sur Torin.

Peu importe ce qu'elle allait faire, elle devrait le faire seule. Et vite. Il fallait qu'ils sortent d'ici. Elle ne pouvait pas se faire emmener par les Chercheurs. Dieu savait où elle finirait. Et même si Torin était immortel, elle savait beaucoup trop bien qu'il pouvait se faire blesser assez gravement pour être mis hors service.

— Vous pourriez avoir un bon point, Tony, réfléchit Martha, comme si elle essayait de décider si on aurait des pommes de terre ou du riz pour accompagner le souper.

— Qu'allez-vous faire de moi ?

Shea avait pris la parole dans le silence lourd, espérant que si elle continuait à leur parler, elle pourrait détourner leur attention de Torin et en quelque sorte gagner du temps. Du temps pour trouver une solution.

— Nous vous amenons au Dr Fender, ma chère, dit Martha, le ton de sa voix ayant une résonnance aussi apaisante que ses yeux semblaient fous. Il a déménagé son laboratoire dans le nord de l'État de New York, alors tout un voyage nous attend.

Secouée, Shea prit une profonde inspiration et avala sa salive.

— Vous connaissez Fender. Alors vous devez savoir que c'est un monstre. Il torture des femmes. Il les tue.

Martha la gifla.

— Des bêtises. Il n'a jamais fait de mal à une femme humaine. Il est seulement les sorcières qui l'intéressent ! Maintenant, c'en est assez de votre discours de sorcière. Fender est un grand homme. Il est à l'avant-garde de notre mouvement. Il est la lumière de la connaissance dans l'obscurité. Grâce à lui, nous allons être purgés de votre mal et prendre vos pouvoirs pour nous-mêmes, pour la gloire de Dieu.

Le regard de Shea glissa vers Torin, et elle sentit quelque chose de chaud et de frénétique qui pompait à travers elle. Il fallait qu'elle les fasse sortir. Mais comment ? Ce n'était pas le genre de personnes avec lesquelles il était possible de raisonner. Et de toute façon, si elle devait admettre la vérité, elle n'avait pas envie de raisonner avec eux. Ce qu'elle voulait vraiment faire, c'était hurler, crier, donner des coups de poing et lancer des sorts.

Martha lui fit face de nouveau, lui tournant le menton jusqu'à ce que leurs regards se croisent.

— Ne commencez pas à vous faire des idées, ma petite. Ces menottes que nous avons pour vous sont en or blanc. Je crois bien que vous serez assez calme pendant notre petit voyage. Donnez-vous suffisamment de temps pour dire vos prières à qui que ce soit que prient vos semblables.

Elle s'arrêta et fronça les sourcils.

— Pourquoi Michael prend-il autant de temps ? Shauna, vous allez voir maintenant ce qu'il fait.

Une femme debout à l'arrière, son regard affamé fixé sur Torin, fut poussée à réagir et courut vers la porte. Apparemment, ils prenaient tous leurs ordres de Martha. Shea continua à chercher dans ses souvenirs. Plus désespérément maintenant, car elle savait que dès l'instant où les menottes en or blanc entoureraient ses poignets, la magie serait affaiblie, et elle et Torin seraient à la merci de ces... gens.

Du coin de l'œil, elle capta du mouvement. La jeune fille blonde se rapprochait de Torin. Personne d'autre ne semblait le remarquer. Ils étaient tous bien trop occupés à maîtriser Shea. Mais Shea gardait l'œil sur la jeune fille alors qu'elle s'approchait suffisamment de Torin pour glisser un pied sous la couverture qui le couvrait.

Que faisait-elle ?

Lentement, la jeune fille poussa la couverture de côté, jusqu'à ce que le bas-ventre de Torin et même plus encore soit exposé. Les yeux de la jeune fille s'écarquillèrent en signe d'appréciation, et pour obtenir une meilleure vue, elle tira accidentellement juste un peu trop.

Instantanément, Torin se roula pour sortir du poids des fils d'or blanc. La jeune fille fit un bond en arrière et poussa un cri. Martha se retourna en grognant et en soulevant la matraque qu'elle tenait dans sa main gauche.

Torin lança un solide coup de poing droit dans la mâchoire de Martha, et la vieille femme tomba comme une pierre.

Surpris, les hommes qui tenaient Shea desserrèrent leur étreinte, et elle se dégagea, creusant son esprit pour trouver les mots dont elle avait besoin. Levant les deux bras bien haut, elle trouva le charme et se mit à le réciter rapidement :

Serrure et clé, d'une mer à l'autre, les éléments s'élèvent pour libérer mon amoureux et moi.

Instantanément, la terre répondit à son appel. Le vent se mit à hurler à travers la pièce. Le feu crépita à la base des murs, et une pluie torrentielle se mit à tomber suffisamment fort pour traverser le vieux toit de bardeaux. Des murs d'eau se déversèrent à l'intérieur, inondant les aspirants ravisseurs. Ils se mirent à hurler de peur et de terreur aveugle alors que Shea laissait tomber la couverture, sautait sur Torin et fermait les yeux alors qu'il s'enflammait et les transportait dans un endroit sûr.

Chapitre 39

Rune n'avait eu aucun contact avec Egan depuis plus d'un siècle. Il n'en avait rien pensé, car il savait à quel point l'attente était difficile. Lui-même s'était juré de ne pas s'impliquer à nouveau dans la vie de sa sorcière jusqu'à la venue de l'Éveil. Trop d'années à la désirer, et en même temps, ce désir était insupportable même pour un immortel.

Il pouvait donc comprendre qu'Egan ait disparu. Mais si cette Kellyn était vraiment une sorcière de l'Éveil, alors Egan aurait dû l'accompagner.

Après avoir quitté le sanctuaire et avoir communiqué avec Torin, Rune était déterminé à découvrir ce qui s'était passé avec Egan. Il avait contacté d'autres Éternels, mais personne ne semblait en savoir plus que lui.

Ce qui signifiait qu'il devait retourner en Angleterre. Commencer là où il avait vu Egan pour la dernière fois, et le suivre à partir de là. Rune sauta dans un avion vers Heathrow en pensant à Torin et Shea forcés de prendre un bateau. Six jours de mer ne semblaient pas très amusants pour Rune. Mais il devinait que le sexe de l'accouplement les tenait trop occupés pour se préoccuper du délai nécessaire pour atteindre leur destination.

Lorsque les agents de bord annoncèrent qu'ils amorçaient la descente, Rune entra dans la salle de bain de première classe. Ils étaient maintenant assez proches de l'Angleterre pour qu'il puisse sortir en se transportant par le feu sans se soucier d'attendre que le jet atterrisse. D'ailleurs, cela l'amusait de penser qu'une fois qu'ils auraient découvert sa disparition, les membres de l'équipage passeraient un moment à essayer de trouver ce qui était arrivé à l'un de leurs passagers.

Ils mèneraient des recherches dans l'avion, vérifieraient le manifeste, et finiraient par se convaincre que le passager manquant n'avait jamais vraiment existé. Ou, songea-t-il, ils se rendraient peut-être compte qu'ils avaient été en présence de la magie sans le savoir.

Avec un sourire rapide devant sa propre réflexion, il éclata en flammes.

— Idiots!

Kellyn jeta un regard mauvais dans son miroir de divination de fortune devant la scène qui se déroulait dans la chambre de motel en Ohio.

Elle aurait dû utiliser un charme pour confectionner un outil de divination approprié. Elle aurait alors eu plus de détails. Mais après s'être offert un massage et un manucure-pédicure, elle avait décidé de simplement enchanter le miroir sur la coiffeuse dans la chambre de sa suite.

Par contre, si elle avait disposé d'un outil de divination convenable, elle aurait peut-être été encore plus furieuse. Debout devant le miroir, contemplant la scène qui se déroulait devant elle en images vacillantes et ondulantes, elle combattit l'envie de hurler de frustration.

L'opération aurait dû être simple. Pour l'amour du ciel, elle avait pratiquement remis Shea et Torin entre les mains des Chercheurs. Comment avaient-ils pu tout foutre en l'air ?

Elle connaissait le moment où tout cela avait commencé à mal tourner. Dès que cette adolescente avait voulu jeter un coup d'œil à la queue de l'Éternel, les choses avaient été destinées à se détériorer. Bien qu'il était difficile de blâmer la jeune fille. Torin était, à tout le moins, tout un spécimen.

Se surprenant elle-même, elle éclata de rire en observant une femme d'âge mûr en train d'essayer désespérément de *nager* pour sortir d'une chambre de motel. Que cette femme était idiote d'avoir cru qu'elle pouvait détacher ses yeux de l'Éternel même une fraction de seconde. Des nappes d'eau s'étaient déversées à travers le toit brisé en même temps que Shea et Torin se transportaient au loin dans une colonne de feu.

En un instant, les Chercheurs s'étaient retrouvés seuls dans une chambre détruite, ne ressemblant à rien de plus qu'à des rats noyés.

Pitoyable. Tout simplement pitoyable.

Soupirant, Kellyn se dit qu'elle devait mettre fin au charme, mais elle était coincée. Comme un de ces imbéciles de conducteurs qui ralentissent sur une autoroute pour regarder un accident, elle n'arrivait pas à détourner le regard. Non seulement ces crétins de l'Ohio avaient-ils fait foirer le coup monté, mais ils avaient aussi alerté la sorcière et son Éternel du fait que les Chercheurs étaient après eux.

— C'est ce qui arrive, se réprimanda-t-elle. Permettre à quelqu'un d'autre d'envoyer les Chercheurs sur leur piste. Tu aurais dû le faire toi-même, comme toujours. Mais vraiment, se demanda-t-elle, fixant le chaos qui continuait à découler de l'opération ratée dans le miroir, suis-je censée tout faire ?

Pendant qu'elle observait la pluie magique, le vent et le feu qui s'arrêtaient et les Chercheurs abattus qui retournaient chez eux, elle se dit que ce chaos n'avait pas été un gaspillage complet. Au moins, elle savait avec certitude que Shea maîtrisait de mieux en mieux ses pouvoirs. C'était une brillante manœuvre que d'avoir fait descendre les éléments.

Mais alors, la petite sorcière avait utilisé la projection astrale pour espionner Kellyn, n'est-ce pas ? Étonnant, vraiment. Elle n'aurait pas pensé que Shea eut autant de cran. Mais il était préférable qu'elle le sache. Kellyn n'avait pas besoin d'une femme velléitaire, sorcière ou non. Elle voulait des femmes fortes à ses côtés lorsqu'elle prendrait de l'assemblée des sorcières ce qui n'aurait jamais dû se retrouver entre leurs mains de toute façon.

Elle baissa les yeux dans le verre de divination, agita la main d'un côté à l'autre pour interrompre le charme, puis observa attentivement son reflet. Fixant ses propres yeux, elle pensa y capter une étincelle de quelque chose d'inconnu.

Riant, elle se secoua et poussa le miroir de côté. Elle tendit le bras vers son verre et prit une longue gorgée du vin froid doré.

— Tout n'est pas si mal, dit-elle à la pièce vide. Les pouvoirs de Shea se développent, son Éternel est inquiet, et maintenant, ils n'ont nulle part où aller ; sinon de retourner au début.

— Concentre-toi.

— C'est ce que je *fais*.

Shea jeta un regard mauvais à Torin, puis elle recentra sa concentration sur ce qui les préoccupait maintenant. Depuis plusieurs jours, elle avait constamment travaillé sur ses pouvoirs magiques. Depuis qu'ils étaient embarqués à bord du *Queen Mary 2* pour naviguer vers Southampton, en Angleterre.

Agitant sa main dans un geste gracieux, Shea envoya un grand vase de cristal à travers la pièce pour le déposer sur le guéridon, au pied de l'escalier courbe qui mène au second étage de leur duplex. Elle déposa doucement le vase, utilisant uniquement le pouvoir de la magie, et se sourit à elle-même en constatant la maîtrise qu'elle avait réussi à obtenir.

Maintenant, si seulement elle pouvait se détendre un peu.

Après avoir échappé aux Chercheurs de l'Ohio, Torin n'avait pas pris la peine de se procurer une voiture. Il avait simplement puisé dans son immense force, et les avait transportés par le feu, dans une série de sauts, tout le chemin jusqu'à New York. Ils avaient employé la magie pour réserver une suite de luxe, puis payé en espèces pour se loger sur le *Queen Mary 2* qui partait le lendemain. Torin avait fait glisser Shea à bord sans que personne la voie.

L'Angleterre.

Elle avait rêvé de visiter l'Europe. De faire de la randonnée à travers la campagne. De voir de nouvelles choses. De rencontrer de nouvelles personnes. Maintenant, elle allait enfin y arriver, mais elle le ferait dans la clandestinité. Sans parler de prier pour que l'Europe ait suffisamment à s'inquiéter de ses propres sorcières et qu'elle n'ait pas sa photo affichée partout où elle allait.

Elle aurait voulu profiter de ce voyage. Elle n'avait jamais imaginé qu'elle voyagerait dans un tel luxe. Mais tendue comme elle l'était, cela importait peu. À tout moment, elle s'attendait presque à ce que quelqu'un fasse irruption à travers la porte de la cabine pour essayer de la tuer. Torin ne se permettait pas non plus d'abandonner son attitude prête au combat. Qu'il les croie momentanément en sécurité ou non, il était constamment en alerte. Et même si elle lui en était reconnaissante, Shea aurait donné n'importe quoi pour qu'ils soient vraiment capables tous les deux d'oublier le monde pendant un certain temps et de tout simplement être ensemble.

Eh bien, c'est-à-dire quand il ne lui donnait pas des ordres.

Elle jeta un coup d'œil à la ronde sur l'impressionnante suite. Ils s'étaient enregistrés à la dernière minute et avaient payé leurs billets comptant. Torin avait réservé la Suite Balmoral, située sur le dixième de treize ponts à l'extrémité de l'énorme navire. Ils se trouvaient à l'écart de tout le monde, dans leur propre petit univers. Des peintures exquises sur les murs, des fauteuils et des canapés confortables. De grandes fenêtres d'où ils avaient une vue imprenable sur le ciel et la mer.

À l'étage de la suite duplex, il y avait la chambre et une salle de bain de marbre avec une fenêtre sur la mer et un jacuzzi ; en bas, un salon, une salle à manger et une terrasse privée où l'on pouvait s'asseoir sur des chaises longues bien au-dessus des autres passagers. La suite faisait environ sept cents mètres carrés. Presque deux fois plus grand que son ancien appartement.

Il avait eu raison sur ce point, songea Shea. Au début, elle avait insisté pour lui dire qu'il faisait une erreur en réservant la suite la plus chère sur le navire. Elle avait cru qu'ils devraient se tasser dans une minuscule cabine dans les entrailles du bateau. Incognito, en quelque sorte.

Mais Torin s'était obstiné à répéter que les riches étaient rarement dérangés. Ils avaient accès à un service de chambre en tout temps et ils pouvaient choisir de demeurer enfermés dans leur suite et de ne jamais voir un autre passager ou membre de l'équipage s'ils le souhaitaient. Chaque jour, à l'arrivée des domestiques, Shea et Torin sortaient tout simplement sur la large véranda privée jusqu'à leur départ. Sur tous les plans, ils étaient plus en sécurité.

Et c'était un luxe dont elle aurait voulu profiter de manière plus approfondie.

Pourtant, il était ennuyeux qu'il semble avoir raison aussi souvent.

— Encore une fois, dit Torin à travers la pièce.

Elle fronça les sourcils.

— Déplacer des fleurs d'un endroit à l'autre n'est pas exactement la façon de perfectionner mes pouvoirs, tu sais.

— La maîtrise de ton pouvoir, c'est ce qui est le plus important en ce moment, Shea, et il se leva du confortable canapé pour s'avancer vers elle.

— Oh, je ne sais pas, dit Shea quand il ne fut qu'à quelques pas seulement. En quelque sorte, je pense qu'il est plus important de se souvenir où diable nous allons et *pourquoi* nous y allons.

Torin sourit devant l'impatience de Shea. Et tout à coup, il fut frappé de constater qu'il avait très rarement souri au cours des derniers siècles. Malgré le danger, malgré la menace constante d'une attaque, ces derniers jours avec Shea l'avaient changé. L'accouplement avait touché quelque chose en lui qu'il ne croyait pas exister.

Leurs tatouages correspondants étaient en voie d'achè-vement, et chaque fois qu'il voyait sa marque grandir sur l'épaule de Shea pour revenir vers sa source sur son sein, Torin ressentait un sentiment de justesse qu'il avait désiré pendant toute sa longue existence. Son besoin d'elle aug-mentait de jour en jour, et il éprouvait de la difficulté à se trouver dans la même pièce qu'elle sans la toucher. Sans la goûter. Il voulait qu'elle soit en sécurité. Il voulait qu'elle soit heureuse. Mais surtout, il la voulait tout simplement.

Maintenant, elle le regardait en plissant les yeux, et il sentit une lueur de fierté monter en lui. Ces journées passées sur le navire de croisière avaient été intenses. Pour les deux.

Ils se cachaient. Dans un environnement luxueux, certes ; mais savoir qu'elle ne pouvait sortir sur la terrasse sans s'assurer qu'elle était seule était épuisant pour elle. Il pouvait le voir tous les jours. En même temps que ses pou-voirs, la tension grimpait en elle, et le mélange était difficile à supporter. Pour les deux.

Et pourtant, sa sorcière demeurait fière, refusant de se rendre. Refusant de s'étendre et de pleurer sur son sort ou sur ce qu'on attendait d'elle. Toute sa vie avait changé durant les deux dernières semaines, et pourtant, elle continuait à travailler vers l'épreuve inévitable qui l'attendait.

Ses pouvoirs croissaient maintenant plus rapidement. Depuis qu'elle avait appelé le pouvoir de la lune et déver-rouillé la porte de ses souvenirs, elle avait déclenché la libé-ration de ses nombreux dons. Torin sentait que ses pouvoirs se développaient à un rythme effarant et il savait qu'elle se battait tous les jours pour obtenir la maîtrise qui lui était nécessaire. Son propre besoin de connaissances nourrissait le développement de sa magie. Et le sexe de l'accouplement approfondissait ces capacités, ravivant d'anciennes braises, des échos des vies passées.

Elle aurait besoin de chaque gramme de force et de volonté qu'elle possédait, se dit-il solennellement. Son esprit fit un bond vers le futur. Vers ce à quoi ils pourraient faire face lorsqu'ils finiraient par atteindre les côtes de l'Angleterre. Il y avait encore trop d'inconnu devant eux. Ils devaient trouver Haven. Ils devaient trouver l'Artefact. Et ils étaient à court de temps. Tant de choses pouvaient mal tourner.

— Tu es inquiet, lui dit-elle.

— Un peu.

Shea hocha la tête et se dirigea vers les fenêtres qui donnaient sur la mer qui s'étendait devant eux. À l'horizon, la mer et le ciel fusionnaient dans un bleu transparent qui semblait glisser vers l'infini.

— Moi aussi.

Elle jeta un coup d'œil par-dessus son épaule.

— Je ne sais pas encore tout ce que je devrais savoir, et nous débarquerons dans trois jours.

— Ça viendra, la rassura-t-il. Une fois que nous serons en Angleterre, les souvenirs sensoriels deviendront plus intenses, plus distincts.

— Peut-être.

Elle tourna le dos à la fenêtre pour lui faire face.

Éclairée de l'arrière par le soleil, elle semblait être bronzée par une éclatante lumière dorée. Ses cheveux roux foncé brillaient, et même si ses yeux verts étaient dans l'ombre, il aurait juré qu'il pouvait y voir des éclats de détermination.

— Tu dois me le raconter, Torin. De quoi te souviens-tu de cette dernière nuit ?

Les sourcils froncés, il commença à discuter, mais elle l'interrompit.

— Nous manquons de temps. Ma magie se développe de plus en plus, je le sais. Mais je me sens toujours aussi aveugle. Il me faut plus d'information, et je ne réussis pas à trier aussi rapidement que je le voudrais les souvenirs qui s'ouvrent.

Il se leva de sa chaise pour se rapprocher d'elle.

— Tu as raison, admit-il, et il capta le reflet de surprise dans ses yeux.

Il sourit.

— Tu pensais que j'allais encore protester.

— Eh bien, dit-elle en hochant la tête, c'est toi qui as insisté tout ce temps pour dire que mes souvenirs devraient me revenir par eux-mêmes.

— C'est vrai, dit-il en glissant une main sur son bras, ce qui fit s'accélérer sa respiration à son contact.

Comme il était magnifique de savoir que sa femme sentait tout ce qu'il faisait quand ils se réunissaient. Que la magie qu'ils créaient les affectait tous les deux avec le même sentiment d'impatience pour leur prochaine union.

Il inspira, puis dit :

— Mais tu as réussi à réveiller tes souvenirs, Shea. Peut-être que te le dire maintenant t'aidera à les trier plus rapidement.

Il la souleva dans ses bras et la transporta aisément à travers la pièce vers l'escalier.

— Que fais-tu ? lui demanda-t-elle, liant ses bras autour du cou de Torin.

— Je vais te dire tout ce que je sais, dit-il, continuant à monter l'escalier recourbé vers la chambre de luxe du second étage.

— Et tu dois me le dire dans la chambre ?

Il la regarda et lui fit un demi-sourire.

— Il faudra un certain temps. Tu dois être à l'aise.

— Ouais. Tu ne penses qu'à *moi*.

— Tu es ma compagne, Shea, dit-il doucement sur un ton qui en disait long. Je pense toujours à toi.

Cora Sterling regarda sa fille et sentit une vague de fierté. Deidre Sterling était tout ce qu'une mère aurait pu espérer. Brillante, belle et volontaire, elle était au fond, se dit Cora, une version plus jeune de sa mère.

À la Maison-Blanche, même un simple dîner en famille représentait un événement. En tout temps, les agents des services secrets étaient à portée de main, et les serveurs des cuisines avaient tendance à rôder à proximité, toujours prêts à répondre à toute demande.

Mais Cora ne voulait pas de distractions lorsque sa fille était là pour le souper. Dès qu'elle le pouvait, elle se débarrassait de tout le monde pour qu'elle et Deidre puissent parler. Une fois que la pièce fut vide, elle aborda le sujet qui l'inquiétait depuis des jours.

— Le mouvement pour les droits des sorcières a vraiment fait les manchettes dernièrement.

Elle piqua une bouchée de saumon parfaitement préparé.

— Je sais.

Deidre poussa ses cheveux blonds à hauteur du menton derrière ses oreilles et sourit.

— Je le sais. C'est vraiment excitant, mère. Le mouvement pour les droits des sorcières se développe plus rapidement que n'importe lequel d'entre nous aurait espéré.

Cora hocha la tête et prit une gorgée de vin blanc froid.

— Mais il y a eu des problèmes hier au Mall.

Une marche de protestation au National Mall avait été prévue depuis des mois. Au maximum, on avait cru qu'il y aurait plusieurs milliers de participants. Mais plus de cinquante mille personnes avaient participé à la marche sur la capitale. La police de D.C. était toujours en train de s'occuper de toutes les arrestations effectuées. Même la plus pacifique des manifestations avait, d'une manière ou d'une autre, tendance à engendrer une certaine forme de violence.

Il suffisait du mauvais mot précisément au mauvais moment et des feux d'artifice explosaient, transformant une manifestation — du moins dans ce cas — en une quasi-émeute.

— Les nouvelles du matin étaient remplies de reportages, dit Cora. Des gens qui grimpaient sur le monument de Lincoln, se battant, pour l'amour du ciel, dans le miroir d'eau. C'était une honte.

Deidre soupira et s'appuya contre le dossier de son fauteuil.

— C'était décevant, je sais, mais chaque mouvement a sa part de têtes brûlées, pas vrai? Je veux dire, l'important, c'est le nombre de personnes qui se sont présentées. C'était extraordinaire.

Ses yeux et son sourire brillaient.

— Nous ne nous étions jamais attendus à autant de monde!

— Oui, dit Cora sur un ton ironique. Je sais.

Deidre grimaça un peu devant son ton.

— Je n'essaie pas de te compliquer les choses, mère. Mais c'est important pour moi. Je déteste voir comment les sorcières sont traitées, arrêtées et regroupées dans des camps d'internement! C'est presque préhistorique!

Cora rit.

— Ce n'est pas aussi dramatique, ma chérie. Tu sais que je travaille pour résoudre ce problème…

— Oh, je le sais, lui dit Deidre en glissant un coup d'œil autour de la salle à manger des appartements privés de la présidente, comme pour s'assurer que personne ne restait pour les entendre. Et c'est génial, vraiment. Mais si tout le monde ne se lève pas pour protester contre ce qui se passe, rien ne va vraiment changer.

— C'est dangereux, Dee, dit Cora à sa fille. Tu aurais pu te faire tuer dans cette foule hier. Si les services secrets n'avaient pas été là pour te sortir…

— Mais ils n'ont sorti que moi, se plaignit Deidre. Mes amis ont été laissés à eux-mêmes.

— Tu ne peux pas t'attendre à ce que les agents sauvent tout le monde, Dee, dit Cora en laissant tomber avec fracas sa fourchette sur la porcelaine Reagan. Tu es ma fille. Il est de leur devoir d'empêcher qu'on te fasse du mal.

— Me protéger, mais faire frire les sorcières. C'est ce que tu veux dire ?

— Ne prends pas ce ton.

Instantanément, Deidre se reprit.

— Désolée. Écoute, je fais ce que j'ai à faire. Je ne m'attends pas à ce que tu approuves, mère, mais tu ne peux pas m'en empêcher.

— C'est là que tu te trompes, Dee, lui dit Cora, puis elle serra sa main de l'autre côté de la table. Je peux faire tout ce que je veux. Non seulement suis-je ta mère, mais je suis la présidente. Si je pense que tu es en danger, ne crois pas un seul instant que je n'agirai pas.

Deidre regarda dans les yeux de sa mère, et ce qu'elle y lut dut la convaincre, car son comportement changea.

— Je suis désolée de t'avoir inquiétée. J'essaierai de voir à ce que ça ne se reproduise pas. Mais je ne peux pas te promettre d'arrêter mon travail avec le MDS. C'est trop important. Pour moi. Pour le *monde*.

Cora lui tapota la main et hocha la tête.

— Je comprends tout à fait. Mais tu dois comprendre que je ferai tout ce que je crois nécessaire pour m'assurer que tu ailles bien.

— Bien sûr, dit Deidre, et elle serra la main de sa mère.

— Alors, parlons d'autre chose. T'ai-je dit avoir trouvé un condo que je pense vouloir acheter ?

Cora se rassit et regarda sa fille, souriant aux moments appropriés pendant qu'elle élaborait silencieusement des plans pour parler aux agents affectés à Deidre. Hier, la sécurité de sa fille avait été compromise. Elle aurait pu mourir.

Cora ne permettrait pas que cela se reproduise.

Chapitre 40

« J e pense toujours à toi. »

Les paroles de Torin étaient simples, songea Shea, mais si profondes. Il était tout pour elle. Elle n'aurait jamais pensé que deux personnes puissent se lier autant en si peu de temps.

Mais ces quelques derniers jours avaient été les plus incroyables de sa vie. C'était comme si la magie elle-même était une entité vivante, séparée d'elle tout en faisant partie d'elle.

Elle rêvait même de sorts et d'enchantements. Elle se réveillait avec la connaissance de la tradition des cristaux. Elle pouvait créer un talisman ou réaliser un charme d'amour. Elle était en mesure de dresser la liste des plantes médicinales et la manière de les utiliser. Son esprit était rempli à craquer de la connaissance des nombreuses vies qu'elle avait vécues. Chaque jour, elle se souvenait de plus en plus. Tout était là, dans son esprit, dans son cœur. Il ne lui restait qu'à découvrir le dernier de ses propres secrets profondément enfouis.

Torin la transporta dans leur chambre. Elle plissa les yeux contre la brillante lumière d'après-midi qui rebondissait sur l'eau et frappait comme une lame de couteau. Automatiquement, elle atténua la lumière tout en en conservant l'éclat. Car elle voulait que les rideaux s'ouvrent à la lumière. Elle voulait que les portes de la terrasse s'ouvrent au vent.

Elle puisait sa force et son énergie des éléments de la nature et elle sentit la lumière du soleil, du vent et de la mer remplir ses cellules, devenir une partie d'elle.

Il faisait froid, mais il était facile d'y remédier. Un geste de la main, et ils ne sentirent que le baiser du vent, et non sa morsure. Torin l'étendit sur le lit et s'allongea à côté d'elle. Shea se blottit contre lui, se servant de la poitrine de Torin comme d'un oreiller. Elle écouta le silence à l'intérieur ; toujours intriguée par le fait qu'un homme si richement et si parfaitement vivant n'eut pas de pouls. Elle embrassa l'endroit où, sous sa chemise, le tatouage d'accouplement se dessinait en spirale.

— Si tu commences de cette façon, avertit-il calmement, il n'y aura pas de conversation.

— Tu as raison, dit-elle, sentant les étincelles qui s'enflammaient en elle.

Lorsqu'elle était proche de lui, l'attraction magnétique entre eux était d'autant plus forte. Shea languissait de sentir sa peau chaude contre la sienne, de sentir son membre large et dur pomper dans son sexe. Son bas-ventre frissonna, et sa respiration s'accéléra et devint superficielle alors qu'elle luttait pour résister à l'attrait de l'accouplement.

— D'accord, dit-elle après une longue minute. D'abord, on parle. Ensuite le sexe.

— Je suis d'accord, dit-il en serrant son bras autour d'elle. Alors, ce soir-là. Je t'en ai raconté la plus grande partie déjà, mais tu t'en souviens maintenant par toi-même, n'est-ce pas?

— Oui.

Tout ce que Torin lui avait déjà dit résonnait encore en elle. Et lorsque ses souvenirs avaient remonté à la surface de son esprit, elle avait tout vu si clairement, comme si une partie d'elle avait été piégée cette nuit-là il y a long-temps, et qu'elle était condamnée à revivre l'événement continuellement dans une sorte de boucle tordue. Comme un journal mental, les pages de sa vie tournaient, l'inondant des échos d'horribles sons, odeurs et couleurs.

Malgré tout, une petite partie d'elle, très secrète, était… excitée par le souvenir. Il y avait un endroit sombre en elle qui savourait chaque cri, chaque secousse de terreur, chaque instant de danger accroché aux images anciennes.

Dans la partie la plus profonde de son cœur, Shea ne s'inquiétait pas de l'honnêteté de Torin, mais plutôt de la sienne propre. Elle ne pouvait lui confier ce qu'elle ressen-tait. Ce qu'elle redoutait. Mais en vérité, Shea était terrifiée de voir qu'en même temps que ses nouveaux pouvoirs, la femme qu'elle avait déjà été se réveillait.

Cette sorcière avait été prête à perdre tout ce qui comp-tait pour elle dans sa quête de connaissance et de puissance. Et si elle n'avait pas évolué autant que Torin le croyait? Que faire si l'obscurité était encore là en elle, tout simplement enfermée derrière une porte dissimulant des secrets?

— Toi et tes sœurs n'écoutiez personne, dit-il, sa voix douce et basse remplie de souvenirs et de regrets. Vous étiez engagées sur un sombre chemin, mais vous ne pou-viez — ou ne vouliez — pas le voir. Il y avait une soif de connaissance, oui. Mais plus encore, il y avait la promesse d'un pouvoir. Un pouvoir comme personne n'en avait jamais connu auparavant.

La lumière du soleil d'après-midi, le navire de luxe, le tumulte de sa vie actuelle, tout s'évanouit alors que Shea fermait les yeux et laissait les images perdues s'élever à l'intérieur d'elle. Elle voyait tout, et revivait tout alors qu'il continuait de parler.

— *L'assemblée a attiré les pouvoirs de la lune, assemblé leurs énergies et poussé leur force combinée à travers l'Artefact.*

Elle le vit, comme elle l'avait fait ce soir-là il y a longtemps. Il y avait des éclairs brillants de lumière blanche, qui fouettaient l'obscurité. Vif, brûlant, l'air se mit à grésiller alors qu'un éclair après l'autre bondissait de sorcière en sorcière, la lumière elle-même grandissant pour devenir quelque chose d'autre.

L'argent noir brillait et émettait un bourdonnement sous l'accumulation de pouvoir. La foudre était partout, comme une bête vivante.

Il s'arrêta, perdu dans ses souvenirs. Shea frémit en même temps que son propre esprit continuait de jouer la scène.

— *Il y eut une lumière aveuglante, dit-il dans un murmure. Plus lumineuse que le soleil à midi. Et en un instant, tout a changé. L'Artefact a ouvert un portail.*

— *La porte de l'enfer, dit Shea, sentant la ruée soudaine d'une d'excitation tordue en même temps qu'un sentiment croissant d'effroi.*

— *Oui, murmura Torin. Des démons ont surgi de l'ouverture, trop nombreux pour les compter. Lucifer lui-même est apparu et a ri de nos piètres tentatives pour contenir ses sbires. Pour le retenir. Mais nous n'avions pas le choix. Nous ne pouvions pas demeurer là à regarder cette légion descendre sur une terre incapable de se défendre.*

» Nous, les Éternels, les avons combattus ; nous en avons tués quelques-uns, en avons repoussés d'autres à travers l'entrée de leur enfer. Mais alors que le combat faisait rage, nous avons essayé d'arriver jusqu'à vous. L'assemblée. Nos sorcières. La force de votre cercle nous maintenait à l'extérieur, incapables de vous rejoindre. Incapables de vous aider. Tout ce que nous pouvions faire, c'était de combattre les créatures que votre charme avait libérées.

Shea entendit le sifflement des flammes des bougies lutter contre le vent vigoureux. Entendit les hurlements des démons et les cris des Éternels. Elle entendit sa propre voix qui s'élevait avec celles de ses sœurs, car elles prenaient enfin conscience de ce que l'arrogance leur avait apporté. Alors, elles scandaient leur chant, malgré la peur, malgré les combats qui faisaient rage autour d'elles, et les voix, jadis perdues dans le temps, se mirent à résonner à nouveau dans son esprit.

— Voyant enfin ce qu'elles avaient fait, l'assemblée des sorcières s'est jointe au combat, poursuivit Torin. Regroupées, elles ont uni leurs forces. Alors qu'elles avaient réuni leurs pouvoirs pour ouvrir le portail, elles dirigèrent leurs énergies pour fermer la porte même dont elles avaient forcé l'ouverture.

Elle se souvenait. Plus encore, elle vivait le souvenir. Son cœur, son âme chantaient avec l'accroissement de l'ombre. Elle sentit la séduction de l'appel de l'obscur en même temps qu'elle se battait en compagnie de ses sœurs.

Lucifer, l'ange déchu en personne, avec ses yeux noirs et ses traits magnifiques, avait délibérément croisé le regard de Shea. Et elle avait pris conscience, même à travers le tumulte qui l'entourait, qu'il connaissait ses désirs les plus secrets. Il savait que même si elle le combattait, elle voulait se joindre à lui. Lorsqu'il lui fit un sourire narquois et lui murmura des encouragements à son esprit,

Shea avait rassemblé toutes les forces qu'elle possédait et avait repoussé son invitation.

Pourtant, même alors, quand elle eut fait tout son possible pour réparer les dégâts causés... il y avait encore un coin de son cœur qui avait soif de l'obscurité.

Maintenant, elle ne pouvait s'empêcher de se poser des questions. Qu'est-ce que cela faisait d'elle? Était-elle vraiment aussi mauvaise que Martha et ses Chercheurs le croyaient? S'en prendrait-elle à Torin et au monde? Allait-elle s'abandonner aux ombres contre lesquelles elle avait combattu il y avait si longtemps?

— Shea?

— Oui, désolée, dit-elle doucement. Mon esprit vagabondait.

« En des endroits qu'il vaudrait mieux laisser seuls », ajouta-t-elle pour elle-même.

— Termine, Torin. Raconte-moi ce qui s'est passé ensuite.

Il soupira et glissa une main sous sa blouse, passant sa main sur sa peau, la caresse intime les apaisant tous les deux.

— L'assemblée a riposté. D'une certaine manière, leurs pouvoirs réunis étaient suffisamment forts pour repousser Lucifer à travers la porte, en même temps que la majorité de ses démons. Le portail se scella quelques instants plus tard.

— Ce n'est pas tout.

— Non, lui dit-il. Le portail était fermé, mais pas de façon permanente. La bête se cachait derrière une barrière magique, bien trop proche d'un monde sans défense. Et ainsi, la dernière grande assemblée a réalisé un sort d'expiation. Se condamnant à huit cent dix années de vie sans leurs pouvoirs. Sans les souvenirs de ce qu'elles avaient été autrefois.

Tout à l'intérieur de Shea s'immobilisa alors que la voix de Torin ramenait à la surface les souvenirs de ce moment qui avait scellé le destin des sorcières pour les siècles à venir.

— Incarnation après incarnation, dit-il, chacune d'entre vous a vécu une vie dépourvue de magie. Le tout dans l'espoir que lorsque le temps se serait écoulé, vous auriez suffisamment évolué pour tourner le dos à la cupidité et à l'arrogance qui vous avaient autrefois gouvernées. Que vous pourriez enfin détruire l'Artefact et refermer ainsi définitivement la porte de l'enfer.

Elle se souvenait. Et alors, les larmes se mirent à couler sur ses joues. Pour les erreurs commises. Pour l'expiation encore incomplète.

— Lorsque le charme a été prononcé, les sorcières ont brisé l'Artefact qui s'était dressé au centre de leur assemblée depuis des milliers d'années.

La douleur physique de cette action déchira à nouveau Shea, comme elle l'avait fait cette nuit il y a si longtemps. Le puissant Artefact d'argent noir avait été brisé par la magie même qui l'avait d'abord créé. Elles avaient trahi tout ce qu'elles étaient. Elles avaient tourné le dos non seulement à elles-mêmes, mais aussi à leurs ancêtres, les fondatrices de l'assemblée même qu'elles avaient détruite. Au moment où l'Artefact avait été brisé, chacune des sorcières à qui il avait été confié avait ressenti ce même éclatement dans son âme.

— Un éclat de l'Artefact a été confié à chacune des sorcières. L'assemblée s'est dissoute, et les femmes de pouvoir se sont séparées, chacune d'entre elles cachant secrètement sa partie de l'Artefact.

Torin se mit à l'aise sur un coude et la regarda.

— Le temps d'attente a commencé, et les siècles se sont écoulés lentement, les uns après les autres, jusqu'à maintenant. L'Éveil est de ton temps, Shea. Les tessons de l'Artefact doivent être réunis et finalement détruits. Sinon, le monde ne sera jamais en sécurité.

En entendant ses paroles, son esprit et son âme s'ouvrirent à l'appel de l'Artefact.

Elle sentit les frémissements anciens et elle se mit à trembler.

Chapitre 41

R une trouva Odell dans le Sussex.

Grand, même pour un Éternel, Odell faisait près de deux mètres. Ses larges épaules et sa mâchoire carrée ne faisaient qu'ajouter à l'image d'un homme qu'il valait mieux ne pas tenter d'affronter. Ses cheveux brun foncé dépassaient ses épaules et étaient généralement maintenus en place à la nuque par une lanière de cuir. Il portait toujours du cuir noir, et la lueur de méfiance dans ses yeux gris pâle était toujours aussi présente que son humeur légendaire.

Ce n'était pas l'homme que vous auriez supposé être à la tête d'un réseau de sécurité clandestin pour les sorcières et les femmes humaines accusées de sorcellerie. Mais c'était probablement le meilleur homme pour ce travail, se dit Rune. Odell avait peu de patience et aucune sympathie envers les tentatives du monde mortel pour éradiquer tous ceux qui pratiquaient la magie.

Assis dans la propriété de campagne d'Odell, située juste en dehors de Brighton, Rune but le verre de whiskey irlandais Paddy qui lui était offert, puis il tendit à nouveau son verre pour un autre.

Odell l'obligea en souriant.

— Je ne m'attendais pas à te voir, Rune. Avec l'Éveil tout proche, je croyais que tu serais en train de chercher ta sorcière.

Il haussa les épaules.

— Elle n'est pas encore éveillée à ses pouvoirs.

— La mienne non plus, admit Odell en étirant ses longues jambes devant lui. La dernière fois que j'ai vérifié, elle était plongée dans des livres de recherche, et elle cherchait, si tu peux le croire, un « remède » contre la sorcellerie.

Il secoua la tête solennellement.

— Riona est une remarquable scientifique dans cette vie. Je ne sais pas comment j'arriverai à la supporter quand notre temps sera venu.

Rune se mit à rire. Il savait qu'Odell était aussi impatient de voir sa sorcière l'appeler que l'était Rune. Après des siècles d'attente et de tourments, la fin approchait. Ces dernières semaines d'attente allaient être éprouvantes. Il examina le liquide ambré dans le gobelet de cristal Waterford et prit une gorgée du moelleux et riche whisky.

— Je te bats là-dessus. Ma sorcière fait faire des visites guidées du désert du Mexique.

Odell leva les sourcils.

— Le désert, dis-tu ? Je préfère que ce soit toi plutôt que moi. Tout ce sable ? Pas de vents frais ? Pas de pluies légères ? Non. Déjà qu'il me coûte de vivre ici, en Angleterre, plutôt qu'en Irlande d'où ma sorcière et moi sommes originaires.

Odell et sa sorcière avaient des liens avec l'ancienne Irlande, mais, comme si c'était prévu, ils n'y étaient toujours pas retournés. Pendant toutes ses incarnations, Riona n'était jamais retournée dans sa terre natale — comme si son esprit la punissait délibérément. Comme s'il poussait l'expiation un cran plus loin en l'empêchant de revoir le pays qu'elle aimait.

Malgré le confort de la maison d'Odell, Rune n'arrivait pas à se détendre. Il avait cherché Egan et était revenu les mains vides. Il n'y avait même aucune trace de lui. Aucun indice sur l'endroit où on l'aurait vu la dernière fois ni sur qui que ce soit qui l'ait aperçu.

— Je ne comprends pas, murmura-t-il en regardant son whiskey comme s'il cherchait une réponse à sa question dans le fond de son verre. Il n'y a aucune trace d'Egan en Écosse. Nulle part.

Odell eut un petit rire et fit non de la tête.

— Tu croyais le trouver debout à t'attendre sur le palier de sa porte ?

Rune fronça les sourcils vers son vieil ami.

— Non, mais je m'attendais à un signe de lui. Certains indices de l'endroit où il pourrait se trouver.

— Ce n'est pas un enfant, dit Odell d'un ton brusque, puis il prit une grande respiration et retrouva son sang-froid. Tu as dit toi-même que l'attente était atrocement douloureuse, Rune. Est-il surprenant que certains d'entre nous disparaissent de temps en temps ? Pendant des siècles, nous avons dû attendre, brûlant d'impatience au bout de la laisse de notre sorcière. Nous sommes des Éternels, mon vieux, pas des chiens apprivoisés auxquels on dit quand arriver et quand partir.

— Ce n'est pas ce que j'ai dit, soutint Rune, se rendant compte qu'il avait adressé les mêmes commentaires à Torin tout récemment. Mais avec l'Éveil maintenant tout proche, nous devons tous être conscients de l'endroit où se trouve notre sorcière et de ce qui lui arrive.

— Qu'est-ce qui te fait penser que ce n'est pas ce qu'il fait?

Odell bondit de sa chaise, marcha d'un pas raide vers le bar et se versa un autre verre d'Irlandais. Il l'avala d'un coup, puis fit claquer le verre sur la table la plus proche.

— Il ne doit aucune explication à qui que ce soit à propos de l'endroit où il va et de ce qu'il fait, Rune. Il ne fait aucun doute qu'il a l'œil sur cette Kellyn, même de loin. Il attend que ses pouvoirs se réveillent, tout comme nous autres, sacrés imbéciles.

Rune se leva aussi pour faire face à l'homme qu'il avait appelé son ami depuis des milliers d'années.

— Ses pouvoirs se *sont réveillés*. Elle fait de la téléportation, et de la sacrée bonne, pour ce que j'en ai vu. Donc, si tout est en train de se mettre en place, où diable se trouve Egan?

Odell fronça les sourcils, la férocité gravée dans ses traits.

— Comment puis-je le savoir? Tu arrives chez moi et tu commences à rager contre moi à propos des problèmes d'un autre Éternel? À quoi ça rime, mon vieux?

— Je ne rageais pas jusqu'à ce que tu commences à crier, putain de merde.

Instantanément, la fureur sur le visage d'Odell se transforma en une expression d'amusement.

— Eh bien, là, tu m'as. Très bien, alors. Puisque tu ne peux trouver ton Éternel errant et que tu n'as clairement rien de mieux à faire que de boire mon whiskey...

Méfiant, Rune regarda son ami.

— Quoi?

Odell fit claquer ses paumes ensemble et il les frotta vigoureusement.

— Je pensais que je pourrais te convaincre de m'accompagner dans une sorte d'aventure.

Il s'était déjà lancé dans une aventure avec Odell, en 1014. Il avait fini par participer au combat contre les hommes d'Ulster et il avait été témoin de la mort du dernier grand roi héritier de l'Irlande, Brian Boru. Mais Rune se souvenait que la guerre avait été mémorable.

— Quelle sorte « d'aventure » cette fois-ci, mon vieil ami?

Odell lui fit un clin d'œil et sourit.

— J'ai un raid planifié dans un camp d'internement à l'extérieur de Crawley.

— Un raid?

— Oui, lui répondit Odell. Le camp n'est pas loin de Gatwick. Les autorités amènent les femmes de partout en Angleterre et en Écosse par voie aérienne, puis on les achemine vers le camp Crawley. J'y vais ce soir pour sauver celles qui sont condamnées à mort.

Ses traits devinrent durs et froids. Ses yeux gris d'Éternel étaient aussi glacials que le brouillard d'hiver.

— Il y en a six que l'on envisage de brûler sur le bûcher la semaine prochaine. Je vais les faire sortir. Et si tu n'es pas trop occupé, je pourrais faire appel à ton aide.

Rune sourit. Il était incapable de trouver Egan. Il n'avait aucune idée de l'endroit où il devait ensuite chercher. Jusqu'à ce qu'il arrive avec un meilleur plan, il ferait tout ce qu'il peut ici, avec Odell. Une bataille sanglante avec des gardiens de prison mortels lui semblait une bonne idée en ce moment.

— Je suis ton homme.

Odell sourit et lui donna une tape dans le dos assez fort pour envoyer un homme de moindre envergure à travers un mur.

— Excellent. Nous y allons maintenant.

— Où allons-nous les emmener une fois que nous les aurons libérées ?

Odell se mit à rire, et le bruit retentit dans la pièce autrement silencieuse.

— C'est la meilleure partie. Le sanctuaire le plus proche se trouve dans la forêt d'Ashdown. L'une des plus grosses attractions touristiques du coin.

— Tu as perdu la tête ? demanda Rune.

— Pas du tout, lui dit Odell, appelant déjà le feu pour devenir un pilier géant enflammé. Cache-toi dans un endroit trop évident, et ceux qui te pourchassent ne te trouveront jamais.

— S'il n'est pas fou, dit Rune alors que son ami se transportait par le feu hors de la pièce, alors je le suis certainement.

Un instant plus tard, il suivit Odell au cœur de l'ennemi.

L'air de la mer était glacial.

La lune toujours montante jetait une lumière pâle sur la surface des vagues tourmentées, leur donnant des reflets d'une phosphorescence verte éthérée. À partir de la salle de bal de la Reine sur le troisième pont, de la musique dérivait dans l'air. Shea franchit les portes de la terrasse ouverte vers la véranda privée de leur suite. Elle suivit la musique comme si elle pouvait voir les notes suspendues dans les airs.

On jouait une chanson ancienne. S'il lui avait fallu en deviner l'époque, elle l'aurait située quelque part dans les années quarante. Elle était lente et triste et dans un style de blues, avec un saxophone gémissant qui touchait quelque chose en elle, assez profondément pour que des larmes mouillent ses yeux.

— Tu pleures ?

Elle n'avait même pas sursauté lorsque Torin était arrivé derrière elle. « Qu'est-ce que ça veut dire ? » se demanda-t-elle. Était-elle maintenant tellement habituée à lui ? Ou était-elle toujours sur un pied d'alerte au point où il était tout simplement impossible de la faire sursauter ?

— Shea, dit-il en enveloppant ses bras autour d'elle, puis il l'attira contre son torse. Dis-moi pourquoi tu pleures, lui demanda-t-il en posant son menton sur sa tête.

— C'est ridicule, dit-elle en regardant fixement les diamants de lumière que laissait tomber la lune sur la surface de l'océan. Je ne suis même pas certaine de savoir pourquoi. C'est la musique, je suppose. Elle semble… solitaire.

— Il y a plus à tes larmes que la musique.

Elle pencha la tête en arrière pour le regarder.

— Bien sûr qu'il y a plus, Torin. Nous sommes presque en Angleterre. Deux autres jours et puis quoi ?

— Ensuite, nous faisons ce qu'il faut pour mettre fin à toute cette histoire. Ou du moins, notre part.

— Plus facile à dire qu'à faire, murmura-t-elle, puis elle tourna son regard vers la mer et le ciel. Je ne sais pas où j'ai caché mon morceau de l'Artefact. Je ne sais même pas où est Haven.

— Tu le *sauras*.

— Tu sembles tellement certain, dit-elle, et elle entendit l'envie dans sa propre voix. Je souhaiterais l'être moi aussi.

De minuscules lumières blanches bordaient les bords des ponts du navire. On aurait dit une féerie nocturne, pensa Shea. Des centaines de personnes se trouvaient sur les ponts au-dessous, mais ici, sur la véranda, elle et Torin étaient seuls l'un avec l'autre et la nuit.

— Ta confiance se développe, Shea. Je peux le sentir en toi.

— Pas assez vite, dit-elle.

Il rit, un son rare de sa part.

— Tu as toujours été impatiente.

Se faire rappeler son moi passé ne faisait rien pour augmenter sa confiance en elle. Oui, elle avait été impatiente. Et cupide. Et imprudente. Avait-elle encore ces traits de caractère ? Étaient-ils assez forts pour refaire surface ? Et si c'était le cas, pourrait-elle s'empêcher de commettre la même erreur qu'elle avait commise il y avait si longtemps ?

— Appelle le feu.

Ses pensées éclatèrent.

— Quoi ?

— Appelle ton feu, Shea, lui dit Torin. Comme tu l'as fait le jour de notre rencontre quand tu as arrêté l'agresseur.

— Tu veux dire, quand je l'ai tué.

— Shea…

Secouant la tête, elle se dégagea de l'emprise de Torin et ignora la grande froideur qui l'envahissait sans la sécurité de son contact.

— Je n'ai pas besoin de ce pouvoir, Torin, dit-elle avec fermeté. Je n'en veux pas. Je ne veux plus jamais prendre le risque de laisser ce pouvoir m'échapper.

— Si tu crains de le laisser s'échapper, lui dit-il d'un ton calme, c'est qu'il y a une raison à cette peur. Ça signifie seulement que tu ne te fais pas confiance.

— C'est sacrément vrai que je n'ai pas confiance en moi, répliqua-t-elle. J'ai *tué* cet homme, Torin.

Elle frissonna et passa les bras autour de sa taille pour compenser les frissons qui la tenaillaient.

— Mon Dieu, parfois dans mes rêves, je l'entends encore crier.

Il poussa un soupir impatient.

— L'homme ne méritait pas une parcelle de ta culpabilité ou de ta souffrance. Il t'aurait tuée, Shea.

— Alors, c'est moi qui l'ai tué.

Elle le regarda.

— Je ne veux pas utiliser le feu, Torin. Je ne veux pas ouvrir à nouveau cette porte.

Mon Dieu, songea-t-elle avec un rire intérieur qui lui donnait envie de grimacer. Ouvrir des portes. N'est-ce pas cela qui lui avait causé des ennuis il y avait des siècles ? L'assemblée avait ouvert des portes, et cela avait failli causer la fin du monde.

— Prétendre que ça n'existe pas n'apprivoise pas le pouvoir. Tu ne peux réclamer *certains* de tes pouvoirs et non le reste. Ce don t'appartient. La magie est en toi. C'est *toi* qui décides quand et comment t'en servir.

Elle pointa son index vers lui.

— Exactement. Et je choisis de ne pas l'employer.

Elle tenta de s'éloigner de lui, mais il tendit rapidement une main et la retint. Tournant brusquement la tête, elle le fixa d'un regard noir, mais il ne fit que resserrer sa poigne.

— Et si tu as besoin de ce pouvoir pour te défendre ou pour défendre un innocent ?

Bonne question. Elle ignorait la réponse.

— Shea, dit-il, d'une voix si basse qu'elle faillit ne pas l'entendre par-dessus le bourdonnement des moteurs du grand navire et le claquement des vagues contre la coque. Tu dois me faire confiance. Je peux t'enseigner comment te servir du feu. Comment le contenir. Quand cet homme t'a attaquée, c'est ta peur et ton inexpérience qui te menaient. Maintenant, ce sera différent.

Avait-il raison ? Shea aurait bien aimé que ce soit le cas. Elle ne voulait jamais perdre à nouveau la maîtrise de ses pouvoirs. En quelques semaines à peine, elle avait parcouru un long chemin pour maîtriser ses pouvoirs et canaliser ses énergies. Elle avait appris tant de choses, mais il en restait tant qu'elle ignorait.

Et il ne restait pas beaucoup de temps pour potasser sa prochaine épreuve. À peine un autre millier d'années ou plus de trucs à étudier.

Pouvait-elle vraiment se permettre de ne pas savoir ?

— Très bien, dit-elle avec douceur avant qu'elle ne puisse changer d'avis. Montre-moi, Torin.

Il sourit alors, et quelque chose en elle se serra. Ces rares et beaux sourires de Torin ne manquaient jamais de la remuer. Mais alors, il avait eu raison quand il lui avait dit qu'une fois l'accouplement commencé, les sentiments qu'ils éprouvaient l'un pour l'autre ne feraient que s'accentuer.

Son corps brûlait constamment pour le sien. Son âme l'appelait en tout temps. Il était vraiment la moitié de son âme. Mais tout de même, il y avait quelque chose qui la retenait, qui l'empêchait d'admettre à quel point elle l'aimait, et elle ne pouvait pas lui avouer ce que c'était.

Elle avait peur.

Pas de Torin.

D'elle-même.

Un doute persistait en elle. L'inquiétude de ne pas être assez forte pour vaincre l'obscurité. De se faire happer à nouveau. Que le pouvoir qui faisait rage en elle écraserait celle qu'elle était et la transformerait en quelque chose auquel elle ne voulait même pas penser.

Mais Torin ne pouvait entendre ses pensées, Dieu merci, de sorte qu'il ne connaîtrait pas ces terreurs nocturnes d'où elle se réveillait en tremblant. Il n'avait pas entendu les murmures narquois dans son esprit, qui lui rappelaient ce qu'elle avait été autrefois — et ce qu'elle pourrait être à nouveau.

Il était là, la tenait, lui souriait, et Shea aurait voulu lui dire ce qu'elle ressentait, ce qu'elle pensait, ce qu'elle redoutait. Mais elle ne voulait pas risquer de voir le dégoût sur son visage. Elle ne voulait pas le voir se détourner d'elle, ou cesser de croire en elle.

Elle n'était pas du tout certaine d'être capable de continuer sans son Éternel à ses côtés.

— Nous le ferons maintenant, alors, dit-il en la relâchant.

La nuit les entourait ; la lune dérivait sur un ciel éclaboussé d'étoiles. À l'arrière du navire, avec seulement l'étendue du ciel et de la mer qui les entourait, ils étaient aussi isolés qu'il était possible de l'être.

— Appelle le feu, Shea.

— Comment ?

— Sens-le monter à l'intérieur de toi. Tends tes mains devant toi et souhaite que les flammes prennent vie.

Elle déglutit et fit ce qu'il lui demandait, veillant à ce que ses mains ne soient pas braquées sur lui. Comme c'était étrange d'avoir à traiter ses propres mains comme des fusils chargés.

Hochant la tête pour elle-même, elle se concentra sur ses mains. Dans son esprit, elle vit le feu, et une pointe de puissance monta en elle. Elle s'y abandonna, lui permettant de grandir et de sortir. Instantanément, les flammes firent irruption au bout de ses doigts, et elle fit un bond.

— Doucement, dit-il pour la rassurer.

Les flammes étaient sauvages, elles fouettaient dans le vent, sortaient de l'extrémité de ses doigts dans le noir comme de petites chandelles romaines.

— Rappelle-le, dit-il, juste à côté d'elle. Dompte chaque flamme avec ton esprit. Fais-les plier à ta volonté.

Elle pencha la tête de côté, examina le feu et se concentra comme elle ne l'avait jamais fait avant. Les unes après les autres, les flammes obéirent, rétrécissant, puis grandissant comme elle le souhaitait. Elles dansèrent sur sa peau, s'embrasèrent avec des couleurs brillantes, puis s'estompèrent pour devenir à peine plus que des flammes d'allumette se débattant dans le vent.

Souriant maintenant, Shea étira les bras au-dessus de sa tête, agita ses mains et leva les yeux pour regarder les lumières qu'elle avait créées grâce à ses pouvoirs et à la force de sa propre volonté.

— Tu es la plus belle chose que j'aie jamais vue, dit Torin.

Les battements de son cœur se mirent à bondir, et les flammes sur ses mains réagirent en s'amplifiant. Rapidement, elle rassembla les flammes, les apaisa et les observa alors qu'elles s'éteignaient, laissant ses mains indemnes. Ce n'est qu'alors qu'elle se tourna vers Torin et qu'elle le regarda dans les yeux.

— Magnifique, répéta-t-il. D'une vie à l'autre, ton essence n'a pas changé. Tes yeux ont toujours ce vert brillant. Ton âme est toujours en train de m'appeler. Et toujours, je t'ai aimée.

Elle chancela en entendant ces mots et en sachant à quel point il pensait vraiment ce qu'il disait. Elle aurait voulu lui rendre ces paroles. Elle avait besoin de le faire comme si toute sa vie en dépendait. Pourtant, les mots demeuraient coincés dans sa gorge et mouraient inexprimés. Comment pourrait-elle l'aimer alors qu'elle ne se faisait pas confiance ?

— Mais maintenant, dans cette vie, Shea, tu es plus belle que tu ne l'as été pendant tous ces siècles.

Il s'approcha et prit son visage entre ses mains.

— Ta magie te propulse, mais ton cœur te guide.

— Torin…

— On ne parle plus, Shea, dit-il. Pour ce que nous voulons tous les deux, il est inutile de parler.

Torin agita une main, et les vêtements de Shea disparurent. Dans la lueur de la lune, sa peau ressemblait à de la porcelaine. Le cœur de Torin, sans même battre, se gonfla des émotions qui se pressaient en lui. Durant toutes les années de son existence, Torin n'avait jamais ressenti ce qu'il ressentait maintenant pour cette femme. Cette sorcière. *Sa* sorcière. *Sienne*, toujours et à jamais.

Un instant plus tard, il se débarrassa de ses propres vêtements et tendit le bras vers elle, attirant son corps pour l'aligner avec le sien. Le glissement de sa peau sur la sienne l'enflamma. Sa chair se réchauffa, son corps devint de pierre. Depuis des semaines maintenant, ils avaient été ensemble. Ils s'étaient abandonnés au sexe de l'accouplement, et le feu qu'ils produisaient entre eux était torride. Mais ils n'avaient pas partagé de tendresse. Et ce soir, c'était ce qu'il voulait — pour lui-même.

Pour elle.

Ses bras se lièrent autour de son cou, et elle se dressa sur ses orteils pour l'embrasser, écartant ses lèvres avec sa langue, se glissant dans sa bouche pour accélérer la chaleur qui s'intensifiait entre eux.

Il prit autant qu'il donna, plongeant profondément dans sa chaleur, goûtant tout ce qu'elle était, tout ce qu'elle serait. Son esprit bouillonnait d'émotions brutes et de sensations qu'il avait à peine le temps d'apprécier. En cavale, chassés d'un endroit prétendument sécuritaire à un autre, fuyant pour se sauver tout en poursuivant leur quête, ils n'avaient pas été en mesure de s'arrêter assez longtemps pour profiter à fond de ce qu'ils avaient trouvé ensemble.

Jusqu'à maintenant.

Interrompant le baiser, il riva son regard sur le sien alors qu'il agitait la main au niveau de la terrasse de la véranda. Instantanément, apparut un matelas confectionné du plus doux des duvets. Recouvert de draps blancs comme neige avec des monticules d'oreillers à une extrémité, il brillait comme un bijou dans l'obscurité.

— Torin…

— Nous prenons la soirée, Shea, murmura-t-il. Pas de formation, pas d'exercices, pas de soucis au sujet de ce qui nous attend. Ce soir, il n'y a que nous.

— Oui, dit-elle en soupirant, et elle lui permit de la déposer doucement sur le matelas sous les étoiles.

Doucement, tendrement, il traça du bout des doigts les grandes lignes de son tatouage d'accouplement. À partir de son mamelon, il suivit la ligne des flammes jusqu'à son épaule, et sa colonne vertébrale. Alors qu'il les touchait, chaque petite flamme éclatait de couleur, de vie. Son corps répondait instinctivement à son appel.

Il sentit sa propre marque brûler sur sa peau et il savoura la sensation, parce que cela les marquait comme ne faisant qu'un. Cela les unissait comme rien d'autre ne pourrait jamais le faire.

Penchant la tête vers la poitrine de Shea, Torin laissa sa langue tracer le même parcours qu'avaient auparavant suivi ses doigts. Elle soupira à son contact et tint sa tête sur sa poitrine, affamée d'en avoir plus.

Il lui donna ce qu'elle désirait. Ce dont ils se languissaient tous les deux.

— Torin, murmura-t-elle, tu me fais connaître tellement de sensations.

Les mains de Torin se déplacèrent sur sa peau, traçant chaque ligne, chaque courbe, et il sentit son cœur gonfler dans sa poitrine. Elle était tout pour lui et plus encore. Elle n'avait aucune idée de ce qu'il ferait pour elle. De ce qu'il sacrifierait pour elle.

Pour sauver cette sorcière, il abandonnerait le monde entier s'il le fallait. Parce que sans elle, il n'était rien. Sans elle, il n'y avait que la solitude des siècles passés. La souffrance de connaître ce qu'il avait trouvé pour finir par le perdre.

Les mains de Shea glissèrent le long du dos de Torin, puis sur sa poitrine, caressant la marque de tatouage jusqu'à ce que les lignes de chaque flamme brûlent d'une lumière rouge feu, et il sentit la chaleur de chacune de ces flammes qui le léchaient.

Elle le caressa, glissant sa main entre leurs corps pour envelopper ses doigts autour de sa dure queue. Glissant sa main doucement de haut en bas, caressant son extrémité jusqu'à ce qu'il soit obligé de respirer en sifflant encore et encore, courageusement déterminé à tenir le coup. À ne pas réclamer la libération qu'elle était résolue à lui offrir.

Finalement, il ne put supporter son contact sans risquer d'exploser, alors il détacha sa main de lui et sourit dans ses yeux vert émeraude.

— Pas encore, Shea. Il y a beaucoup de choses que je souhaite te faire. Pour toi.

— Tu me donnes continuellement, Torin, dit-elle en s'arquant vers lui, car elle avait autant besoin que lui de la sensation de sa peau sur la sienne.

— Et ça continuera, promit-il. Je te placerai toujours au-dessus de tout. Ton bonheur signifie pour moi plus que n'importe quoi.

Elle s'immobilisa et elle le regarda profondément dans les yeux.

— Tu me rends heureuse, Torin. Plus heureuse que je n'aie jamais cru pouvoir l'être. Après la mort de tante Mairi, j'étais si seule et j'avais si peur. Je n'ai jamais imaginé que je pourrais me sentir ainsi. Que je trouverais à nouveau un but. Que je *te* trouverais.

Il l'embrassa alors, un baiser long, profond et dur. Il fit durer ce moment pour une petite éternité parce que le goût d'elle le sidérait. Mais il voulait plus, il avait besoin de goûter encore plus.

Se glissant le long de son corps, il caressa sa peau, embrassa chaque centimètre d'elle alors qu'il se frayait un chemin en descendant, de ses seins vers son ventre, jusqu'à son sexe. Il écarta ses cuisses en les frôlant de sa main. Elle s'ouvrit pour lui avec impatience, volontairement. Il trempa un premier doigt, puis deux, dans ses profondeurs chaudes, et regarda son visage alors qu'elle soulevait ses hanches dans sa main. Le tatouage d'accouplement fit brûler un rouge foncé brillant autour de sa poitrine, et en réponse, du feu grésilla sur sa propre peau.

Il sentit la marque courir le long de sa colonne vertébrale et il savait que Shea éprouvait la même chose. La marque était presque complétée, et maintenant, elle brûlerait intensément chaque fois qu'ils se réuniraient. Un rappel, songea-t-il, de ce qu'ils avaient gagné. De ce qu'ils étaient devenus.

Se déplaçant maintenant, Torin s'agenouilla entre ses cuisses et regarda son sourire comme elle soulevait ses hanches pour accueillir son corps. Mais il voulait d'abord quelque chose de plus de sa part. Il voulait prendre et donner et la sentir en train d'éclater.

Posant ses mains sous ses fesses, il la souleva hors du lit, et la tint suspendue.

— Drape tes jambes par-dessus mes épaules, Shea.

— Torin…

Elle se mordit la lèvre et fit ce qu'il lui demandait.

Il riva son regard sur le sien alors qu'il baissait la tête pour goûter sa chair la plus intime. Au premier coup de sa langue, Shea gémit et respira fortement, rapidement. Ce léger bruit de soupir nourrit le désir qui pompait en lui.

Torin lécha, goûta et mordilla sa chatte jusqu'à ce qu'elle respire en halètements inégaux et se torde dans sa poigne. Elle balança sauvagement ses hanches, désespérée de connaître la libération vers laquelle il la poussait. Elle agrippa les cheveux de Torin avec ses doigts serrés en poings et maintint sa bouche contre sa fente alors que les premières ondulations de sensations la parcouraient et que Torin sentait chaque secousse de plaisir qui la faisait trembler jusqu'aux os.

Ce ne fut que lorsque la dernière secousse fut dissoute, laissant son corps tremblant, qu'il la déposa sur le matelas. Il enfonça son corps dans le sien en une longue et dure attaque, prétendant à tout ce qu'elle était. Elle le supplia avec de minuscules cris d'extase à peine audibles.

Il sentit l'énergie le fouetter comme des éclairs qui claquaient entre les deux. Ils se déplacèrent ensemble dans une tendre symphonie rythmée. Son corps se serra autour du corps de Torin, chaleur liquide, l'empoignant, le tirant de plus en plus profondément jusqu'à ce qu'il soit sûr de n'être jamais complètement séparé d'elle à nouveau. Les flammes entre eux brûlèrent et s'embrasèrent. Il prit sa main et joignit leurs doigts.

Le feu d'accouplement éclata, brûlant brillamment sur leurs mains jointes alors que leurs corps se brisaient ensemble, chacun d'eux tremblant dans une secousse d'autant plus forte qu'elle était partagée.

Deux ponts au-dessus, dans l'obscurité, le bout d'une cigarette brilla dans l'ombre comme l'œil d'un démon.

L'observateur sourit.

Chapitre 42

— C'est l'heure.

Kellyn parlait dans son téléphone et elle arracha distraitement un fil égaré sur sa blouse de soie prune.

— D'après mon contact, Shea et Torin sont maintenant très proches. Ils devraient être là où je m'y attends au cours des vingt-quatre prochaines heures. J'aurais besoin que tout soit en place avant ça, pour que nous soyons prêts à agir au pied levé. Je m'occupe de tous les préparatifs.

— Kellyn, dit patiemment la voix au téléphone. Nous en avons déjà discuté. Vous m'avez donné les coordonnées pour cette confrontation, et j'ai déjà pris les dispositions. Quand nous aurons raccroché, je les avertirai de tout organiser immédiatement.

La rage bouillona en elle, mais Kellyn ravala sa frustration et vit à ce que sa voix demeure calme et mécontente. Elle était allée trop loin pour perdre son sang-froid maintenant. Elle avait toujours besoin de ce contact. Elle prit donc une grande inspiration.

— Je suis certaine que vous vous souvenez à quel point l'opération des Chercheurs s'est mal terminée.

— Oui, mais mes instructions n'avaient pas été suivies, insista la personne au bout du fil. Et on s'est occupé de ceux qui ont commis des erreurs. Cette fois-ci, ce sera différent. Ce sont mes propres gens qui prennent les choses en main plutôt que des sous-traitants. Cette fois, on ne commettra pas d'erreur, je ne le tolérerai pas.

Kellyn ne le tolérerait pas non plus. Ce qui expliquait pourquoi elle voulait s'occuper elle-même de l'opération. Mais il y avait encore d'autres raisons pour maintenir cette relation, alors elle lui donnerait une autre chance.

— Si les coordonnées que vous m'avez transmises n'ont pas changé... continua la voix.

— Elles n'ont pas changé.

Kellyn savait exactement où se dirigeaient la sorcière et son Éternel. Peut-être Shea avait-elle besoin de plus de temps pour se souvenir de tout, mais les souvenirs de Kellyn étaient revenus il y a quelque temps déjà. Le passé était grand ouvert pour elle, et le futur, si on manœuvrait correctement, brillait de promesses.

— Très bien alors, dit la voix d'un ton confiant. Je ferai l'appel. Tout sera mis en place et en attente d'ici une heure.

— Très bien.

Kellyn s'obligea à sourire et baissa les yeux sur la circulation de la rue en face de son hôtel. Oui, la vue avait changé, mais n'importe quelle vue que l'on pouvait s'offrir à partir de la meilleure suite d'un hôtel de luxe était bonne. Elle rit en pensant à Shea et à son Éternel se précipitant à travers la campagne et demeurant dans des motels ringards et des maisons abandonnées. Tout cela pour éviter d'être détectés, pensa-t-elle — pour ce que cela leur a apporté.

Entre les dispositifs de pistage implantés dans le corps de Shea et la divination réalisée par Kellyn, la sorcière et son Éternel avaient été pourchassés d'un bout à l'autre du pays. Elle avait beaucoup aimé ses rencontres magiques avec Shea et elle attendait leur prochain tête-à-tête avec impatience. Kellyn convaincrait Shea de tourner le dos à l'assemblée des sorcières et d'unir leurs forces communes. Ensuite, les deux pourchasseraient les autres sorcières éveillées, une par une. Et à la fin, l'Artefact et le pouvoir leur appartiendraient.

Souriante, elle se rendit compte qu'elle était de bien meilleure humeur quand elle dit à son partenaire :

— J'irai directement aux coordonnées et je m'assurerai que vos gens sont correctement installés.

— C'est une bonne idée. Je vais les contacter, je leur ferai savoir que vous arrivez et qu'ils devraient agir selon vos ordres.

— Excellent.

Rien ne lui plaisait mieux que des hommes obéissants.

— D'accord, dit l'interlocuteur avec aisance. Et Kellyn, voyez à ce que rien n'aille mal cette fois-ci. Je ne veux pas que la sorcière meure. Elle ne nous servira à rien à moins d'être vivante.

— Je le sais encore mieux que vous !

Kellyn raccrocha et lança le téléphone sur une chaise à proximité.

Elle n'avait pas besoin qu'on lui rappelle quoi que ce soit. Surtout pas par quelqu'un qui venait tout juste de se joindre à la poursuite.

Kellyn avait attendu ceci depuis des siècles.

— Bientôt, murmura-t-elle en riant alors qu'un piéton se précipitait dans la rue et se faisait happer par un taxi. Bientôt, je n'aurai pas besoin de qui que ce soit. Shea et moi nous chargerons de l'Éveil, et jamais rien ne sera plus pareil.

Shea et Torin furent les premiers à quitter le navire.

En fait, ils partirent bien avant que le bateau n'accoste à Southampton. Lorsqu'ils furent assez près de la rive, Torin les transporta à l'aide du feu, laissant derrière le luxueux intermède.

Mais le temps passait, et Shea n'avait pas de place pour des regrets ou des retours en arrière. Torin avait eu raison, bien sûr. Au moment où elle avait mis le pied sur le sol britannique, elle avait su exactement où ils devaient aller. Était-ce un souvenir sensoriel ? Était-ce un indice laissé dans son subconscient lorsque ses souvenirs avaient été débloqués, lui permettant ainsi de se rappeler ses vies passées ?

— Shea ?

— Je sais où aller, dit-elle. Pembrokeshire, au Pays de Galles. Mais contente-toi de nous en approcher. Je veux préparer un sort avant d'aller à Haven. Nous assurer que nous ne marchons pas directement dans un piège.

— Bonne idée.

Ils en étaient à la dernière étape de leur voyage. Dans dix jours, la lune serait pleine, et leur temps serait terminé. Alors que les flammes de Torin l'enveloppaient, Shea pria silencieusement pour que tout se passe bien.

En plein cœur du sanctuaire du Sussex, Odell et Rune étaient en train de se détendre près d'un feu de camp. Les flammes dansaient et bondissaient dans le ciel nocturne. Des tourbillons d'étincelles se mirent brièvement à voler, puis s'éteignirent comme meurent les lucioles. Tout autour d'eux, la communauté des femmes s'affairait à intégrer les nouvelles arrivantes libérées par le raid dans le camp d'internement.

— Ça s'est bien passé, dit Rune, puis il leva son verre de bière en hommage à son ami.

— Effectivement, convint Odell. Seulement trois gardes morts et six femmes libérées.

Il sourit.

— C'était une bonne nuit de travail.

— Et elles seront en sécurité ici? demanda Rune.

Il jeta un coup d'œil autour de lui.

Ils se trouvaient dans une grotte oubliée depuis long-temps sous la forêt d'Ashdown. Dans l'Antiquité, ces parois rocheuses sculptées et ces salles avaient sans doute caché d'autres sorcières qui cherchaient à s'abriter contre leurs poursuivants. Aujourd'hui, l'endroit était de nouveau animé par le son de voix désespérées.

— Plus en sécurité qu'à l'endroit où elles étaient, c'est sacrément certain, lui dit Odell d'un ton catégorique.

Lorsqu'il se remit à parler, il sourit.

— C'est quinze kilomètres carrés de terres «pro-tégées». Il y a les touristes, bien sûr, mais Ashdown a été le «théâtre» de Winnie l'ourson! ajouta-t-il en pouffant de rire. Il y a des cerfs et toutes sortes d'animaux sauvages qui courent dans tous les sens dans ce maudit endroit, il y a donc des enragés de l'environnement qui sont prêts à tout pour le protéger.

Il leva les yeux vers le plafond de piche au-dessus de leurs têtes.

— Et ces cavernes ont été oubliées depuis longtemps. Personne ne connaît leur existence, et elles ont été magiquement protégées pour qu'on ne les trouve pas.

— Ça semble bien, lui dit Rune. Mais elles ne peuvent demeurer ici pour toujours.

Du bout d'un long couloir parvint le bruit d'une femme qui pleurait doucement, et son cœur qui ne battait pas souffrit de voir les femelles prises au piège dans une toile de perfidie.

— Non, admit Odell. Mais pour l'instant, c'est un bon endroit. Il existe d'autres sanctuaires autour de la Grande-Bretagne, et nous déplacerons bientôt quelques-unes des sorcières pour que ce soit moins bondé ici.

— Tu sais, dit pensivement Rune en hochant la tête, la dernière fois que je suis entré dans un sanctuaire, je n'ai pas exactement été accueilli à bras ouverts.

— Peut-être, lui dit Odell avec un sourire et un clin d'œil. Mais tu entres dans celui-ci comme un de mes amis, alors on te fait confiance.

Son sourire s'estompa, et il secoua solennellement la tête.

— Ces femmes ont été poursuivies, torturées et terrifiées. Faut-il s'étonner qu'elles soient prêtes à s'en prendre au premier homme qu'elles voient?

— Non. En effet.

Rune regarda fixement le feu.

— Si l'Éveil se passe comme prévu, ça va changer. Les chasseurs de sorcières ne seront plus nécessaires. La sorcellerie pourra prendre sa place légitime dans le monde.

— Oui, dit son ami, une note triste dans sa voix. Si tout se passe comme prévu. Et combien de plans, mon ami, avons-nous vu échouer au cours des siècles?

— Ouais, convint sombrement Rune. C'est un fait.

Torin risqua d'utiliser la magie, se servant de ses pouvoirs, ses énergies, pour les transporter par le feu dans une série de sauts jusqu'au Pays de Galles. Leurs esprits liés grâce à la force croissante de l'accouplement, il les emmena à un monticule herbeux en hauteur au-dessus de la mer qui s'écrasait plus bas.

Un vent froid et vif s'élançait de l'océan, se précipitant devant eux pour courir le long de la campagne, envoyant les villageois s'abriter dans leurs foyers. Au loin, des nuages lourds et noirs se rassemblaient comme s'ils amassaient leurs forces contre une invasion.

Torin n'était conscient de rien sauf de Shea. Il était concentré sur elle, ses yeux perçants surveillant toute inflexion d'expression qui traversait son visage. Elle paraissait à la fois heureuse et inquiète de se trouver à cet endroit, et il pouvait voir la lueur de reconnaissance qui luisait dans ses yeux verts brillants.

Pendant qu'il la regardait, elle s'approcha d'une pierre tombale perchée depuis des lustres sur la haute colline au-dessus de Manorbier Bay. Une longue et lourde pierre de chaperon se tenait en équilibre sur deux courtes et épaisses pierres latérales. Des siècles de vent et de pluie avaient profondément creusé les pierres, mais la magie fredonnait dans l'air autour du monticule.

— King's Quoit, murmura Shea tout en posant le bout de ses doigts contre la lourde pierre humide.

Elle ferma les yeux, et il put presque *voir* la magie qui se déversait des pierres dans sa petite main fragile.

— Tu te souviens, dit-il, ses mots presque perdus dans la frénésie du vent.

Il ne la voyait pas uniquement comme elle était maintenant, grande et fière, mais toujours hésitante au sujet de ses
propres pouvoirs —, il la voyait aussi comme elle était à
l'époque, en cette nuit d'il y a très longtemps. L'assemblée
s'était réunie ici, au bord de la falaise. Ici, où la pierre de
chaperon chantait d'anciens pouvoirs.

Il y avait d'autres menhirs mieux connus. Des cercles de
pouvoir, de la magie, qui s'étendaient à travers la campagne.
Aujourd'hui, ils attiraient des touristes et des scientifiques
en herbe qui cherchaient à expliquer l'inexplicable. Mais ici,
sur cette calme falaise dans une partie presque oubliée de
Galles, se tenait l'une des plus puissantes de toutes les
pierres.

— Je me souviens, dit-elle en levant son regard vers le
sien.

Elle tourna son visage dans le vent, regardant fixement
la mer et ouvrant ses bras grands pour accueillir le coup de
vent qui semblait se précipiter vers elle.

— Mon sang reconnaît cet endroit, dit-elle, comme si
elle pouvait à peine croire ce qu'elle disait. C'est ici que
nous sommes venues pour appeler la lune. C'est ici
que nous nous tenions pour ouvrir la porte, la nuit où nous
nous sommes condamnées. La nuit où nous avons perdu la
foi en tout ce que nous étions.

— Oui.

Elle baissa les yeux vers la pierre de chaperon et tendit
le bras pour la toucher encore.

— Ici, la magie est forte et ancienne.

— C'est vrai, dit-il, se déplaçant autour du King's Quoit
pour prendre Shea dans ses bras. Mais ce n'est pas Haven.

— Non.

— Peux-tu le trouver?

Elle avala sa salive. Sa sorcière était inquiète, se rappela Torin. Même s'il ne pouvait voir son expression, il *sentait* sa détresse. Elle était tendue, ses émotions mêlées d'attente, de peur et d'excitation. L'effet des inquiétudes des dernières semaines se faisait sentir.

— Je sais où c'est, dit-elle, et elle leva un bras pour pointer l'endroit. C'est là-bas. Au château Manorbier.

Il fronça les sourcils.

— Le château lui-même?

— Oui.

Il jeta un coup d'œil dans la direction du château du XIIᵉ siècle. La campagne galloise débordait devant eux comme un édredon vert foncé, parsemée de moutons et de haies et des bleus, roses et blancs lumineux des fleurs sauvages en floraison tardive. L'âme de Torin accepta d'être de retour dans le pays où tout ceci avait commencé. Pourtant, en même temps, il était inquiet, non seulement pour sa sorcière, mais pour les autres sorcières et les Éternels qui attendaient leur tour pour ce voyage.

Le château normand Manorbier avait été autrefois le centre de leur vie. Il y avait du bétail errant dans les terres autour du château, et dans les cours extérieures et intérieures, un véritable village avait prospéré. Maintenant, il le savait, tout était silencieux, sauf pour les échos du passé et les fantômes et les ombres qui s'accrochaient aux pierres brunes et couvertes de fougères.

— Il faut que j'aille voir le château, Torin, lui dit-elle, et il se retourna. Il y a de l'obscurité là bas.

— Que sens-tu?

Les yeux de Torin étaient durs et son expression, sinistre.

— Je ne suis pas certaine. Je peux sentir quelque chose. Je vais utiliser la magie du King's Quoit pour m'aider avec une projection astrale et j'aurais besoin d'une ancre.

— Tu en as une, l'assura-t-il.

Elle grimpa sur la pierre de chaperon et soupira profondément alors que la magie emprisonnée dans la pierre s'infiltrait dans ses os.

— Mon Dieu, ça fait du bien d'être ici. De sentir cette énergie et de savoir ce que ça signifie pour moi.

Torin sourit, prit sa main dans la sienne et la tint serrée.

— Je suis ici pour garder ton corps alors que ton esprit s'envole. Fais ce que tu dois faire.

Shea calma son esprit, garda sa respiration lente et mesurée, et lorsqu'elle fut prête, envoya son âme à la recherche de dangers cachés. La terre s'éloigna loin d'elle alors qu'elle s'envolait à travers le ciel et le vent. Un élan de liberté la remplit, et elle sut que c'était là le véritable danger du voyage astral. Il était possible de tellement se perdre dans les sensations qu'on risquait de ne plus vouloir revenir à un corps que l'on sentirait lourd comme du plomb à son retour.

Mais elle était en mission et alors qu'elle naviguait au-dessus du château Manorbier, à peine une pensée dans le vent, elle lança son esprit à la recherche de tout ce qui pouvait les attendre.

Elle le sentit d'abord. Une trace du mal, comme une trace de doigt sale sur une porte blanche. Elle descendit un peu plus près en piqué, espérant que son esprit désincarné ne soit pas détecté ou remarqué.

«Des hommes et des armes à feu.»

Ils étaient réunis, cachés derrière les murs et les pierres tombées du château. Ils les attendaient. Mais comment avaient-ils découvert qu'elle et Torin arrivaient ? Shea revint rapidement à son corps. Ce que leurs ennemis savaient à leur sujet n'était pas important. Tout ce qui importait était que le piège qu'ils avaient mis en place serait maintenant inefficace.

Elle revint dans une secousse et fixa les yeux gris tourbillonnants de Torin.

— C'est un piège. Il y a là-bas des hommes avec des fusils, et ils attendent seulement que nous nous montrions. Ils sont pour la plupart autour de la cour intérieure — ce qui est, naturellement, exactement l'endroit où nous devons aller.

Il l'aida à débarquer de la pierre de chaperon.

— Alors nous n'allons pas les décevoir.

— D'accord.

Elle hocha la tête et son regard passa de lui au château très loin en contrebas.

— Bizarre, n'est-ce pas ? Notre passé a été rempli de trahisons et de douleur — maintenant le présent semble à peu près pareil.

— Oui, mais nous ne sommes pas les mêmes qu'autrefois, Shea, lui dit-il, et il l'attira vers lui, la serrant dans ses bras et se sentant au septième ciel. Rien ne peut nous défaire si nous sommes ensemble.

— Nous le serons, Torin, dit-elle, penchant la tête en arrière pour le regarder. Nous le faisons ensemble.

Elle regardait toujours dans ses yeux, lorsque son feu les enveloppa tous les deux et les ramena à leur passé.

Chapitre 43

Les murs de pierre du château Manorbier étaient parsemés de fougères et de vrilles de lierre vert foncé qui serpentaient et grimpaient. Comme des yeux vides, les archères depuis longtemps inutilisées s'ouvraient sur le monde moderne, et les murs qui avaient autrefois retenti de cris et de rires demeuraient silencieux dans la mélancolie de l'après-midi.

Shea prit une grande respiration et laissa la scène s'enfoncer dans son âme. Elle était chez elle, pensa-t-elle, et elle se demanda comment elle pouvait se sentir si certaine d'un endroit où elle n'était jamais allée. Mais la réponse se trouvait dans son cœur, dans son esprit. Son âme elle-même reconnaissait cet endroit comme sa patrie spirituelle. Comme le pays où elle avait été le plus heureuse — jusqu'à la nuit où tout avait changé si radicalement, si complètement.

Elle sentit les esprits qui s'accrochaient à ce lieu, leurs énergies estampillées de tout temps sur le château qui avait été accueillant et sûr. Shea s'attendait presque à entendre le cliquetis des épées des guerriers en formation dans la cour extérieure. Elle tourna la tête pour regarder l'escalier menant du cellier à la grande salle et imagina des serviteurs courant çà et là, transportant des repas chauds des fours. Elle se souvint des fêtes dans la grande salle et du respect qu'on lui accordait à elle et à ses sœurs membres de l'assemblée.

Avant qu'elles tournent le dos à leur héritage, la vie avait été bonne ici. Dans ce château, la sorcellerie était traitée avec déférence. Shea et ses sœurs étaient recherchées pour des potions et des pouvoirs de guérison, pour assister les femmes pendant l'accouchement et être présentes près des mourants.

Elles étaient considérées comme des guides vers l'autre monde, et l'assemblée protégeait ceux qui se trouvaient dans ces murs en guise de remerciements pour le refuge qui leur était accordé.

— Si seulement nous n'avions pas…

Elle s'interrompit et regarda les murs avec le lierre qui rampait le long des pierres. Après une grande inspiration, elle soupira.

— Je ne peux pas m'empêcher de me demander comment les choses auraient pu être différentes si nous n'avions pas tourné le dos à ce que nous étions, admit-elle. Aux Éternels.

— Shea…

— Non, dit-elle, l'interrompant en posant le bout de ses doigts sur sa bouche.

Hochant la tête, elle combattit les larmes qui brouillaient sa vision.

— Il faut que je pense à ces choses, Torin. Je dois prendre conscience de ce que j'ai perdu. Ce que nous avons toutes perdu en pourchassant une gloire passagère, pour l'amour de Dieu. Nous nous sommes détournées de tout ce qui importait pour nous, croyant être si savantes. Croyant que nous pouvions maîtriser ce qui ne pouvait être dominer. Nous aurions dû nous accoupler il y a longtemps, Torin. Nous aurions dû nous unir. Et je suis désolée de m'être tenue loin de toi.

Il attrapa sa main dans la sienne et lui baisa les doigts, caressant sa peau avec sa langue.

— Le passé est le passé, Shea. Tout ce que nous avons maintenant, c'est le présent. Et notre avenir si nous pouvons le saisir.

Regardant fixement dans ses yeux gris pâle, elle sentit sa foi en elle et elle s'y accrocha.

— Nous le ferons.

Ils traversèrent le pont de bois et franchirent un petit tunnel, s'arrêtant juste avant d'entrer dans la cour intérieure. À gauche, il y avait une maison de gardien «moderne» qui paraissait avoir été construite il y avait plus d'un siècle. Elle était vide, grâce au ciel, songea Shea, qui utilisait son pouvoir pour détecter les intrus. Il n'y avait pas de touristes autour, ce pour quoi elle était reconnaissante. Parce qu'elle sentait ceux qui les attendaient. Elle sentait leur tension. Leur soif de tuer.

Demeurant dans l'ombre, elle murmura :

— Nous devons traverser la cour intérieure. Haven est à travers la grande salle et la chapelle.

— La *chapelle* ?

Elle sourit.

— À *travers* la chapelle.

Torin hocha la tête.

— Attends ici, dit-il. Je vais apparaître dans la cour par le feu pour attirer les tirs de nos ennemis afin de les localiser.

Shea prit une grande inspiration et expira.

— Sois prudent, dit-elle d'un ton grave en s'emparant de sa chemise. Si tu es touché, je serai sérieusement énervée.

Ce fut à son tour de sourire.

— Je m'en souviendrai.

Il disparut dans une brillante explosion de flammes. Un instant plus tard, comme si c'était au loin, elle entendit un cri, puis un coup de feu qui fendit l'air et qui effaça toutes les traces du passé.

— Arrêtez! cria Kellyn à l'idiot qui avait ignoré ses ordres et avait tiré trop tôt.

Dans un déchaînement de fureur, elle tendit le bras vers lui, serra le poing et l'observa alors que l'homme avait les yeux exorbités et que sa gorge se serrait. Privé d'air, il tomba sans vie, et son arme claqua sur les pierres au-dessous. Elle fronça les sourcils vers l'imbécile mort, puis jeta un coup d'œil vers le chaos dans la cour du château. Les balles volaient dans toutes les directions depuis que l'homme avait brisé le silence.

Les hommes envoyés pour obéir à ses ordres avaient été dispersés tout le long des murs de pierre couverts de lierre; chacun d'eux avait une vision nette sur la cour en bas. Avant la mise en place de cette embuscade, ils avaient évacué les gardiens et chassé les fichus touristes.

Ça aurait dû être simple.

Si elle l'avait fait à *sa* manière, tout aurait déjà été fini.

Les hommes que son partenaire avait envoyés avaient laissé leurs VUS noirs derrière le château sur les ordres de Kellyn, plutôt que de s'en servir pour bloquer la vieille herse. Pour l'amour de Dieu, ils avaient tout fait pour annoncer leur présence ; il ne manquait que les clairons. Si elle n'avait pas été là pour réorganiser les choses, Shea et Torin ne se seraient même jamais approchés de Haven.

Maintenant, il était clair qu'ils avaient été avertis du danger. Il n'y avait aucun espoir de sauver la situation. Kellyn jeta un coup d'œil en bas et elle vit que Torin était déjà en mouvement pour combattre leurs assaillants. Shea était debout, à moitié dissimulée dans l'ombre d'un escalier de pierre, en train de lever les bras pour appeler les éléments pour les protéger.

Dégoûtée par l'échec de cet énième plan, Kellyn fit la seule chose qui lui restait à faire.

— Concentrez vos tirs sur l'homme, ordonna-t-elle en parlant dans la radio dans sa main. Personne ne blesse la sorcière.

Des balles mâchèrent la pelouse somptueusement entretenue et crachèrent des morceaux de pierre sur les murs environnants. De la pluie se mit à tomber du ciel, et Kellyn jura, sachant que c'était Shea qui avait appelé la tempête.

Toute l'affaire allait trop vite vers la catastrophe.

Shea observa son Éternel qui se déplaçait par le feu avec une vitesse vertigineuse d'un coin à l'autre de la cour, attirant leurs coups de feu, ne ralentissant jamais. Ils étaient incapables de l'atteindre ; des balles percutaient les murs de pierre et entaillaient l'impeccable pelouse. Enfin, il revint à côté d'elle en souriant.

— Nous avons dit ce que nous avions à dire. Ils savent maintenant que nous ne serons pas faciles à surprendre à nouveau.

— Amène le feu, dit Shea en tendant le bras vers la main de Torin.

Leurs doigts se lièrent, leurs paumes se touchèrent, et ils firent face à leurs ennemis, un front unifié. Shea agita sa main libre et murmura un chant.

Contre ceux qui dans ce champ nous ont attaqués
Lune, ma déesse, nourris ma volonté
Un bouclier protecteur aide-moi à créer
Aucun sang nous ne verserons, pour t'honorer.

Un manteau invisible créé par la magie se souleva de terre, s'élevant vers le ciel, et encercla Torin et Shea pour les protéger tous les deux des balles qui volaient dans la cour intérieure du château.

Alors que le bouclier augmentait en intensité, Torin utilisa leurs forces combinées, appela son feu et l'envoya se précipiter dans un mur de flammes qui balaya la cour et se rendit dans tous les coins et recoins des murs. Les hommes hurlèrent de terreur et plongèrent pour se protéger, mais toujours, le feu ronflait, les flammes bouillonnaient, dansant, cherchant l'ennemi.

Dans leur hâte pour sauver leur propre vie, les hommes oublièrent leur assaut. Les balles s'arrêtèrent. Les pistolets tombèrent au sol. La pluie matraquait la cour intérieure du château, descendant en couches si épaisses que Shea et Torin étaient cachés à la vue.

Ils se mirent à courir vers la grande salle, et à partir de là, Shea entraîna Torin vers la chapelle. Alors qu'ils descendaient les passages sous des plafonds de pierre profondément sculptés, leurs pas sonnaient creux et ressemblaient à

des battements de tambour. Autour d'eux, les murs bourdonnaient d'énergies anciennes, et le pouvoir semblait se
précipiter sur eux de toutes parts.

Mais enfin, ils arrivèrent à l'extrémité de la chapelle et
firent face à un solide mur de pierre. Des peintures créées il
y avait des siècles étaient encore accrochées aux murs, de
vagues images de leurs gloires perdues depuis longtemps.

— C'est ici.

Torin la regarda, puis jeta un coup d'œil vers le long
passage derrière eux. Ils étaient toujours seuls. Mais pour
combien de temps ?

— Alors, fais ce que tu dois faire.

Hochant la tête, Shea lui serra la main, puis la déposa
sur le mur devant eux.

— *Haven*, murmura-t-elle.

Une ouverture apparut devant eux. Faiblement éclairée,
l'obscurité était épaisse dans l'espace caverneux au-delà du
mur, mais il y avait des torches enflammées fixées dans les
supports argentés qui envoyaient danser des ombres de
flammes dans la pièce.

Torin s'avança devant Shea, la protégeant de tout ce
qu'ils pouvaient trouver au-delà de l'entrée. Pénétrant dans
l'ouverture, ils s'arrêtèrent lorsque le mur derrière eux se
referma, les scellant dans la chambre secrète de la dernière
grande assemblée de sorcières.

— Et maintenant ? murmura Shea.

— Maintenant, tout commence, appela une voix familière. Bienvenue à Haven. Nous vous attendions.

Chapitre 44

Frustrée, Kellyn donna un coup de pied sur le corps de l'homme qu'elle avait tué par la force de sa pensée, puis elle ouvrit le rabat de son téléphone. Elle appuya sur RECOMPOSITION et attendit. Il n'y eut qu'une seule sonnerie avant qu'on réponde à l'autre bout du monde.

— Est-ce terminé ?

— Non, ce n'est pas terminé, dit Kellyn d'une voix cassante.

Elle jeta un coup d'œil aux murs de pierre du château dans la cour intérieure. Le feu de l'Éternel était éteint, mais les murs étaient noircis.

— Vos hommes ont tout gâché. Encore une fois.

— Mais juste un instant…

— Non !

Kellyn était si furieuse que des étincelles de pouvoir s'élevaient de son corps en formant un arc, puis retombaient dans une pluie de lumières rouge foncé.

— Non, vous m'écoutez. Ça fait deux fois. J'ai coopéré parce que vous pouviez accéder à certains canaux influents dont j'avais besoin. Mais nous savons tous les deux que c'est moi qui ai le beau jeu.

— Vous avez besoin de moi.

— Pas autant que vous avez besoin de moi — un fait dont vous êtes tout à fait conscient, répliqua Kellyn, qui en avait assez d'être souple.

Elle avait essayé de jouer selon les règles des autres, et jusqu'ici, cela ne lui avait donné rien de bon.

— À partir de maintenant, c'est moi qui prends les décisions. Si j'ai besoin de votre aide, je vous le ferai savoir.

— Juste une foutue minute, fit valoir son ancien partenaire. Nous sommes dans le même bateau. J'ai des plans pour Shea Jameson.

— Je le sais.

Kellyn sortit de sous le mur massif de pierre dans la pluie battante. Elle jeta un coup d'œil sur la dévastation qu'avait causée ce petit combat et s'amusa à se demander comment les humains pourraient expliquer tous les dommages.

— Donc, notre alliance tient toujours.

— Elle tient toujours, répondit Kellyn d'un ton hermétique.

Elle aurait voulu agir sans ce partenaire, mais elle savait que dans ce monde moderne, certains pouvoirs ne relevaient pas strictement de la magie.

— Mais si vous m'envoyez un autre crétin qui ne suit pas les ordres et qui utilise plutôt son arme quand il est nerveux…

Celui qui parlait ignora cette réplique.

— Combien de victimes?

— Je l'ignore.

Elle s'ouvrit à son environnement, touchant les traces d'énergie des hommes qui avaient mis en place ce bordel d'embuscade.

— Trois, dit-elle un instant plus tard, ne prenant pas la peine de préciser à son partenaire silencieux que l'une des victimes avait été tuée de sa main.

— Sur quinze.

— Et nous avons eu de la chance qu'il y en ait si peu.

Kellyn tourna à nouveau son regard vers la salle principale du château et vers la chapelle au-delà. Shea et Torin étaient hors de sa portée. Pour le moment. Elle savait exactement où ils avaient disparu et elle les aurait suivis si elle avait pu le faire. Elle savait exactement où se trouvait Haven.

Elle ne pouvait tout simplement pas y entrer.

Pas encore.

— Qu'allez-vous faire maintenant?

— Quoi que ce soit, ce sera fait à *ma* façon, dit Kellyn d'un ton sec et elle raccrocha, coupant la connexion.

Envahie par la fureur, elle se tint sous la pluie battante, ferma les yeux et disparut.

— Tante Mairi?

Une grande et belle femme avec des cheveux roux jusqu'à la taille lui souriait. La lumière des flammes des appliques murales s'embrasait sur ses traits sous forme de lumière et d'ombre et lui conférait une apparence éthérée. Un fantôme. C'était tout ce qu'elle pouvait être, se dit Shea. Toute autre chose était impossible. Une ruse. Ou peut-être même un piège.

Shea hocha la tête et entrecroisa ses doigts avec ceux de Torin.

— Non, murmura-t-elle. C'est impossible. Tu es morte. Je t'ai *vue* mourir. J'étais là. Ils t'ont brûlée sur le bûcher et...

Mairi Jameson sourit et se précipita vers l'avant.

— Oh, ma chérie, n'aie pas peur. C'est vraiment moi. Je ne suis pas morte ce jour-là. Damyn...

Elle se tourna et tendit une main vers l'homme qui se tenait derrière elle, l'attirant à ses côtés.

— Mon Éternel m'a sauvée. Il m'a sortie du feu et m'a emmenée ici.

— Ton...

Shea regarda Torin, qui sourit à l'autre Éternel.

— Tu le connais?

— Effectivement, dit Torin, qui étira une main vers l'autre homme.

Ils se serrèrent les avant-bras et se sourirent.

— Je ne l'ai pas vu depuis des siècles. Pas depuis...

— Il serait préférable de discuter de ça une autre fois, interrompit Damyn, puis il s'avança pour passer un bras autour des épaules de Mairi.

— C'est vraiment toi, dit Shea, encore abasourdie par le choc et l'émerveillement.

— C'est moi, ma chérie. Vraiment.

— Je ne le crois pas. Tu es vivante.

Shea lâcha la main de Torin et se précipita vers sa tante, la prenant dans une étreinte serrée et forte.

— Pourquoi ne m'as-tu rien dit? demanda-t-elle, déchirée entre un rire hystérique et des larmes.

— Je ne pouvais pas, expliqua Mairi en se détachant pour bien regarder Shea. Damyn m'a dit que nous devions attendre jusqu'à ce que tes pouvoirs s'éveillent et puis attendre que tu trouves ton chemin jusqu'ici.

Bien sûr qu'il l'avait fait, pensa Shea. Torin n'avait-il pas attendu jusqu'à ce qu'elle se fasse effectivement attaquer avant de la sauver? Ainsi, il avait pu s'assurer que ses pouvoirs étaient éveillés.

— Je ne peux croire que tu sois vivante et...

Shea jeta un bon coup d'œil à sa tante et, pour la première fois, elle remarqua comment elle était vêtue. Elle portait un vêtement blanc de style toge avec une bretelle à une seule épaule. Froncée à la taille, la jupe droite se drapait sur le sol en une mare qui frôlait le dessus de ses pieds nus. Mais la chose la plus étonnante au sujet de la robe, c'était que le sein gauche de Mairi était dénudé. Un tatouage d'accouplement en forme de roses rouges encerclait son mamelon et tournait jusque derrière son dos pour se courber contre sa colonne vertébrale. La large poitrine nue de son Éternel portait une marque correspondante.

L'apparence était à la fois sensuelle et puissante. Bien que Shea ignorât si elle oserait dénuder sa poitrine comme sa tante osait le faire.

— Vous êtes accouplés.

— Bien sûr, dit Mairi, et je porte la robe traditionnelle pour montrer ma fierté envers mon compagnon et envers notre union. Pour que tous sachent que nous sommes un.

Un froncement de sourcils creusa les traits de Mairi, et elle tendit le bras pour prendre la main de Shea dans une poigne ferme.

— Toi aussi, tu es accouplée, n'est-ce pas?

— Oui, eh bien, presque, répondit Shea. Ça ne fait pas encore tout à fait un mois.

— Oui, je sais, dit Mairi, qui sourit de soulagement et de plaisir.

Son regard toucha à la fois Shea et Torin.

— Le temps est compté, Shea, et il y a des forces tapies contre toi qui travaillent activement pour t'empêcher d'accomplir ta quête.

— Nous le savons, dit rapidement Torin. Nous sommes tombés sur une embuscade dans la cour intérieure du château.

Mairi regarda Damyn.

Il hocha la tête, appela le feu et sortit en flammes.

— Damyn va vérifier si les intrus ont disparu. As-tu une idée de qui ils étaient?

— Ce pourrait être n'importe qui. Nous avons été suivis depuis notre départ de Californie.

Le regard de Mairi était inquiet.

— Nos ennemis pourraient être plus puissants que nous ne le pensons, je le crains.

— Que veux-tu dire? Sais-tu qui était derrière cette attaque?

— Non, admit-elle en fronçant un peu les sourcils. J'ai fait de la divination, j'ai regardé dans le futur et dans le passé, mais l'ennemi se masque lui-même — ou elle-même — trop bien.

— Ce n'est pas grave, dit calmement Torin. On ne leur permettra pas de nous arrêter.

Mairi lui fit un sourire éclatant.

— Bien sûr, vous avez raison, Éternel. Merci de me le rappeler. Maintenant, vous devez être fatigués tous les deux. Pourquoi ne vous reposez-vous pas et…

— Je ne veux pas me reposer, Mairi, dit Shea à sa tante. Je veux des réponses. Je veux savoir ce qui se passe et ce que j'ai à faire exactement.

Les yeux vert pré de Mairi croisèrent les siens, et elle hocha lentement la tête.

— Très bien. Nous parlerons. Ensuite, vous vous reposerez. Venez. Permettez-moi de vous familiariser à nouveau avec Haven.

Shea suivit sa tante, gardant ses doigts entrelacés avec ceux de Torin. Alors que Mairi se mettait à parler, Shea sentit ses propres souvenirs s'épaissir comme du sirop et se déverser dans son esprit. Elle se souvenait de cet endroit. Elle se souvenait de l'époque ancienne quand les murs retentissaient de rires, quand elle et ses sœurs travaillaient sur des sorts et recueillaient des connaissances.

Elle se souvenait de ses chambres ici. Elle se rappelait avoir quitté Haven pour rencontrer Torin pour des relations sexuelles — tout comme elle se souvenait d'avoir refusé l'accouplement. De n'avoir pas voulu partager son pouvoir, même contre la chance d'obtenir l'immortalité. Même avec la promesse que ses propres pouvoirs se développeraient dans cette union.

Son moi d'il y a longtemps avait voulu maîtriser elle-même ses pouvoirs. Elle n'avait pas voulu s'unir en permanence avec son Éternel, de peur de perdre toute partie d'elle-même en s'unissant complètement.

Et cette obstination et cette arrogance lui avaient coûté cher.

— Ne fais pas ça, Shea, avait dit Mairi en lançant un rapide coup d'œil à Torin, lui demandant silencieusement un peu d'intimité.

Torin regarda Shea, la salua de la tête et sortit en flammes, laissant les deux femmes seules.

— Faire quoi? répliqua Shea, ses pas résonnant sur le plancher de pierre. Me souvenir? N'est-ce pas ce que je suis censée faire?

— Ne regarde pas en arrière avec colère. C'est inutile, et ça risque de faire voler tes énergies en éclats au moment où tu en auras le plus besoin.

— Qu'en est-il de la colère que je ressens envers toi, Mairi? demanda Shea, s'arrêtant soudainement pour pivoter et faire face à la tante qu'elle adorait. Puis-je m'en souvenir?

— Shea...

Les traits de Mairi étaient inquiets, ses yeux verts remplis de regret et de tristesse.

— Dix ans, dit Shea, qui refusait de se laisser influencer par l'émotion intense qui irradiait de sa tante. Dix ans que j'ai passés seule. Pourchassée. Apeurée. Tu étais la seule famille qui me restait. Tu étais celle qui m'avait élevée quand j'avais perdu mes parents. Je t'ai vue mourir et j'étais toute seule. Je n'avais personne, Mairi. J'ai fait le deuil de toi. Je t'ai pleurée. Et pendant tout ce temps — elle lança les mains dans les airs et elle jeta un coup d'œil vers les murs de pierre traversés de veines argentées —, tu étais ici. Avec ton Éternel. *Saine et sauve.* Comment pourrais-je ne pas être en colère?

— Je ne sais pas, dit Mairi, puis elle s'approcha pour prendre les mains de Shea dans les siennes. Je sais que je t'en demande beaucoup. Je sais seulement que tu devras trouver un moyen de te libérer de cette colère, sinon elle creusera une ouverture dans ton âme, et l'obscurité y pénétrera.

Shea frissonna.

— Je ne peux pas te reprocher d'être furieuse contre moi, dit Mairi. Mais je n'ai pas eu le choix, Shea. Tout comme toi maintenant tu n'as pas le choix. Nous sommes ce que nous étions censées être. Nous sommes des élues. Nous sommes les vestiges de la dernière assemblée. Nous avons une dette. Envers la nature. Envers le monde entier. Et nous devons la payer.

Frottant ses mains le long de ses bras, Shea jeta un coup d'œil dans la salle principale caverneuse. Des images parsemaient les murs — sculptées dans la roche et incrustées d'argent, les charmes magiques bourdonnaient de pouvoir.

Bien sûr, il y avait des pentagrammes, mais aussi des cercles simples. Ils représentaient l'anneau sacré, le cercle était le symbole ancien et universel de l'unité et du pouvoir féminin. Puis, il y avait des cercles avec un seul point à l'intérieur du centre, le Bindu, le cercle symbolisant la femme et le point, l'homme, joints comme s'ils ne faisaient qu'un. Il y avait des cercles divisés en quatre parties par des lignes égales d'argent, la roue de médecine, qui symbolise la nature et les quatre éléments. Il y avait la gravure d'un serpent qui dévorait sa propre queue, signifiant la vie, la renaissance.

Et il y avait la spirale. Elle tachetait chaque mur, encore et encore. Shea savait que la spirale d'argent était un symbole connu dans le monde entier depuis le début des temps. Elle représentait la femme et la naissance, la croissance, la mort et la renaissance de l'âme.

Tous magiques. Tous puissants. Les symboles étaient en eux-mêmes assez puissants ; mais définis par l'argent des anciens, ils généraient un champ d'une telle magnitude que même une respiration en leur présence semblait remplir le corps de force et de courage.

Tout cela, Shea en avait désespérément besoin.

Dans la lumière des torches, l'argent clignotait et brillait comme s'il était vivant. Comme si les battements de cœur des sorcières mortes depuis longtemps avaient été capturés dans ces murs, et étaient maintenant les témoins silencieux des actions de leurs descendants.

Elle sentit un autre frisson courir le long de sa colonne vertébrale, la faisant se tordre de froid, avec une peur glaciale qui traînait dans le creux de son estomac. Toute cette puissance déclenchait non seulement ses souvenirs d'unité et de force, mais d'autres aussi, les souvenirs sombres. Son esprit et son âme se souvenaient comment elle avait déjà été tirée de la lumière pour embrasser l'obscurité.

Et cette petite partie d'elle qui rêvait de retomber à nouveau grandissait.

— Shea !

La voix de Mairi la fit sortir de ses pensées, mais certaines d'entre elles devaient persister dans son regard, car les traits de sa tante se remplirent instantanément d'inquiétude.

— Qu'est-ce qu'il y a ? De quoi te souviens-tu ?

— De trop de choses, admit Shea alors qu'une puissante peur serpentait à travers son organisme.

Chapitre 45

Cora Sterling arpentait le bureau ovale, ses pensées trop agitées pour lui permettre de s'asseoir derrière son bureau.

— Qu'en pensez-vous, Parker ? demanda-t-elle en jetant un rapide coup d'œil à son chef de cabinet.

Parker Stevens était un vieux routier de la politique de Washington. Il en connaissait les tenants et les aboutissants mieux que quiconque. Il savait à qui faire confiance. Qui acheter. Qui enterrer. Cora ne pouvait s'imaginer se priver de ses conseils.

Ou de ses compétences dans la chambre à coucher.

— Madame la présidente, dit-il, je pense qu'il est grand temps que vous appeliez le premier ministre et que vous lui expliquiez que notre sorcière échappée est en Grande-Bretagne.

Elle s'arrêta et regarda à travers la pièce. Impeccablement soigné, Parker avait des cheveux gris acier, des yeux bleus perçants et une mâchoire dure qui était actuellement enfermée dans une expression de dégoût.

— Vous n'êtes pas sérieux, dit-elle.

— Je le suis. Nous voulons que Shea revienne dans son pays, où elle pourra être la figure de proue de vos réformes.

Il se dirigea vers elle à pas comptés.

— Nos informateurs nous disent qu'elle est en Angleterre quelque part, et si nous n'obtenons pas l'aide de leur gouvernement, nous aurons du mal à la trouver.

Cora était loin d'apprécier la situation. Après s'être retournée, elle regarda par la large fenêtre vers la pelouse et les jardins qui paraissaient froids et humides en ce jour de fin de septembre. L'été était enfin terminé, et l'automne se pointait, annonçant la venue de l'hiver. Cora se sentit envahie par une sensation de froid.

— Je ne veux pas devoir de faveur à Graham, murmura-t-elle. La dernière fois qu'il était ici, il a fait tellement d'histoires au sujet des camps d'internement internationaux que la presse en a fait ses choux gras.

— Je sais, dit Parker, quand il arriva derrière elle et lui démontra une touche d'affection — rare en dehors de sa chambre à coucher — en posant ses deux mains sur ses épaules. Mais nous avons besoin de lui. Nous trouverons un moyen de tirer parti de son aide sans céder sur la question des camps d'internement.

— Vous le croyez?

Elle leva les yeux vers lui, incertaine jusqu'à ce qu'elle croise son regard soutenu.

— J'en suis convaincu. Faites l'appel, Cora. Vous garderez tout de même le dessus. J'y verrai personnellement.

Pendant un bref instant, Cora se permit de réagir en tant que femme, et non en tant que présidente. Se penchant dans l'étreinte de son amant, elle leva son visage pour recevoir son baiser, puis s'abandonna aux délices sensuels dans lesquels il était sacrément habile.

Lorsqu'elle finit par se libérer, elle tira sur l'ourlet de sa blouse en soie grise et lissa ses cheveux vers l'arrière.

— Parker, dit-elle avec un sourire. Je ne sais pas ce que je ferais sans vous.

Il lui frôla le menton, puis recula, littéralement autant qu'au figuré, redevenant une fois de plus son collaborateur le plus fiable.

— Madame la présidente, vous n'aurez jamais à le découvrir.

— Shea, je sais que tu te sens dépassée...

— C'est le moins qu'on puisse dire, répondit-elle, interrompant sa tante alors qu'elle se tournait pour la dévisager. D'abord, Torin m'a dit que j'étais la première sorcière éveillée. Mais comment est-ce possible si tu as été ici depuis dix ans?

Mairi sourit, accrocha son bras à celui de Shea et la conduisit dans la grande salle.

— Je suis la Grande prêtresse, lui dit-elle pendant qu'elles marchaient — ou je l'étais il y a longtemps. La gardienne des flammes. L'observatrice. Une sorte de gardienne de notre clan. De nos sœurs et de nos traditions.

— La Grande prêtresse? répéta Shea.

— Ça semble noble, n'est-ce pas? demanda Mairi avec un petit rire. Mais tout ce que ça signifie, c'est qu'à l'époque, j'étais responsable de notre clan. Il était de mon devoir de voir à ce que nous apprenions, que nous nous développions, et que notre clan remplisse sa mission en servant la déesse Danu.

Elle s'arrêta, et ses yeux se remplirent de larmes.

— J'ai failli à la tâche. Non seulement pour moi-même, mais pour vous toutes aussi. Je me suis abandonnée à la même avidité et à la même arrogance que vous toutes. Il était de ma responsabilité de guider nos sœurs. De m'assurer qu'elles reçoivent de l'aide le long du chemin. J'ai tourné le dos à tout ce que nous étions.

— Mairi...

Shea entendit la douleur dans la voix de sa tante, et toutes ses propres peurs et ses propres ressentiments s'estompèrent devant son besoin de la réconforter.

— Non, j'aurais dû remplir le cœur de nos sœurs avec mon amour et mes conseils spirituels. Au lieu de ça, je les ai laissées s'ouvrir aux ténèbres et alors, je les y ai rejointes.

Elle soupira, et une larme solitaire coula sur sa joue.

— J'ai beaucoup à expier. Comme nous toutes.

— N'est-ce pas pourquoi nous sommes ici? demanda doucement Shea en caressant la main de sa tante dans un geste d'amour et de solidarité.

— Oui, tu as raison, répondit Mairi en souriant à travers ses larmes. Je ne peux pas te dire à quel point tu m'as manqué, Shea. T'avoir ici maintenant est un présent inestimable. Et imagine, ajouta-t-elle avec un sourire, tu es la première à rentrer au bercail.

Shea posa une main sur le bras de sa tante.

— Il y a une autre sorcière qui prétend être l'une des nôtres.

— Quoi?

Les traits de Mairi montraient clairement toute ça confusion.

— Elle s'appelle Kellyn. Torin et Rune l'ont fait sortir d'un camp d'internement en Californie quand ils me cherchaient. Elle dit qu'elle est une sorcière éveillée.

— L'éveil de Kellyn a commencé ? Mais c'est impossible, murmura Mairi. Tu étais la première, Shea. Kellyn ne devait venir que plus tard.

— Eh bien, quelqu'un aurait dû le lui dire, dit Shea d'un ton cassant qu'elle regretta immédiatement. Je suis désolée. Je suis tout simplement fatiguée. Et effrayée et inquiète.

— Je sais que tu l'es, ma chérie, dit Mairi, et je ferai tout mon possible pour en savoir plus sur Kellyn. Mais pour l'instant, accompagne-moi. Je veux te montrer quelque chose d'important.

De l'autre côté de la salle, elles s'arrêtèrent à nouveau, et Shea ne put que regarder fixement, bouche bée. Il y avait une niche voûtée creusée dans la pierre, et dans cette arche étaient déposées trois cages — des cages d'oiseaux à l'ancienne, mais fabriquées de feu. Des flammes vivantes, de couleurs changeantes du vert au rouge, au jaune, puis au bleu, dansaient librement le long des fils d'argent qui composaient les cages.

Un souvenir lui passa derrière la tête, et Shea s'en empara.

— C'est pour l'Artefact.

— Oui, dit Mairi, visiblement heureuse de voir que ses souvenirs revenaient si complètement. Chaque éclat qui est retourné à Haven sera entreposé ici pour être en sécurité. Jusqu'à ce que toutes les pièces soient recueillies. Puis, nous reconstruirons l'Artefact et le détruirons magiquement.

Shea fixa les flammes vivantes et sentit l'énormité de la tâche qui les attendait tous. Les éclats de l'Artefact avaient été cachés partout dans le monde. Chaque sorcière allait devoir compléter sa propre quête pour retrouver cette tranche mystique d'argent noir. Et comme Shea l'avait déjà compris, ce ne serait pas facile.

— Sais-tu où tu as caché ton morceau ?

— Non, admit Shea en se demandant pourquoi cette pièce du puzzle lui était encore dissimulée.

Pourquoi son esprit ne lui avait-il pas fourni le lien dont elle avait besoin par-dessus tous les autres ?

— Ça viendra, l'assura Mairi, l'attirant dans une vive et sauvage étreinte. Ici, à Haven, tu te reposeras. Rassemble tes forces, et tes souvenirs vont revenir.

— J'espère que tu as raison, dit doucement Shea. Comme tu l'as dit, il ne nous reste presque plus de temps.

Dans leur chambre, Torin s'allongea sur le lit et observa sa sorcière nue devant un miroir. Le sang se précipita vers son bas-ventre, et le désir pompa à travers lui, chaud et frais. Il n'en aurait jamais assez de cette femme, cette sorcière, pensa-t-il. L'éternité ne serait pas suffisante pour le rassasier d'elle.

Chacune de ses respirations était une séduction. Son contact était du feu et de la passion qui frisait la folie. Son pouvoir resplendissait autour d'elle, étincelant dans une aura jaune pâle qui palpitait au rythme de son cœur.

Bientôt, songea-t-il, son cœur battrait finalement en harmonie avec le sien. Bientôt, ils seraient liés à jamais. Unis comme ils devaient l'être.

Shea passa légèrement les doigts sur le tatouage d'accouplement sur sa poitrine, et Torin respira en sifflant, sentant son contact sur sa peau. Elle sourit dans le miroir et agita une main devant elle. En un mouvement, elle se trouva vêtue du costume traditionnel d'une sorcière accouplée.

Son sein gauche était nu, sa marque sur sa peau, éclatante d'une lumière rouge feu. Elle ressemblait à une ancienne princesse, à la fois sage et érotique, et le corps de Torin la désirait.

— Je ne croyais pas pouvoir porter cette robe, dit-elle pensivement, observant d'abord son propre reflet, puis croisant le regard de Torin dans le miroir. Mais maintenant, ça semble bien, en quelque sorte. D'être ici, et de porter ce vêtement. De t'avoir avec moi. Tout est... bien.

— Viens vers moi, Shea, dit-il en levant une main et en la tendant vers elle.

D'une pensée, il fit disparaître ses propres vêtements et gémit presque au soulagement que son corps ressentit lorsqu'il fut libéré de ses limites.

Elle se retourna et fit le tour du lit pour s'asseoir sur le matelas à ses côtés. Il leva la main pour prendre son sein nu, et elle ferma les yeux en un soupir alors que le pouce de Torin contournait son tatouage et son mamelon durci.

— Tu es magnifique, lui dit-il, puis il se leva pour réclamer ce mamelon avec sa bouche.

Sa langue et ses dents jouaient avec sa peau sensible, la faisant haleter et frissonner de désir, d'un désir dévorant.

Il suça son mamelon, et elle retint sa tête sur sa poitrine. Ses doigts se glissèrent dans ses cheveux, et il sentit chacun de ses doigts comme une petite flamme qui caressait sa peau, brûlant en lui, le marquant des feux qu'ils créaient ensemble. Il tira et pinça son mamelon, jusqu'à ce qu'il sente que son corps tremble sous sa poigne. Ce n'est qu'à ce moment qu'il la libéra suffisamment longtemps pour l'attraper à la taille et la balancer au-dessus de lui.

Elle tira sur l'ourlet de sa longue jupe blanche jusqu'à ce que le vêtement remonte au-dessus de ses cuisses. Elle ne portait rien sous la robe traditionnelle, et Torin tendit la main pour caresser son centre. Frottant son pouce sur son centre, il la regarda s'agenouiller par-dessus lui, faisant balancer ses hanches dans un rythme qu'il dirigeait.

— Prends-moi en toi, Shea, ordonna-t-il, sa voix forte du désir qui l'oppressait, l'étranglant.

Lui souriant, elle fit exactement ce qu'il lui demandait ; elle se baissa, centimètre après centimètre, l'émoustillant toujours un peu plus tout en l'insérant dans son corps. De la chaleur humide l'entourait, et l'esprit de Torin se vida. Tout ce qu'il pouvait faire, c'était de sentir les sensations qu'elle éveillait en lui. La foudre s'abattit sur eux, grésillant dans l'air, les chargeant tous les deux de magie aussi riche et aussi pure que tout ce qu'il avait pu ressentir auparavant.

Faire l'amour ici, à Haven, où des siècles de magie avaient vécu et prospéré, semblait magnifier ce qu'il y avait entre eux. Alors qu'ils s'unissaient, le pouvoir chanta dans l'air. Il leva les yeux sur Shea, sur sa poitrine nue marquée, sa tête rejetée en arrière, ses cheveux longs et soyeux soulevés par la force de la magie. Les bras de Shea se balancèrent dans un grand geste, comme si elle acceptait un présent qu'on lui tendait.

Elle le monta, balançant ses hanches sur les siennes, l'engloutissant, prenant tout ce qu'il était en elle — et quand sa première libération s'abattit sur lui, il vécut ce torrent de sensations en même temps qu'elle. Son enveloppe se serra autour de lui, le tenant très fort, le serrant jusqu'à ce qu'enfin,

Torin se livre à la force indéniable de la dernière phase du rituel d'accouplement.

Les jours suivants s'écoulèrent dans un flou de souvenirs éveillés et de collecte de magie. Shea travaillait avec sa tante, pratiquait des rituels anciens, refaisait connaissance avec la sorcière qu'elle avait été. Mais il s'agissait plus que de magie et du pouvoir de l'exercer. Elle s'efforçait de devenir une sorcière guerrière, s'entraînant à la fois avec Torin et Damyn. L'Éternel de sa tante était fort et puissant, et lui et Torin, dans un court laps de temps, réussirent à enseigner à Shea des rudiments d'autodéfense.

À travers tout cela, Shea grandissait et se développait. Son esprit, son cœur, son âme, tout réagissait au fait de se retrouver de nouveau à Haven. On aurait dit qu'elle renouait, non seulement avec elle-même, mais avec ses sœurs les sorcières. Les femmes qui étaient parties avant elle.

Gravés sur les murs des passages qui serpentaient à travers Haven, dans un dédale chaotique de couloirs et de chambres, il y avait les portraits de sorcières mortes depuis longtemps. Leurs traits sculptés dans la pierre et bordés d'argent semblaient chercher le présent à partir des brumes du passé. Leurs regards étaient fixes et compatissants. Quand elle reconnut ses propres traits d'incarnations passées gravés sur le mur, Shea ressentit un sentiment de continuité. Elle avait été ici avant, et maintenant, elle était revenue. Cette fois, pensa-t-elle alors qu'elle regardait ces visages du passé, l'assemblée se rachèterait. Cette fois-ci, leurs souvenirs parleraient de fierté et de succès.

Ici, dans Haven, il y avait de la sécurité, songea-t-elle, assise près du feu dans la chambre qu'elle partageait avec son amant, son compagnon. De la tradition. Il y avait une paix qui touchait Shea alors même qu'elle se préparait à partir pour compléter sa quête. Et il y avait Torin.

Au-delà de tout ce qu'elle ressentait, il y avait sa connexion à son Éternel. Cet homme pour qui elle risquerait n'importe quoi. Cet homme à qui elle dissimulait ses peurs les plus sombres.

— Shea, chuchota Torin dans l'obscurité éclairée par le feu, tu devrais dormir.

— Mes rêves m'ont réveillée, dit-elle sans ajouter que c'était le frisson obscur qui avait appelé son âme, qu'elle était sortie d'un sommeil rempli de rêves vers une terreur remplie de culpabilité.

Il quitta le lit, vint à elle et s'agenouilla à ses côtés.

— Un rêve? Raconte-le-moi.

Shea lui prit la main et s'accrocha à sa force dure et solide. Ses peurs résonnaient dans sa poitrine au point où prendre une simple respiration devenait un acte de volonté incroyable.

— Tu sais? demanda-t-il, la lumière du feu dansant sur ses traits. Tu sais où nous devons nous rendre?

— Oui, répondit-elle, croisant son regard et espérant qu'il ne puisse voir les sombres preuves du désir qui brillaient dans ses yeux. Je sais où j'ai caché l'Artefact.

— Alors, nous partons. Dès l'aube.

Il se leva, puis la remit sur ses pieds pour la guider à nouveau vers le lit.

— Torin, attends.

Elle se pencha vers lui, passa ses mains autour de sa taille et s'y enfouit.

— Tiens-moi seulement dans tes bras pour une minute, tu veux?

— Pour l'éternité, promit-il, ses bras autour d'elle.

Elle l'espérait, songea-t-elle en fermant les yeux, même si cela ne servit qu'à lui faire voir à nouveau les images sombres qui l'avaient réveillée.

Shea se voyait tenant très haut son éclat de l'Artefact, le clair de lune se reflétant sur sa surface sombre. Elle sentit la pression de l'argent noir qui se glissait le long de sa peau, s'enfonçait dans son corps, dans ses os mêmes. Elle regarda, impuissante, alors que ses yeux et ses cheveux devenaient noirs.

Alors que sa bouche se recourbait en un sourire, sa main s'avança pour commencer à pomper Torin.

Chapitre 46

Les ruines noircies d'un château depuis longtemps abandonné se dressaient sur une falaise surplombant une mer en colère.

Torin avait appelé la magie, et dans une longue série de sauts, il les avait transportés tous les deux vers le sud-est de l'Écosse. Le voyage avait pris deux jours, puisqu'ils s'étaient reposés pour ne pas trop drainer leur énergie. Il aurait été trop risqué de s'approcher de l'argent noir dans un état de faiblesse — sans mentionner le fait qu'ils ne savaient aucunement si leurs poursuivants leur tendraient à nouveau une embuscade.

Shea avait travaillé des sorts et utilisé la projection astrale, mais elle n'avait vu aucun problème à l'horizon. Que de longues journées et une longue nuit dans les bras de Torin. Le sexe de l'accouplement était maintenant plus riche, plus profond, comme si chacune de leurs âmes avait réclamé une tranche de l'autre en les liant si bien qu'il n'y avait pas de Shea sans Torin. Pas de Torin sans Shea. Et c'était ainsi que ça devait être. Leurs esprits vibraient au même diapason. Ils n'avaient pas besoin d'exprimer leurs pensées pour se faire comprendre. Et le lien de l'accouplement se poursuivait, incomplet, mais irrésistible.

Le vent se mit à gémir alors qu'il traversait les herbes hautes jusqu'aux genoux et les rochers. Un soudain rai de soleil se déversa de derrière un nuage, et avec le bêlement des moutons dans les champs, la scène ressemblait à une peinture qui prenait vie.

Situées à seulement seize kilomètres de St Andrews et avec un flot constant de touristes qui traversaient l'Écosse, les ruines se trouvant sur cette falaise auraient tout aussi bien pu être situées sur une autre planète.

Shea se détacha des bras de Torin et respira profondément l'air froid écossais. L'odeur était familière et ranimait une série d'images dans son esprit. Une forge embrasée avec un forgeron qui se penche sur le feu. Une femme de ménage qui se presse dans de longs couloirs avec des draps fraîchement lavés. Un garçon de cuisine qui vole un biscuit et qui esquive une gifle de la cuisinière. Ce n'était que de toutes petites images qui, prises séparément, n'étaient rien de plus qu'un clin d'œil dans la trame du temps. Mais rassemblées, elles représentaient toute une vie, tout simplement.

— C'est toujours là, murmura-t-elle, son regard embrassant à la fois le château et les falaises au-delà. Je m'inquiétais que l'érosion ait fait glisser le château dans la mer.

— Le fragment est ici ? lui demanda Torin.

Il se plaça derrière elle et posa une main sur son épaule.

— Oui, dit-elle, parlant assez bas pour ne pas déranger les fantômes qui continuaient à vaquer à leurs occupations.

Même si elle ne pouvait les voir, elle les sentait. Des esprits qui ne pouvaient ou ne voulaient avancer, mais qui s'accrochaient avec ténacité à ce qu'ils avaient connu.

— Il est sur le mur de la chapelle.

— Une *église*?

Torin la fit se retourner dans ses bras et la regarda dans les yeux.

— Tu as déposé dans une *chapelle* un fragment de l'Artefact après lequel Lucifer lui-même était en train de courir?

Elle sourit et leva une main pour prendre sa joue.

— Je déteste me servir d'un cliché, mais si je me souviens bien, ça semblait être une bonne idée à l'époque.

Shea se retourna pour regarder à nouveau le château.

— J'avais peur, Torin. Après ce combat contre les démons, nous étions vraiment très effrayées. Chacune de nous connaissait le grand pouvoir de l'argent noir et savait à quel point il était important de le cacher là où il serait en sécurité pendant huit cents ans.

— Et tu as choisi cet endroit?

Son regard s'éleva pour balayer la région environnante à la recherche, comme toujours, d'une menace potentielle.

— Pourquoi?

Shea leva les yeux vers lui.

— Maintenant, c'est toi qui ne te souviens pas.

Il fronça les sourcils et fit non de la tête.

— Me souvenir de quoi?

— De ce château.

Elle désigna de la main le squelette imposant d'un bel endroit jadis fortifié.

— Mackay l'avait construit pour l'une de ses filles, Nessa. Nous sommes venus ici pour son mariage un printemps. Et c'est ici que nous avons pour la première fois...

Un sourire se courba lentement sur ses lèvres en même temps qu'il passait une main le long de son bras.

— Je me souviens maintenant. C'était la première fois que tu venais dans mon lit.

— Oui, mais c'était plus que ça, Torin. C'était la première fois que je me sentais totalement en sécurité. Dans tes bras, je ne pensais pas à la sorcellerie ou au pouvoir ou à la connaissance. Il n'y avait que toi.

— Si c'était vrai, mon amour, rien de tout ça n'aurait pu se produire, dit-il calmement.

Secouant la tête, Shea tendit les bras pour tenir le visage de Torin entre ses mains. Elle voulait qu'il le sache. Pour comprendre, avant qu'ils ne s'engagent dans la dernière étape de cette quête qui allait les unir pour toujours.

— C'était vrai, Torin. Avec toi, il y avait de la paix, de la passion et des rires.

Elle laissa tomber ses mains et baissa la tête comme si elle s'excusait inconsciemment de la femme qu'elle avait été.

— Mais quand j'étais avec mes sœurs, j'oubliais tout ce que je connaissais avec toi. J'ai écouté les exigences de ma propre cupidité et j'ai laissé tomber ce qui était vraiment important pour moi.

Après s'être retournée, elle s'appuya contre lui et regarda le château où elle avait trouvé l'amour, puis l'avait perdu il y avait si longtemps.

— Alors, quand j'ai dû cacher l'Artefact — le déposer en lieu sûr — je l'ai apporté dans le seul endroit où je m'étais sentie en sécurité. Même si ça n'avait été que brièvement.

— Shea, tu n'avais qu'à communiquer avec moi, dit-il en enveloppant ses bras musclés autour d'elle. Alors ou maintenant, je serai là pour toi. Toujours.

— Je le sais, lui dit-elle, et elle prit une brève et profonde inspiration, libérant délibérément des souvenirs qui n'étaient maintenant que de la poussière.

Le temps s'était écoulé, et elle ne pouvait, peu importe à quel point elle le souhaitait, retrouver ce qui avait été perdu. Mais si elle accomplissait cette tâche, si elle n'avait plus à expier la faute à laquelle son ancien moi avait participé, elle arriverait peut-être à retrouver ce qu'elle n'avait pas suffisamment chéri dans le passé.

Avec son Éternel à ses côtés, Shea se sentait forte. Capable. Les fils de leur accouplement les liaient rapidement ensemble, et ce lien continuait de se renforcer chaque jour.

Pourtant, elle ressentait quelque chose d'autre. Quelque chose qu'elle n'avait pas encore osé avouer à Torin. La sombre vibration de l'Artefact l'appelait, comme il l'avait fait il y avait si longtemps. Elle sentait son attirance, comme un chant insistant qui se répétait continuellement dans son esprit et dans son cœur. C'était là, juste sous la surface, qui la tentait, l'agaçait, lui rappelait ce qu'elle avait ressenti en ce moment de pouvoir suprême, juste avant que son ancien monde éclate autour d'elle.

Et une partie d'elle le voulait.

Shea avala difficilement sa salive et combattit l'invitation. Combattit l'instinct qui réclamait qu'elle se rende elle-même dans les ruines du château pour récupérer le fragment de l'Artefact. Elle voulait être seule avec cette obscurité. Elle voulait ressentir la douce montée du pouvoir qui l'envahissait. C'est pourquoi elle gardait son secret pour elle-même, espérant qu'en l'ignorant, il ne se passerait rien. Qu'il n'y aurait pas de fiasco cataclysmique.

— Allons le chercher, dit Torin en prenant sa main dans la sienne. Plus tôt nous revenons à Haven et plus tôt nous entreposons ce truc en lieu sûr, mieux nous nous porterons.

— C'est vrai.

Elle hocha la tête, prit une autre profonde inspiration et traversa avec lui, traversa la distance pour retrouver son passé.

L'intérieur des ruines paraissait moins pittoresque.

Des pierres tombées étaient empilées les unes sur les autres, et les fougères et le lierre recouvraient tout, comme un riche manteau vert, parsemé de fleurs d'automne. Torin aurait pu simplement les transporter par le feu sur le mur de la chapelle, mais il y avait quelque chose à propos de ce lieu, de cette tâche, qui les avait poussés à choisir de marcher.

La route était difficile et peut-être qu'il devait en être ainsi, songea Shea. Elle enjamba d'énormes pierres et, avec l'aide de Torin, elle escalada un petit mur qui semblait sur le point de tomber. La chapelle était située à l'arrière du château de Nessa. Shea se souvenait du jour du mariage de la jeune fille alors qu'on avait cueilli des fleurs et accroché des rubans qui pendaient le long des murs du château. Des musiciens avaient joué, des voix chantantes s'étaient élevées, et le whiskey avait coulé à flots.

Maintenant, seul le vent chantait à travers les pierres.

— C'est là, dit Shea, pointant vers un mur avec des morceaux manquants gros comme le poing. La chapelle est par là.

— Je me souviens.

Elle regarda autour d'elle, l'inquiétude la faisant se mordre la lèvre inférieure.

— Il semble que la porte ait été bloquée pour toujours. Il y a tellement de pierres et de vignes, nous n'arriverons jamais à la franchir.

— Pour remédier à ça, lui dit Torin en l'attirant à lui, nous appellerons le feu.

Elle s'accrocha à lui, et quand les flammes s'élevèrent autour d'eux, ils se transportèrent à partir de l'extérieur des murs jusqu'à l'intérieur de l'enceinte. Shea lâcha Torin et franchit le plancher de dalles cassées. Un battement bruyant passa devant elle, et elle poussa un cri de surprise, se baissa vivement, et se couvrit la tête.

— Ce n'est qu'un oiseau, dit Torin, puis il regarda autour de lui. Des colombes ont construit leur nid ici.

Elle se mit à rire un peu en se voyant si nerveuse, et elle continua à avancer à travers ce qui avait autrefois été une minuscule et magnifique chapelle. De l'herbe et de la bruyère poussaient entre les pierres sous ses pieds, et il n'y avait plus de toit ; le ciel se déployant largement au-dessus de leurs têtes.

— C'est triste, murmura-t-elle, se souvenant de l'endroit tel qu'il était autrefois.

— C'est triste, en effet, convint-il d'une voix étouffée, aussi basse que la sienne.

Abandonnant les souvenirs et la marche inévitable du temps, Shea se tourna vers le mur ouest de la chapelle. Son regard se posa immédiatement sur un support de torche suspendu à un angle incliné à cause du déplacement des pierres. L'argent noir qu'elle avait magiquement tordu dans la forme d'un outil simple était toujours accroché à l'endroit où elle l'avait laissé il y avait si longtemps.

— C'est ça, n'est-ce pas?

Torin posa la question, mais il n'attendit pas la réponse. Il s'avança et tendit une main pour l'attraper.

— Arrête!

Ce qu'il fit, avant de tourner la tête pour lui lancer un regard interrogateur.

— Qu'est-ce qu'il y a?

«Comment lui expliquer?» se demanda-t-elle désespérément. Comment pouvait-elle lui dire que chaque battement de son cœur, chaque centimètre de sa peau, lui imposait de prendre ce fragment de métal mystique? De le tenir une fois de plus. De sentir cette obscurité lourde qui se drapait sur elle en une pompe sensuelle et sauvage d'énergie et de puissance.

Elle n'arrivait même pas à se l'expliquer à elle-même.

Tout ce qu'elle savait, c'était qu'elle avait *besoin* de toucher l'argent noir. Elle devait être celle qui le prenait du mur.

— Laisse-moi le faire, dit-elle, et elle passa devant lui pour atteindre le support qu'elle avait forgé et caché il y avait tant de siècles.

La brûlure du pouvoir de l'Artefact l'appelait, comme si le métal lui-même la reconnaissait et saluait son retour.

Les doigts de Shea se refermèrent autour de l'objet, et avec une touche de magie, elle le tira du mur pour le tenir près d'elle. Elle le sentit alors. En un clin d'œil, un sursaut d'énergie noire balaya son corps tout entier. En l'espace d'un battement de cœur, elle pencha la tête en arrière, agrippa l'Artefact contre sa poitrine et fit un large sourire au firmament au-dessus d'elle. En un instant, de sombres nuages se rassemblèrent, et le tonnerre se mit à gronder comme l'appel de dieux en colère qui criaient des avertissements.

Mais Shea n'entendait rien de tout cela.

Elle était enveloppée dans les filets soyeux d'un pouvoir si immense qu'elle en perdait le souffle. Comment avait-elle pu l'abandonner ? Comment avait-elle pu s'éloigner de la force vibrante qui se glissait dans chaque cellule de son corps ?

Comment pourrait-elle arriver à le laisser aller à nouveau ? Seigneur, que la montée du pouvoir en elle était inimaginable ! Elle n'avait pas pris conscience, elle n'avait pas su. Ses pensées se retournaient dans sa tête, évaluant les possibilités, et elle sourit.

— Donne-le-moi, Shea, dit Torin, sa voix âpre et tendue.

— Une minute, dit-elle en soupirant, comme à un amant, alors que les fils noirs emplissaient ses veines.

— Shea !

Il se saisit d'elle en lui donnant une dure secousse qui la fit sortir de l'obscurité.

— Quoi ? Qu'y a-t-il ? Nous l'avons. Tout va bien, dit-elle.

— Non. Tout ne va pas bien, lui dit-il, les yeux brillants de colère. Tu as changé. Dès que tu as touché à ce maudit truc, tu as changé.

Elle se débattit pour se libérer de son emprise, agrippant toujours l'Artefact contre son corps de ses doigts avides.

— Qu'est-ce qui a changé ? Je suis toujours la même.

— Non ! Tes cheveux, tes yeux, même tes vêtements tournent au noir, Shea ! Cette chose est en train de prendre possession de toi, et tu la laisses faire. Tu *dois* résister à son appel.

« Non. »

Elle secoua la tête et elle se détacha de Torin en titubant. Mais elle risqua un coup d'œil vers le bas et comprit qu'il avait raison. Ses jeans étaient maintenant noirs. Son chandail vert foncé était aussi noir, et en bougeant la tête, elle vit que ses longs cheveux auburn étaient maintenant aussi noirs que la nuit.

— Oh mon Dieu…

La peur monta en elle, aussi épaisse et aussi riche que le pouvoir qu'elle sentait frémir à l'intérieur de l'argent noir. C'était ce qu'elle avait connu il y avait si longtemps, songea-t-elle. Ce combat entre elle et le désir qui pourrait corrompre une âme et la tordre au-delà de l'imaginaire. Son pouls battait lourdement dans sa poitrine lorsqu'elle se rendit compte qu'elle était en train de devenir ce qu'elle avait déjà été par le passé et qu'elle ne pouvait l'arrêter. Qu'elle ne pouvait y mettre fin. Elle ne semblait pas pouvoir enlever ses doigts de l'Artefact.

— L'histoire est en train de se répéter, Shea, dit Torin, ses yeux pâles rivés sur son visage.

Shea regarda dans les yeux de Torin et vit son propre reflet qui la fixait à son tour. Mais ce qu'elle voyait était le visage d'une sorcière morte depuis longtemps. Celle qui avait joué et perdu. Celle qui avait tellement mis son âme en danger qu'elle s'était fixé elle-même un voyage de huit cents ans d'expiation. Et pour quoi? Pour refaire les mêmes erreurs encore et encore?

Un combat s'éleva en elle. Un combat pour la suprématie.

La sorcière contre le pouvoir de l'Artefact.

Contre son propre désir.

Chapitre 47

L e regard terrifié de Shea fixa le sien.

— Torin, c'est beaucoup plus fort que ce ne l'était autrefois. On dirait qu'il a accumulé encore plus de pouvoir à travers les siècles, et plus il est resté ici, inutilisé, inexploité, plus il s'est renforcé.

— Tu dois le combattre, Shea, lui dit-il, et il avança vers elle, un long pas à la fois, comme s'il essayait de se faufiler sans se faire repérer par le métal magique qu'elle tenait si près. Si notre lien d'accouplement se brise avant d'être complété, si tu te détaches maintenant de moi, nos âmes mourront.

Elle ne savait pas cela, mais instinctivement, elle reconnut que c'était la vérité. Elle ne pouvait permettre que cette vérité se réalise. Elle frissonna, un grand frisson qui déchira tout son corps, qui fit claquer ses dents et qui verrouilla ses os dans une étreinte douloureuse.

La foudre creva le ciel en éclairs irréguliers. Le tonnerre fit trembler les ruines. Même le sol sous leurs pieds semblait trembler sous le pouvoir qui se rassemblait.

— Prends-le, dit-elle en serrant les dents. Enlève-le-moi, Torin.

Il la regarda dans les yeux et fit non la tête.

— Tu dois me le donner librement, Shea. Tu dois abandonner volontairement ce pouvoir.

Elle savait qu'il avait raison. Son esprit lui hurlait de le faire. De délier ses doigts serrés sur l'argent noir. De le remettre à Torin et de récupérer son âme des ténèbres. Mais il était si difficile de lutter contre les demandes de son corps. Difficile de combattre cette montée de magie qui se répandait en elle.

Shea riva son regard sur celui de Torin. Elle retrouva son calme et se concentra uniquement sur l'Éternel en face d'elle. Dans ses yeux gris pâle, elle vit l'amour. L'acceptation. La loyauté. Elle s'accrocha à la force de ces émotions. Elle songea à son propre voyage. À tout ce qu'elle avait traversé pendant le dernier mois. Son âme était divisée, une moitié se penchant vers la lumière, l'autre, vers l'obscurité. Elle était déchirée, littéralement, entre deux désirs, chacun d'eux aussi fort que l'autre.

Et Torin était là. Toujours devant elle. Toujours là à la regarder résolument avec amour, avec confiance. Elle hocha la tête, puisa sa force profondément en elle et, lentement, elle s'obligea à tendre ses mains en coupe vers lui. À ouvrir péniblement ses doigts serrés sur l'argent noir qui s'était transformé dans sa poigne, pour redevenir un fragment d'un ancien nœud celtique.

Elle baissa les yeux sur le métal au centre de ses paumes, ressentit un vif désir, puis le relâcha délibérément.

Torin attrapa l'Artefact, puis tendit le bras pour la saisir alors qu'elle tombait et s'évanouissait.

Shea se réveilla, prit une profonde inspiration et fut soulagée de sentir qu'elle était revenue à sa véritable identité.

Elle prit une longue mèche de ses cheveux, regarda et soupira en voyant le roux foncé familier.

— Torin?

Elle s'assit, fouilla du regard les ruines de la chapelle avant d'enfin trouver son Éternel parmi les ombres.

— Torin? Est-ce que ça va?

— C'est... difficile.

Sa voix semblait creuse, différente.

Se levant en sursaut, Shea se précipita vers lui, le tira de l'obscurité, seulement pour voir que les changements qui s'étaient abattus sur elle le touchaient maintenant. Ses yeux gris familiers étaient noirs comme de l'encre. Ses cheveux étaient encore plus foncés qu'avant, et son vêtement avait aussi la couleur de l'ébène.

— Oh mon Dieu.

L'avait-il sauvée seulement pour se perdre lui-même?

Il gardait une main autour de l'Artefact, et elle connaissait la brûlure de pouvoir qu'il éprouvait. Elle tendit le bras vers lui, et quand il sauta vers l'arrière pour s'éloigner d'elle, elle n'en perdit pas sa volonté. Avec insistance, elle posa une main sur sa large poitrine et laissa le lien qui les unissait tous les deux le renforcer.

— Tu dois laisser tomber ce truc, Torin, lui dit-elle, son regard scrutant les fosses noires de ses yeux, à la recherche d'une lueur de reconnaissance.

— Laisse-le tomber. Maintenant.

— L'un de nous doit le rapporter à Haven, insista-t-il, ses traits durcis par l'effort. Mieux vaut que ce soit moi. Nous avons déjà vu qu'il t'affecte beaucoup plus profondément que moi. Je peux y survivre.

Il se leurrait. Les changements radicaux qui l'envahissaient se produisaient peut-être plus lentement, mais ils étaient tout aussi dommageables. Tout aussi dangereux.

On aurait dit qu'il était déjà loin d'elle et que Shea n'avait plus beaucoup de temps pour l'atteindre. Il fallait qu'il l'écoute, comme elle l'avait écouté. Glissant sa main sur sa joue et la prenant dans sa paume, elle fit non de la tête.

— Nous trouverons un moyen, Torin. Mais nous ne pouvons le tenir. Aucun de nous ne le peut.

Il ferma les yeux, et elle sentit le combat qui rageait en lui. Non seulement puisait-il dans son incroyable force, mais aussi dans leurs essences combinées pour se frayer un chemin hors de l'obscurité.

— Regarde-moi, Torin, dit-elle doucement, puis elle attendit que ses yeux s'ouvrent et la regardent fixement.

Son regard vide et sans expression était troublant, mais elle refusait de se laisser intimider. Il l'avait sauvée, elle ne pouvait faire rien de moins pour lui.

— Tu dois laisser tomber l'Artefact. Nous résoudrons ce problème. Mais j'ai besoin que tu sois avec moi.

Il respira en sifflant et il retint son souffle, l'enfermant dans ses poumons. Elle l'observa pendant que des émotions apparaissaient sur son visage si rapidement qu'il était difficile de les identifier. Tout ce qu'elle savait, c'était qu'elle avait besoin de lui. Elle avait envie de lui. Elle l'*aimait*.

Elle n'avait jamais prononcé ce mot. Pas pour lui. Pas pour elle. Elle s'était cachée de lui, comme une lâche. Elle était devenue sa compagne, elle était devenue sa partenaire et elle avait toujours retenu ce mot. Pourquoi ? Pour maintenir ce dernier lien avec la personne autosuffisante qu'elle avait été autrefois ? Était-ce de la lâcheté ? Seigneur, elle espérait que non. Tout comme elle espérait que son aveu de maintenant suffirait à le libérer de l'emprise de la magie noire.

— Je t'aime, Torin, dit-elle, les yeux brillant de promesses. Tu m'entends ? Je t'*aime*. Reviens-moi maintenant.

Avec un grand bruit sourd, l'Artefact heurta le sol jonché de pierres, et Torin chancela pendant que le pouvoir noir sortait de lui aussi rapidement qu'il l'avait envahi.

Il eut un rire court et dur, et frotta son visage d'une main. Puis, ses yeux se posèrent sur ceux de Shea, qui libéra un souffle refoulé dès qu'elle y vit le tourbillon de gris qu'elle connaissait et qu'elle aimait.

— Le foutu truc est un piège, dit-il, tendant le bras vers elle, la serrant si fort qu'elle pouvait à peine respirer. Le ramener à Haven sera difficile.

— Pouvons-nous le transporter par la magie ? Peut-être employer un sort pour l'envoyer là-bas séparément ?

— Mon Dieu, non, dit-il en enfouissant son visage dans la courbe de son cou. Je n'ai pas du tout confiance. Qui sait comment il pourrait réagir à un sort ? Il est si puissant, Shea. Je n'en avais aucune idée.

— Mais tu as réussi à le battre, murmura-t-elle, blottie contre lui.

— Grâce à toi.

Il prit son visage entre ses paumes et leva ses yeux vers les siens.

— C'est à cause de ce que tu m'as donné.

Son regard se déplaça sur ses traits comme une caresse. Elle sentait la tendresse qui montait en lui, et tout en elle réagissait.

— J'ai senti ton amour, dit-il, et c'était suffisant pour m'éloigner du bord du précipice. Sans toi...

Il secoua la tête et se déplaça pour jeter un coup d'œil au fragment d'argent noir à leurs pieds. L'herbe verte autour de l'Artefact était maintenant brune et morte. Comme si le simple contact de la magie noire avait suffi pour aspirer la vie du sol.

— Je crois que je comprends maintenant. Ce que toi et l'assemblée des sorcières avez ressenti il y a si longtemps.

— C'est séduisant, murmura-t-elle, son regard aussi fixé sur le nœud d'argent noir.

Même en sachant ce qu'elle savait, elle devait se forcer pour s'empêcher de tendre le bras pour l'atteindre. Pour le caresser. Pour ressentir la ruée noire d'énergie courser à nouveau à travers ses veines.

— Plus que tout ce que j'ai connu auparavant.

À nouveau, il l'attira tout près de lui, et l'entoura de ses bras, cherchant le confort ou le proposant.

— Par le passé, nous, les Éternels, ne pouvions pas comprendre comment vous pouviez toutes tourner le dos à ce qui était bon et juste, pour la promesse de plus de pouvoir. Mais maintenant...

Ses bras se serrèrent autour d'elle comme des bandes d'acier.

— Je sais. Et une partie de moi le désire encore, admit-elle enfin. Je n'avais pas voulu t'en parler, Torin, mais depuis que nous sommes arrivés en Angleterre, je l'ai senti tellement fort. L'Artefact m'appelait. Me murmurait. Et il y a quelque chose en moi qui l'écoute.

Les doigts de Torin s'emmêlerent dans ses cheveux, et il tint sa tête contre sa poitrine, comme si par la force de sa volonté, il pouvait assurer sa sécurité. Nier les paroles mêmes qu'elle lui confessait.

— Mais tu ne l'as pas écouté, Shea. Tu l'as laissé aller. Et ça aussi, c'est important.

— J'espère que c'est suffisant, dit-elle. Parce que ce truc ne ressemble à rien d'autre sur terre.

— Il dévore ton âme, une bouchée à la fois. C'est comme si tout se passait si vite et pourtant si lentement, que tu ne peux même pas voir ce qu'il te fait avant qu'il soit trop tard.

Elle entendait la méfiance dans sa voix et elle la partageait.

— Comment allons-nous faire pour rapporter le damné truc en toute sécurité à Haven?

Il prit une grande inspiration et la laissa à nouveau sortir précipitamment.

— J'ai une idée là-dessus. Mais il y aura quand même du danger.

Shea le serra très fort, s'enfouissant contre lui, comme si elle essayait de s'infiltrer complètement dans son corps.

— Ce n'est pas comme si nous avions le choix, Torin.

— C'est vrai.

Il lui fit un dernier câlin vif, puis il la relâcha.

— Laisse-moi te dire ce à quoi je pense. Ensuite, nous partirons.

Kellyn attendait.

Elle détestait le pays de Galles.

Elle détestait le froid. L'humidité. Le vent.

La frustration et la colère bouillonnaient en elle, créant un déferlement d'émotions sombres qui s'élevaient et menaçaient de l'étrangler. Mais sa détermination, sa volonté, s'emparaient de ces émotions les plus intransigeantes et les soumettaient.

Elle n'était pas prête à laisser son propre empressement ruiner un plan bien pensé. Cette fois, c'était son plan, fait à sa manière.

Si elle échouait — ce qu'elle jugeait impossible — elle n'aurait à s'en prendre qu'à elle-même. Et c'était bien mieux que d'avoir affaire à des abrutis d'incompétents, peu importe s'ils étaient bien motivés.

La pluie se mit soudainement à tomber d'un ciel de plomb, l'inondant en quelques secondes. Irritée et maintenant trempée, Kellyn agita la main et créa une somptueuse grotte sur le flanc de la montagne. Dieu savait que ce n'était pas un hôtel cinq étoiles, mais elle ne pouvait se permettre de quitter la proximité de Haven. Son miroir de divination lui avait appris que Shea et Torin étaient maintenant sur le chemin du retour. Si elle les ratait…

Elle secoua la tête, se procura des vêtements propres et secs, puis elle créa un feu. S'allongeant sur un lit de fortune confectionné de coussins de soie et de couvertures chaudes, elle regarda les flammes, se perdant dans l'appel mystique du feu et de l'obscurité.

Chapitre 48

La cage de feu que Torin avait construite pour contenir l'Artefact avait énormément drainé ses énergies.

Surtout depuis qu'il avait dû non seulement mettre l'argent noir en cage, mais aussi se transporter par le feu en compagnie de Shea afin de revenir à Haven. Le voyage du retour se faisait beaucoup plus lentement. Même ses pouvoirs renforcés ne correspondaient nullement à ceux de l'argent noir. Les sauts étaient plus courts, et les arrêts pour se reposer étaient plus longs.

Il jeta un coup d'œil vers sa sorcière, lut la fatigue dans ses yeux verts et sut que ses pouvoirs étaient aussi épuisés. Ils étaient liés si intimement maintenant qu'ils pouvaient utiliser leurs énergies combinées pour transporter l'Artefact en toute sécurité au pays de Galles. Mais le voyage avait un impact sur chacun d'eux.

Il détestait les effets de ce voyage sur Shea et il détestait encore plus voir qu'il était impuissant à changer la situation. Sans leur étroite collaboration, l'Artefact ne reviendrait jamais à Haven. Il tourna son regard sur le fichu truc qui reposait sur un rocher maintenant noirci sous l'un de deux ifs. Ils ne le posaient plus sur le sol, ne sachant pas si la magie se répandait dans la terre ou simplement dans le carré d'herbe noircie sur lequel il reposait. Au lieu de cela, ils l'installaient sur des rochers ou le suspendaient à des branches d'arbres à l'aide d'une corde confectionnée par la magie.

Ils faisaient tout pour s'empêcher de le toucher. L'effet de l'Artefact sur eux était trop intense pour risquer à nouveau de s'y exposer. Même avec leur magie combinée, ils risquaient de ne pas être suffisamment forts pour résister à son attrait.

— Nous y sommes presque, dit calmement Torin d'une voix à peine plus élevée que le sifflement et le grésillement du feu de camp entre eux.

Ils n'avaient pas risqué de demeurer dans un hôtel ou dans une chambre d'hôte. Non seulement étaient-ils constamment en danger d'être poursuivis ou attaqués, mais le transport de l'Artefact était une invitation au désastre. Ils avaient donc plutôt campé le long d'une rivière juste à l'intérieur de la frontière du pays de Galles. Au matin, ils seraient à Haven. Malgré leurs forces magiques affaiblies, Torin avait été tenté de poursuivre leur route et d'en finir avec l'entreprise, mais il n'avait pas osé prendre de risque.

Si Shea avait besoin de lui, il devrait pouvoir utiliser tous ses pouvoirs.

— Je sais, dit-elle, évitant délibérément de regarder l'Artefact.

Torin comprenait. Lui aussi sentait l'attirance de l'obscurité qui le cherchait, et elle devait même le sentir encore plus. Shea était une descendante directe des créateurs de l'Artefact. Un simple maillon d'une longue chaîne. L'objet réagissait à sa présence comme s'il était quelque chose de vivant; et peut-être, songea-t-il, que c'était exactement le cas. Créé à partir du souffle et de la magie de l'assemblée originale, les puissances de l'univers l'avaient fait naître. Était-il si difficile d'imaginer qu'au fil du temps, il se renforcerait?

Qu'il deviendrait autre chose?

Cette pensée l'inquiétait beaucoup plus qu'il ne l'aurait voulu.

Le regard de Shea se déplaça vers les champs ouverts et vers un lac où le reflet de la lune presque pleine brillait comme un projecteur dans les cieux. Puis, elle leva les yeux vers le ciel et la lune elle-même, haut dans le ciel.

— Elle est presque complète maintenant. Demain, notre mois sera terminé.

— Et nous avons réussi.

— Vraiment?

Elle lança un coup d'œil inquiet vers l'Artefact, et ses yeux verts brillèrent d'inquiétude. Frottant ses bras avec ses mains comme pour lutter contre une fraîcheur qui transperçait son âme, elle lui rappela :

— Ce truc est toujours ici. Son attrait continue à se faire sentir autour de nous. Nous ne l'avons pas encore rapporté à Haven. Tout peut arriver. Pour autant que nous sachions, une autre embuscade nous vise en ce moment même.

— Ici, nous sommes en sécurité, Shea.

Elle le regarda.

— Comment le sais-tu?

Il contourna le feu pour s'asseoir à côté d'elle, puis il l'attira sur ses genoux et enroula ses bras autour d'elle.

— Nous avons mis en place des sorts de protection, tu te souviens, dit-il, adossé au tronc noueux d'un des ifs centenaires. Personne ne peut nous voir. Personne ne va nous trouver. Entre nos deux magies, nous sommes en sécurité.

— Mais ce truc, dit-elle, refusant à nouveau de regarder l'Artefact, il ne veut pas rester enfermé, Torin. Je le sens.

— Quoi qu'il en soit, il ne nous battra pas, dit-il, inclinant le menton de Shea pour la regarder dans les yeux. Pas si nous restons ensemble.

— Comment peux-tu avoir encore confiance en moi? demanda-t-elle. Je l'ai touché et j'ai changé.

— Moi aussi, lui rappela-t-il.

— Oui, mais toi, tu ne *voulais* pas le changement. C'est la différence — moi, je le voulais, admit-elle. Du moins, une partie de moi. La même partie qui veut toujours s'emparer de ce truc et s'en servir pour ce qu'il a été conçu.

Il secoua la tête et glissa une main sous l'ourlet de sa blouse. Ses doigts trouvèrent infailliblement le tatouage entourant sa poitrine. Elle frissonna alors qu'il caressait chaque flamme l'une après l'autre, taquinant son mamelon jusqu'à ce qu'elle se torde de désir.

— Comment puis-je ne *pas* te faire confiance? répliqua-t-il. Tu as senti son attraction. Ton corps et ton cœur ont changé sous sa magie, et tu as pourtant résisté. Tu as *choisi* l'expiation. Tu as choisi de faire la bonne chose et tu le choisiras toujours.

— J'aimerais en être aussi certaine, admit-elle.

— Tu devrais l'être, insista-t-il. Tu n'es plus la sorcière que tu étais il y a si longtemps. À travers les siècles, tu as grandi. Ton âme a été testée maintes et maintes fois, et toujours tu as relevé les défis auxquels tu as fait face, la tête haute et ton honneur intact.

Elle sourit et pencha sa tête sur son épaule pendant que les doigts de Torin continuaient à caresser le tatouage.

— Si je me souviens correctement de ces vies passées, j'ai été assez près une fois ou deux. Je n'ai pas toujours eu envie de faire la bonne chose.

— C'est vrai, reconnut-il. Mais que tu le veuilles ou non, tu l'as fait. J'étais là, rappelle-toi. Même quand nous n'étions pas physiquement ensemble, j'étais là, et je veillais sur toi. Et je t'ai vue te développer. Je t'ai vue te battre pour devenir l'âme que tu es aujourd'hui. Je n'ai aucun doute sur ton cœur, Shea. Comment le pourrais-je?

Elle soupira doucement et elle sentit qu'un tout petit peu de poids se libérait de ses épaules.

— Tu me donnes l'impression que tout va s'arranger. Comme si j'étais vraiment celle que tu crois que je suis.

— Tu peux me croire, Shea. Tu fais partie de moi.

Il souleva son visage pour pouvoir la regarder dans les yeux, et elle put lire la vérité de ses paroles dans ses yeux brillants.

— Tu es la meilleure partie de moi. Nous sommes un, et rien ne pourra jamais plus nous diviser.

Il baissa la tête, réclamant un baiser, et Shea répondit à sa passion avec une énergie d'autant plus passionnée. Mais ce n'était pas simplement le désir qui la poussait; c'était un besoin de tendresse. Le besoin de sentir son amour l'envelopper, la recouvrir dans la chaleur de la plus grande magie de toutes. Elle lia ses bras autour du cou de Torin et se pencha vers lui, sentant la brûlure de la marque du tatouage sur sa poitrine et le long de sa colonne vertébrale.

Elle accepta son désir et lui offrit le sien.

Des soupirs et des promesses murmurées remplirent l'air. Et quand leurs corps et leurs esprits se joignirent sous la douce lumière nacrée de la lune, ce fut comme si la déesse elle-même les bénissait.

Pourtant, l'Artefact brillait encore sombrement, sa promesse menaçante toujours vivante dans la nuit.

C'était le moment.

Kellyn déposa le miroir de divination, ne souhaitant plus continuer à observer Shea s'accoupler avec son Éternel. Elle avait vu ce qu'il lui fallait voir. Le premier fragment de l'Artefact était libéré de sa prison et en route vers *elle*.

La trame même de l'univers trembla devant les possibilités qui s'étalaient devant elle. Même de loin, Kellyn sentait l'appel luxuriant et sombre de l'argent noir.

Elle sourit, serrant contre elle la sensation presque érotique du pouvoir comme s'il avait été un amant. Le métal magique créé par l'assemblée et convoité par les démons allait bientôt lui appartenir — et ses mains la démangeaient littéralement à l'idée de le tenir.

Éteignant le feu dans son abri, elle se pencha et se baigna dans l'épaisse fumée noire qui s'enroulait et se déplaçait, la laissant s'infiltrer dans ses pores. Elle remplissait son âme, non par l'éclat de la lumière, mais par son absence. Grâce à la puissance de l'extinction. C'était là que se trouvait le véritable pouvoir.

Dans l'obscurité.

Dans les ombres.

Maintenant que le feu ne tenait plus rien à distance, la nuit se rapprocha, et Kellyn l'accueillit.

La tache sur son âme se propageait, et elle se réjouit de la noirceur qui y rampait. Elle avait attendu assez longtemps. Il était temps de commencer sa propre quête.

Et la première chose à faire, c'était d'embrigader Shea Jameson. Elle n'avait pas l'intention de remettre la sorcière éveillée à son partenaire ou aux Chercheurs ou à n'importe qui d'autre. Elle ne les avait utilisés que pour obtenir ce qu'elle voulait, et ce qu'elle voulait, c'était Shea. Et les autres sorcières éveillées. Pour l'aider à réclamer ce que l'assemblée avait abandonné il y avait tellement longtemps.

Pour terminer ce qui avait commencé il y avait des siècles.

Pour accepter l'obscurité, ouvrir la porte de l'enfer et accueillir un nouveau seigneur et maître.

Le château Manorbier se dressait silencieux et vide dans le silence de l'aube. Sur la mer, le lever du soleil se déversait lentement dans le ciel de couleur éclatante qui s'illuminait de plus en plus.

Torin et Shea se présentèrent ensemble dans la cour intérieure, entourés par les lourdes pierres de leur passé commun. Le château témoignait non seulement du passage du temps, mais de l'héritage durable de l'homme. Et ici, Shea et Torin ajouteraient leurs efforts à cet héritage. Enfin, ils rachèteraient le passé et réclameraient l'éternité.

Shea tenait la cage de feu dans une poigne mal à l'aise. Elle ne pourrait se détendre tant que l'argent noir ne serait pas livré à Haven, où il ne pourrait plus faire de dégâts.

— Nous y sommes arrivés, lui dit Torin, comme s'il sentait son inquiétude.

Une autre voix, inattendue, prit la parole.

— Vous en avez mis du temps.

Chapitre 49

Shea se retourna brusquement au son de la voix féminine et impatiente. Une femme sortit d'en dessous de la courbe toujours élégante d'un escalier de pierre qui montait jusqu'à la chapelle. Elle était vêtue de soie et de denim, et ses cheveux noirs courts hérissés lui donnaient une apparence d'elfe.

Jusqu'à ce qu'on regarde dans ses yeux.

— C'est vous, dit Shea en serrant l'Artefact, toujours en sécurité dans la cage de feu que Torin avait forgée en Écosse.

C'était la femme qu'elle avait aperçue en train de les observer dans un miroir de divination. C'était la femme qui avait tout fait pour les piéger. Pour les arrêter.

— Vous nous avez observés tout ce temps.

À côté d'elle, Torin se raidit.

— J'aurais dû vous laisser dans cette prison.

— Oui, dit-elle d'un ton aimable. Vous auriez dû.

Puis elle tourna son regard vers Shea.

— Je m'appelle Kellyn. Mais pourquoi ne pas demander à votre Éternel qui je suis ? Il me connaît.

— *Kellyn ?*

C'était la sorcière qui s'était éveillée alors qu'elle n'aurait pas dû ? Shea échangea un rapide coup d'œil avec Torin, quelque peu mal à l'aise d'éloigner ses yeux de la femme.

Il avança devant Shea, s'approchant pour se placer entre elle et tout danger possible. Devant ce geste, la sorcière aux cheveux foncés se mit à rire.

— Que faites-vous ici ? demanda Torin.

Shea sentit la tension monter en lui. Chaque muscle de son corps était serré, comme un ressort sur lequel on pressait, se préparant à passer à l'attaque. Shea regarda fixement leur adversaire et dut admettre qu'elle n'avait pas *l'air* dangereuse. Mais il y avait une atmosphère d'obscurité autour de Kellyn qui envoyait un signal d'alarme dans l'esprit de Shea.

Torin garda son regard fixé sur l'autre femme.

— Que voulez-vous ?

Kellyn émit un rire dédaigneux et haussa un sourcil.

Shea l'observait.

— Mairi m'a dit que vous n'étiez pas encore censée être entrée dans l'Éveil.

— Tout ne se produit pas selon le calendrier de la chère Grande prêtresse, dit Kellyn sur le ton de la réflexion, ses yeux se glissant vers l'escalier de pierre qui conduisait à la chapelle derrière elle.

Shea suivit le regard de la femme, s'attendant à demi à voir sa tante Mairi passer par la porte ouverte. La dernière fois que Shea et Torin s'étaient retrouvés ici au château, ils avaient dû éviter ceux qui leur tendaient une embuscade et courir vers le mur arrière de la chapelle afin d'atteindre l'entrée. Était-ce Kellyn qui avait organisé ce piège ?

Probablement. Elle avait travaillé contre eux depuis le début, comprit Shea.

— Pas d'hommes armés aujourd'hui ? demanda-t-elle.

— Je n'ai pas besoin d'armes.

Kellyn ricana et secoua la tête.

— Cette embuscade ne venait pas de moi.

— Et nous devrions vous croire ? railla Torin.

Shea le toucha brièvement et sentit sa colère qui pompait à travers lui.

— Que voulez-vous, Kellyn ? Pourquoi êtes-vous ici ? Pourquoi maintenant ?

— Ce que je veux ? Par où commencer ?

Elle rit, puis changea complètement de sujet.

— Comment va Mairi ? demanda-t-elle, son ton indiquant clairement qu'elle n'en avait rien à foutre. Toujours en train de pontifier ? De prévenir tout le monde sur les méfaits d'un excès de pouvoir ? Je ne suppose pas qu'elle se soucie de rappeler qu'elle aussi a cédé ?

Kellyn rit encore.

— Vous vous souvenez, Shea ? Comment elle a envoyé chacune d'entre nous dans le monde, pour dissimuler les fragments de l'Artefact ?

— Bien sûr, je…

— Mais pas elle, réfléchit Kellyn en se rapprochant. Pas la très grande Grande prêtresse. Elle n'a pas eu besoin de marcher péniblement dans une aventure. Non, elle s'est contentée de rester assise et de donner des ordres.

Ses traits se serrèrent, et ses yeux bleu pâle étincelèrent de colère.

— Eh bien, je ne prends plus d'ordres, et vous ne devriez plus en prendre non plus.

L'esprit de Shea chancela avec des bribes du passé. Les jours après ce dernier combat avec les démons avaient été remplis de douleur, de tourments et de regrets. Lorsqu'ensemble, elles avaient brisé l'Artefact, elles avaient décidé, chacune d'entre elles, de lancer le sort de l'expiation, de sortir dans le monde et de cacher les fragments de l'argent noir. Mairi n'avait pas donné d'ordres. Pas selon les souvenirs de Shea, à tout le moins.

— Vous n'êtes pas ici pour parler du passé, Kellyn, dit Shea. Donc pourquoi n'arrivons-nous pas à la vraie raison qui vous amène ici ?

— Vous n'avez rien à faire ici, tonna Torin, le regard fixé sur la femme. Partez maintenant, et il n'y aura aucun problème.

— Je suis ici pour parler, Éternel, dit-elle en souriant, puis elle leva les deux mains en signe de reddition.

Shea cria un avertissement, convaincue que la sorcière aux cheveux bruns allait utiliser la magie contre eux.

— Torin !

— Oh, détendez-vous !

Torin ne bougea pas. Il était un pilier de force. De pouvoir contenu, prêt à bondir.

— Que faites-vous, Kellyn ? Si vous pensez nuire à Shea, sachez que je vous tuerai, et je me fous bien de l'Éveil.

Le cœur de Shea se gonfla d'orgueil pour lui. Fort, implacable, et plus puissant que jamais grâce à l'accouplement, Torin serait un adversaire beaucoup plus redoutable que Kellyn n'en avait conscience.

Shea posa une main sur son dos, couvrant la marque du tatouage pour qu'il puisse sentir la brûlure de sa magie se glisser en lui.

— Si j'avais voulu qu'elle meure, Éternel, dit Kellyn avec un haussement d'épaules, elle serait déjà à se tordre sur le sol à vos pieds.

Son ton simple et décontracté fut plus convaincant pour Shea que toute démonstration de force. Il y avait quelque chose de maléfique dans cette sorcière. Quelque chose de mortel. De dangereux. De la magie flamboyait dans son regard et brillait autour d'elle dans une brume rouge foncé comme si elle était beaucoup trop puissante pour que son corps puisse la contenir.

Torin transperça la femme d'un regard dur.

— Shea, dit-il d'un ton calme. Va à Haven. Va mettre l'Artefact en sécurité.

— Ce serait une erreur, dit Kellyn.

— Et pourquoi donc ?

— Je vous demande pardon, dit Kellyn en regardant Torin. Supposiez-vous que j'étais en train de vous parler ?

— Très bien, alors, dit Shea, puis elle sortit de derrière son amant avant qu'il ait une chance de laisser exploser sa colère. Parlez-moi.

— Shea...

— Non, Torin. Ça va, l'assura-t-elle tout en gardant les yeux fixés sur Kellyn. Elle ne me fera pas de mal.

— Comment le sais-tu ? demanda-t-il.

— Parce qu'elle a besoin de quelque chose de moi, lui dit Shea, inclinant sa tête sur le côté pour examiner la femme qui la regardait.

— Quelle femme perspicace.

Les lèvres de Kellyn se courbèrent en même temps qu'elle croisait les bras sur sa poitrine.

— Pas vraiment, déclara Shea en gardant sa mainmise sur l'Artefact dans la cage de feu, car elle s'attendait à moitié que la sorcière s'en empare. Vous n'êtes pas vraiment subtile, Kellyn. Vous nous avez observés par la divination pendant des semaines. Si vous ne vouliez pas quelque chose de moi, vous m'auriez déjà tuée. Ou au moins, vous auriez *essayé*.

— Vous savez, dit l'autre sorcière, je vous ai toujours beaucoup aimée, Shea. À l'époque, nous étions des amies.

D'une certaine manière, Shea en doutait. Cette femme n'avait pas d'amis. Seulement des personnes dont elle se servait.

— C'était avant, et nous sommes maintenant. Alors, que voulez-vous?

— Vous faire une offre.

— Je ne suis pas intéressée.

— Trop effrayée pour m'écouter?

Ravie, Kellyn se mit à rire, puis ajouta :

— Alors, huit cents ans ont passé, et vous êtes toujours hésitante.

— Il n'y a aucune hésitation à dire «non». Vous ne me connaissez pas, dit Shea, puis elle fit un pas pour s'éloigner de Torin. Huit cents ans, c'est long. Je ne suis plus cette femme — cette sorcière.

Elle s'éloigna physiquement de Torin pour qu'elle et l'autre sorcière se retrouvent sur un terrain plus commun. Elle ignorait la suite, mais elle avait la nette impression que tout se déciderait entre elles deux. Aucun Éternel ne pourrait l'aider maintenant.

C'était une question de magie contre magie, de sorcière contre sorcière.

Et Shea savait, avec une sensation qui faisait se contracter son ventre, que ses pouvoirs n'étaient pas de taille par rapport à ceux de Kellyn. Même avec l'accouplement, elle n'avait pas la force de Kellyn. Et cette pensée l'inquiétait. Si Kellyn n'était pas éveillée, comment se faisait-il que tant de magie bouillonnait en elle ? Le pouvoir se déversait de l'autre sorcière en vagues épaisses difficiles à manquer. Si Shea n'agissait pas pour modifier l'équilibre entre elles, Kellyn allait gagner.

Elle regarda Torin.

— *S'il te plaît, ne bouge pas et laisse-moi m'occuper d'elle.*

— *Non. Elle est trop dangereuse.*

— *C'est à moi de la gérer, Torin.*

Shea envoya fermement cette dernière pensée, puis elle lui ferma son esprit. Il lui fallait se concentrer sur Kellyn. Pour se préparer à tout ce qui pouvait venir après.

— Vous lui avez dit de se tirer, n'est-ce pas ? demanda Kellyn. C'est bien.

Shea connaissait les risques auxquels elle faisait face. Si Kellyn la tuait alors que l'accouplement n'était pas complété… Torin ne lui avait-il pas dit que leurs âmes allaient mourir ? L'inquiétude monta en elle, mais elle la repoussa et se prépara à ce qui allait se passer. Elle avait trop à gagner dans la réussite pour prendre le moindre risque d'échouer. Et il n'y avait qu'un seul moyen sûr de se donner l'avantage dont elle avait besoin.

L'air du matin étincelait de promesses. La mer s'écrasait contre les falaises au-dessous, comme le battement de cœur du monde — tonitruant, impossible à ignorer. Ici, elles avaient un jour échangé la sécurité du monde entier contre leur propre cupidité.

Maintenant, à nouveau, elles devaient faire un choix.

Et Shea ferait le seul choix dont elle était capable.

— Shea, ne fais pas ça, dit Torin, sa voix faible et irrésistible.

— Il le faut, répondit-elle, et elle fit claquer ses doigts.

Instantanément, la cage de feu disparut, et le fragment d'Artefact vint se déposer dans la paume de Shea. Elle chancela devant la libération féroce du pouvoir sombre dans son corps. Il gonflait en elle, faisant irruption avec la force d'un volcan depuis longtemps inactif et auquel on permettait enfin de dévoiler sa puissance.

Chaque cellule du corps de Shea buvait impatiemment les énergies qui pompaient à travers elle. Comme de loin, elle entendit le cri de Torin et la joie de Kellyn. Mais ils n'étaient pas importants. Seul importait le bourdonnement riche et enivrant de quelque chose de *plus* à l'intérieur d'elle.

— Par la lune, je vous envie, murmura Kellyn en s'approchant. J'ai attendu si longtemps pour le toucher à nouveau. Pour sentir encore cette ruée. Permettez-moi simplement...

Shea lui lança un regard méprisant et leva une main pour la maintenir à distance.

— Restez où vous êtes.

Les yeux de Kellyn se plissèrent pensivement.

— Cupide, hein?

Elle haussa les épaules.

— Eh bien, qui peut vous blâmer? Moi non plus, je ne voudrais pas partager.

Ses cheveux noirs volaient dans le vent, et Shea lutta pour conserver celle qu'elle était et ne pas redevenir celle qu'elle avait jadis été.

— Ce n'est pas quelque chose qui vous appartient et que vous pouvez décider de partager. Il ne m'appartient pas non plus. Il retourne à Haven. Là où il doit se trouver.

— Ne soyez pas stupide, dit Kellyn d'un ton cassant. Savez-vous ce que vous tenez là ? Vous souvenez-vous de ce que c'était que de posséder ces forces obscures ?

— Je me souviens de ce que c'était que de se laisser dominer par lui, lui répondit Shea, tremblant à cause du combat qu'elle menait pour garder son âme, son cœur.

Le vent se leva, hurlant, tourbillonnant autour des trois personnes dans la cour intérieure du château. Le froid coulait des murs de pierre qui les entouraient, comme si le gel était en train de se propager.

Les doigts de Shea se serrèrent autour de l'argent noir, et l'élément augmenta son emprise sur elle. Il murmura dans son esprit, lui parlant des gloires à venir. Des combats à gagner. De victoires et de plus de pouvoir que toute sorcière avait réclamé jusqu'à présent.

Elle entendit tout cela, mais elle continua de se battre pour conserver la connaissance de qui et de ce qu'elle était.

— Pensez-y, Shea, dit Kellyn, sa voix musicale et captivante comme un chant. Pensez à la façon dont le monde a changé en huit cents ans. Pensez à tout ce que nous pourrions avoir de plus maintenant. Pensez à la dynastie que nous pourrions construire. Ensemble. L'argent noir a soif de nous autant que nous en avons besoin. Nous sommes liées par le sang, l'assemblée et l'Artefact. Chacune, nous sommes des pièces d'un puzzle incomplet, sauf si nous sommes réunies.

— Elle est en train de te mentir, Shea.

Shea entendait Torin, mais son âme écoutait Kellyn.

— Nous pouvons être des déesses, Shea, dit la sorcière, et elle s'approcha plus près jusqu'à ce qu'elles ne furent plus qu'à portée de bras. Danu a créé les sorcières. Bélénos a créé les Éternels. Nous pouvons être plus grandes que chacun des deux. Les mortels ne comprennent pas le véritable pouvoir. Mais ils finiront par le comprendre. Ne le voyez-vous pas ? Nous pouvons récolter les ténèbres pour nous-mêmes. Nous pouvons être ce que nous avons toujours été censées être...

Shea chancela et raidit ses jambes pour éviter de basculer sous l'assaut des images qui bouillonnaient dans son esprit. De sombres, terribles, glorieuses images de sorcières qui menaient le monde. Des dirigeants de nations. Elles n'étaient plus pourchassées, c'était elles qui pourchassaient. Elles n'étaient plus tenues sous le joug de l'homme qui ne pouvait comprendre ce qu'étaient vraiment les sorcières.

— Et nos âmes ? réussit finalement à demander Shea, fixant son regard sur la sorcière devant elle.

Les yeux de Kellyn brillaient de victoire, d'excitation. Elle sentait que Shea faiblissait et elle s'en réjouissait.

— Avec suffisamment de pouvoir, nous pouvons enchanter un sort d'immortalité et vivre éternellement. Qui se soucie de l'âme ? Je vous offre tout. Tout ce que vous avez à faire, c'est de tendre la main et de le prendre.

Shea jeta un coup d'œil vers Torin et lut son expression. Sa complète confiance en elle. Comment était-ce possible ? se demanda-t-elle. Comment lui faisait-il confiance quand elle ne se faisait pas confiance elle-même ? Ne pouvait-il entendre l'attrait irrésistible des mots de Kellyn ? Ne pouvait-il sentir l'attraction de la puissance des ténèbres ? Il avait tenu l'Artefact. N'avait-il pas conscience de l'effet de l'argent noir sur elle, même maintenant ?

Mais ses yeux gris pâle demeurèrent stables et fixés sur elle, remplis de la foi inébranlable qu'il lui portait.

— Cessez de penser à lui ! cria Kellyn alors qu'elle frappait dans ses mains et qu'une cage de taille humaine avec des lingots d'or blanc apparut sur la pelouse déchiquetée par les balles.

Les barreaux de la cage brillaient sous le soleil du matin.

— Que faites-vous ?

Shea regarda Kellyn, Torin, puis revint à Kellyn.

— Je m'occupe de votre problème, comme je me suis occupée du mien, lui dit Kellyn. Le pouvoir vous appartient, Shea. Obligez votre Éternel à entrer dans la cage.

Torin se raidit comme s'il était prêt à partir en se transportant par le feu. Mais Shea savait qu'il ne le ferait pas, pas sans elle. Et elle n'était pas à portée de main. Il ne la quitterait pas, peu importe les conséquences. Elle le regarda, mais garda sa main serrée autour de l'argent noir qui insufflait encore de l'énergie sombre dans son corps. La douce ruée de la tentation s'accumulait en elle, et elle prenait de courtes respirations peu profondes pour en savourer toutes les sensations sombres.

— Faites-le, Shea, exigea Kellyn. Ensuite, nous terminerons notre conversation.

Chapitre 50

Ses doigts et son pouce caressant la surface lisse et vitreuse de l'argent noir, Shea tourna rapidement la tête, leva sa main libre et dirigea son pouvoir vers Torin.

— Ferme-lui ton esprit, Shea, cria-t-il alors même qu'il était poussé dans la cage.

Instantanément, la porte de barreaux d'or blanc se referma sur lui.

Ses yeux explosèrent de fureur, mais sa colère était dirigée vers Kellyn et non vers Shea. Ses mains se serrèrent brièvement comme des poings autour de l'or blanc, mais il lâcha prise un instant plus tard, sentant probablement que ses pouvoirs s'épuisaient.

— Merde, Shea, laisse-moi sortir avant qu'il ne soit trop tard !

Sa voix semblait lointaine, étouffée, et Shea savait que c'était parce qu'elle se perdait dans les magies noires. Elle avait l'impression d'être emprisonnée dans une lente spirale, descendant toujours, devenant une partie de l'obscurité elle-même. Et une partie d'elle adorait cela. Se languissait de cette sensation.

Mais son regard se riva sur celui de son Éternel, et elle réussit à prendre une emprise précaire sur sa propre force intérieure. Elle regarda Torin, mais demanda à Kellyn :

— Que se passe-t-il maintenant ? Qu'advient-il de lui, si je vous suis ?

Il était devenu un pilier de feu à l'intérieur de la cage en or blanc, mais les flammes n'étaient qu'un pâle écho de leur puissance habituelle. Et elle savait qu'il ne pourrait jamais se libérer à moins qu'elle ne le libère elle-même.

— Rien, dit Kellyn en souriant, déambulant vers l'Éternel piégé. Il ne lui arrivera absolument rien. *Jamais.*

Elle tapota son ongle contre les barreaux d'or blanc et fit la grimace devant la fuite instantanée, quoique minuscule, de son pouvoir.

— J'ai fait la même chose à mon Éternel. Croyez-moi quand je vous dis que ça fonctionne comme un charme.

— Où est-il ? demanda Shea, qui luttait toujours contre l'obscurité. Votre Éternel. Qu'avez-vous fait de lui ?

Kellyn se retourna vivement pour lui faire face, un large sourire sur son visage.

— Je l'ai jeté dans l'océan, dit-elle en riant un peu à ce souvenir. En ce moment, le ô si pieux Egan est en train d'admirer la vue au fond de la mer.

Shea lança un coup d'œil à Torin et elle vit ses yeux se remplir de douleur et de fureur.

— Rappelez-vous, dit Kellyn, ce sont des êtres de feu. L'eau va limiter et atténuer leurs pouvoirs, et les barreaux d'or blanc sont un drain continuel. Ils ne peuvent pas se noyer, puisqu'ils sont malheureusement immortels — elle semblait déçue —, mais on peut les contenir. Éternellement — sans jeu de mots, bien sûr. Vous êtes la seule personne qui pouvez disposer de votre Éternel, Shea. Je le ferais pour vous, mais certaines choses sont tout simplement au-delà de ma volonté.

Shea entendait la folie dans la voix de la sorcière et elle était consciente que si elle continuait à écouter les magies noires qui prenaient le dessus sur elle, bientôt, elle ne serait guère mieux.

— Vous verrez, dit Kellyn d'un ton assuré. D'ailleurs, ce n'est pas comme si nous *tuions* les Éternels. Nous les plaçons seulement dans un endroit où ils ne seront plus en mesure de s'immiscer dans nos affaires. Et avec le rituel d'accouplement inachevé, son âme mourra, et il ne sera plus jamais une menace. C'est très facile, Shea, murmura-t-elle, tout ce que vous avez à faire, c'est de dire « oui ».

Le mot fit écho dans son esprit. Elle le goûta, dégusta les répercussions et scruta son âme pour voir si c'était ce qu'elle était vraiment. Son regard se tourna vers la courbe de la cage d'escalier qui menait à la chapelle et à Haven au-delà. Mais personne ne venait pour les aider.

Elle était en train de passer un test, songea Shea. C'était le moment pour lequel son âme avait passé huit cents ans à se préparer. Le moment où elle découvrirait si elle avait grandi, évolué, ou si elle n'était pas meilleure qu'elle l'avait été ce soir-là il y avait longtemps.

Elle déplaça son regard vers Torin, emprisonné dans une cage, vit son immense force et son courage enfermé par une folle sorcière animée par la folie des grandeurs. Les yeux de Torin se mirent à briller vers elle. Dans son regard, les émotions qu'il dirigeait vers elle étaient claires. De la foi. De l'amour. Des balises dans l'obscurité où elle se battait pour reprendre les rênes de son propre destin.

— *Je t'aime.*

Sa voix se répercuta dans son esprit, et elle sentit son pouvoir en elle. La marque tatouée sur sa peau brûlait d'un feu qui lui rappelait qui elle était. Le chemin qu'elle avait parcouru, et la distance qu'il lui restait à parcourir.

Ses doigts jouèrent sur la surface brillante de l'argent noir qu'elle tenait, et elle sourit à l'Éternel qui l'avait rendue si complète. Avec son aide, elle pouvait résister à l'appel de l'obscurité.

Elle refusait de s'incliner à nouveau devant la cupidité. Elle ne voulait pas être la marionnette de puissances obscures. Elle ne voulait pas abandonner tout ce qui comptait pour elle dans une quête pour trouver l'éphémère. Elle ne succomberait pas aux tentations du passé qui pourraient détruire l'avenir qu'elle voulait si fort.

— Attrape-le! cria-t-elle, et elle lui lança l'argent noir.

Instantanément, il passa ses bras entre les barreaux d'or blanc, appela le feu et captura l'Artefact dans les flammes.

— Que faites-vous?

Le cri de colère de Kellyn perça l'air.

— Ce que je dois faire! répondit Shea, puis elle tourna sur elle-même, leva les deux mains et poussa ses pouvoirs vers la sorcière aux cheveux noirs.

Le feu jaillit de ses paumes élevées, comme il l'avait fait en ce premier jour il y avait si longtemps. Seulement cette fois, elle le maîtrisait.

Avec un hurlement de rage, Kellyn disparut.

Tremblant des pieds à la tête, Shea oublia la sorcière et se mit à courir vers Torin. Elle concentra ses pouvoirs sur le mécanisme de verrouillage, et lorsqu'il se libéra, Torin sortit de la cage, et elle lança ses bras autour de lui, le tenant serré.

Il la tint d'un bras en même temps qu'il balançait l'Artefact dans une boule de feu avec sa main libre.

— Tu m'as fait peur un instant ou deux, finit-il par dire.

— Moi aussi, j'ai eu peur, admit-elle, puis elle embrassa sa gorge, sa mâchoire et se dressa sur ses orteils pour planter un rapide baiser sur ses lèvres.

Elle pouvait lui faire confiance avec toute sa vérité. Il l'avait vue faire face à ses démons et gagner. Elle lui sourit, sentant un doux élan de paix monter en elle.

— Mais je l'ai fait. Et tout va bien.

— Plus que bien, lui dit-il, ses yeux brillants de fierté. Où as-tu envoyé Kellyn?

Elle regarda par-dessus son épaule vers la cour intérieure du château vide.

— Je ne suis pas sûre. Mes pouvoirs ne sont pas assez cohésifs pour le dire.

Torin fronça les sourcils et lui prit la main.

— Elle peut se téléporter. Donc, peu importe où elle se trouve, ça ne lui prendra pas beaucoup de temps pour revenir. Nous ferions mieux d'en finir.

À l'intérieur de Haven, Torin sentit son souffle le quitter alors qu'il regardait sa sorcière. Elle avait été transformée en quelque chose de plus beau que ce qu'il aurait pu imaginer. Ici, dans les halls sacrés de Haven, l'Artefact était neutralisé, et la sorcière qui l'avait réclamé était devenue, enfin, ce qu'elle était censée être.

Shea portait la robe traditionnelle, son sein gauche découvert avec fierté alors qu'elle se déplaçait avec la dignité royale d'une reine. Elle était l'incarnation de la pure magie intacte. Ses cheveux, sa peau, ses vêtements étaient blancs et brillaient d'un éclat égal au soleil. Sur son sein nu, sa marque tatouée éblouissait d'une lumière intérieure aveuglante.

Elle était littéralement l'essence de la magie, le pouvoir de création et de vie. Elle était *femme* dans toute sa puissance et toute sa gloire. Ses yeux verts brillaient d'une détermination nouvelle, et la fierté que Torin éprouvait à son sujet ne connaissait pas de limite.

Sous les yeux attentifs de Mairi, Damyn et Torin, Shea s'avança lentement à travers le grand hall éclairé par les torches murales. Des ombres et de la lumière vacillaient sauvagement partout dans la salle, dansant sur Shea alors qu'elle transportait l'argent noir entre ses mains en coupe.

Il n'y avait plus de danger maintenant.

Elle avait passé son test.

Elle avait atteint Haven.

Sans hésiter, elle leva les mains vers la première des trois cages de feu, déposa le fragment d'Artefact dans les flammes et recula. Baissant la tête et croisant ses mains contre son cœur, elle commença à chanter.

> *Le passé a fui*
> *Il vit encore pourtant*
> *Mon test j'ai réussi*
> *Cet Artefact je rends*
> *Je suis à l'endroit où je devais me trouver*
> *J'ai payé ma dette pour l'éternité.*

La terre se mit à trembler, des étincelles éclatèrent dans les flammes, et la lumière qui étreignait Shea glissa vers la cage qui entourait l'argent noir. Enrichies de pure magie, les flammes brûlèrent encore plus férocement, et le fragment dangereux fut enfermé.

Les cages de feu vides à côté de la sienne étincelèrent de flammes dansantes, et Shea sut qu'il y avait d'autres cages derrière les trois premières. Elles étincelaient toutes de feu, attendant les Artefacts qui seraient retournés à Haven.

Alors que la lumière la quittait, Shea redevint elle-même et pourtant tellement plus. Elle se sentait transformée, mais d'une façon qui la rendait fière. Elle avait accompli ce qu'elle avait entrepris de faire. Elle avait redressé un tort, trouvé l'amour de sa vie et gagné l'immortalité en plus.

Le test avait été difficile, mais les récompenses, immenses.

Et elle n'aurait jamais pu réussir sans Torin. Sans l'autre moitié de son âme. Sans le compagnon qui avait rendu sa vie digne d'être vécue.

Elle sourit à Mairi et Damyn, inclina la tête dans un geste de respect pour l'ancienne et future Grande prêtresse de l'assemblée qui renaissait, puis elle se dirigea lentement, posément, vers Torin.

Il avait eu foi en elle, même si sa propre foi s'était écroulée. Il était demeuré inébranlable et fidèle, même si elle n'avait aucun droit de le lui demander. Il l'avait aimée à travers les siècles et avait attendu qu'elle devienne ce qu'il avait su qu'elle pouvait devenir.

Dehors, la pleine lune brillait sur le château où tout cela avait commencé il y avait tant de siècles. Et dans Haven fleurissait un sentiment d'accomplissement puisque la première dette avait été payée.

Shea avait l'impression qu'elle et Torin étaient les deux seules personnes au monde. Elle enroula ses bras autour de la taille de son compagnon et se tint contre lui. Sa chaleur lui semblait si bonne. La chaleur de son sein nu pressé contre sa poitrine nue se mit à brûler en elle, et elle accueillit la brûlure de l'accouplement alors que le tatouage se complétait. Sa tâche terminée, les trente jours ayant pris fin, l'accouplement était réalisé.

Fermant les yeux, elle laissa l'instant s'enregistrer de sorte qu'elle serait toujours en mesure de le tirer de sa mémoire et de se souvenir de l'instant où elle et Torin étaient finalement devenus une éternité.

Elle avait été si près de le perdre qu'elle ne pouvait pas supporter l'idée d'être séparée de lui. Pas même pour un instant.

— C'est fait, Shea. Tu as tenu ta promesse et tu es la femme la plus incroyable que j'aie connue.

— Nous avons tenu notre promesse, Torin. Et je suis la femme qui t'aime plus que la vie. Plus que l'éternité.

Les marques tatouées sur leur peau éclatèrent soudainement dans un éclair de feu et de chaleur, les brûlant tous les deux avec la flamme intérieure de la chaleur éternelle alors que les images se gravaient à jamais dans leur peau. Enfin, leur accouplement était complet.

Ils se tinrent l'un l'autre, et quand ce souffle de chaleur prit fin, les laissant bouleversés, mais toujours liés, Shea posa sa tête sur la large poitrine de Torin.

— Ton cœur bat, dit-elle en souriant.

Il prit son visage entre ses mains et il l'embrassa avec une promesse d'amour éternel.

— Il ne bat que pour toi, Shea. Et maintenant, nous avons l'éternité ensemble.

— Ce ne sera pas suffisant, dit-elle en souriant, à travers le brouillard de larmes qui l'aveuglait.

— Jamais assez, accepta-t-il.

Mairi soupira, prit la main de Damyn et sourit à Shea et à son compagnon.

— Le sentez-vous ? demanda-t-elle, les yeux brillant d'espérance. L'air frissonne. La deuxième sœur est en train de s'éveiller.

À propos de l'auteure

Regan Hastings est le pseudonyme d'une auteure à succès du *U.S.A. Today* qui a créé plus d'une centaine de romans d'amour. Elle habite avec sa famille en Californie et travaille déjà très fort à la rédaction du prochain épisode de la série de l'Éveil.

Ne manquez pas la suite

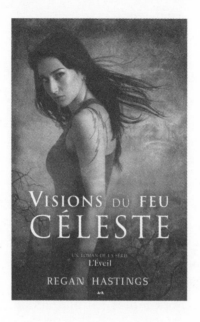

Chapitre 1

Teresa Santiago ouvrit ses bras vers le ciel comme si elle accueillait un amant. L'énergie et le pouvoir de la tempête rageaient au-dessus d'elle et la remplissaient comme une eau qui depuis longtemps retenue dans un barrage se précipitait sur une plaine inondable. Elle ressentait tout cela et s'en faisait une gloire. L'envahissement de la sensation, l'impulsion de la force.

La foudre illumina le ciel, et sa charge heurta le sol aux pieds de la femme qui se tenait sous les éclairs ardents, comme une déesse païenne.

Ses longs cheveux noirs volaient autour d'elle dans l'atmosphère chargée, serpentaient devant ses yeux, fouettaient autour de sa gorge. Ses doigts vibraient presque de pouvoir en même temps que la foudre dansait selon ses caprices.

Des éclairs blancs électrifiés fissurèrent le ciel noir, puis bifurquèrent dans le sol du désert. Des geysers de sable éclatèrent tout autour d'elle en même temps que l'énergie grésillait et brûlait. Le tonnerre gronda. Des nuages tourbillonnèrent. Genévriers et manzanitas s'inclinaient et se balançaient au vent. Les bras squelettiques de l'ocotillo derrière s'agitaient, lui grattant le dos comme un démon qui cherchait de l'attention.

Mais elle ignora toutes les distractions, y compris sa propre inquiétude. Tout enivrant qu'il était de commander ainsi la nature, une partie de Teresa grinçait des dents, horrifiée par ce qu'elle était désormais en mesure de réaliser. La foudre dansait, labourant la terre à ses pieds, encore et encore, et chaque cellule de son corps grésillait de ce contact rapproché. Elle avait l'impression d'être électrifiée, elle aussi, et cette minuscule partie d'elle qui se sentait horrifiée voulait se mettre à courir et se cacher de tout cela.

Mais elle ne le fit pas. Elle en était incapable. Elle ne pouvait revenir sur son héritage pour lequel elle s'était formée pendant la plus grande partie de sa vie. Maintenant que c'était là, que la magie s'ouvrait en elle, elle devrait simplement trouver un moyen de la maîtriser.

Il y a quatre jours, elle avait fait le premier rêve. Un cauchemar terrorisant avec des flammes qui lui léchaient la peau tandis que des démons hurlaient et que des foules applaudissaient. Elle s'était réveillée en sursaut et complètement paniquée, ses cheveux enroulés autour de sa gorge comme un nœud coulant pendant qu'elle haletait pour trouver de l'air qui n'arrivait pas. Elle avait su alors que les prophéties de son *abuela* se réalisaient.

Puis la magie était apparue. De petites choses au début. Elle pouvait allumer une allumette sans la frotter contre quoi que ce soit. Si elle touchait le téléviseur, il s'allumait tout seul. Des ampoules se brisaient lorsqu'elle les touchait. Des lampadaires clignotaient quand elle frôlait le poteau.

Et aujourd'hui… Elle avait suivi ses instincts, elle savait en quelque sorte que la foudre l'appelait. Dès qu'elle avait aperçu la tempête à l'horizon, un puits profond de pouvoir s'était ouvert en Teresa, comme si elle avait attendu la fureur de la nature pour se réveiller tout à fait. Pour affronter cette tempête, elle avait conduit jusque dans le désert à l'extérieur de Sedona, en Arizona. Elle avait voulu entrer dans le tourbillon et chercher à le maîtriser.

Depuis plus d'une heure maintenant, elle avait travaillé, tirant l'éclair vers le bas, essayant de l'orienter vers des objectifs précis — car à quoi lui servait-il d'avoir du pouvoir si elle était incapable de le maîtriser ? Et maintenant que les sorcières et même les personnes *soupçonnées* de sorcellerie étaient enfermées, ou pire encore, elle avait besoin de cette maîtrise. Son nouveau pouvoir ferait d'elle un aimant pour le désastre. Elle devait pouvoir se fier à ses propres pouvoirs pour se protéger elle-même et pour ceux qu'elle aimait.

— *Allez*, murmura-t-elle. Concentre-toi, Teresa. Maîtrise-le.

Des formations rocheuses de grès rouge l'entouraient. Lorsque la lumière du soleil s'inclinait sur eux, les rochers semblaient briller de rouges et d'oranges brillants. Sous le ciel gris austère, ils étaient remplis d'ombres, leurs surfaces sculptées par le vent prenant la forme de visages qui semblaient la regarder.

Elle était juste à l'extérieur du Red Rock State Park et elle espérait que la météo autant que le terrain accidenté éloigneraient les touristes.

En Arizona, octobre signifiait des températures plus fraîches et un afflux de visiteurs qui venaient à Sedona, non seulement pour la beauté de la nature, mais aussi pour se rassembler dans les nombreux vortex à l'intérieur de la ville et aux alentours. Les vortex étaient des sites de cérémonies spirituelles, et chaque année, ils attiraient les mystiques et les curieux. Au fil des ans, Teresa avait elle-même assisté à quelques cérémonies tout en sachant que le plan spirituel était beaucoup plus que ce que soupçonnaient la plupart des gens.

Mais maintenant, elle comptait sur la spiritualité de ce lieu pour ouvrir le cœur de sa magie. Elle agita une main, dirigea l'éclair vers une tour de rochers de grès rouge. L'éclair déchiqueté de pur pouvoir percuta le sol à près de six mètres de la cible, et elle sut que ce n'était pas suffisant. Si elle était attaquée, «près de» ne suffirait pas à lui sauver la vie.

Teresa lutta pour affûter sa magie. Pour parfaire le pouvoir qui avait commencé à augmenter en elle quelques jours plus tôt. Toute sa vie, elle avait su que ce qui était en train de se produire arriverait. C'était ce à quoi elle était destinée. Mais le mystère avait été de savoir *quand* sa magie apparaîtrait. À l'heure actuelle, le monde n'était pas un bon endroit pour les sorcières, mais il y avait de la magie dans son sang, dans la lignée maternelle de sa famille depuis des générations. Elle aurait dû pouvoir tirer parti de cet héritage, mais devant ce pouvoir nouveau et écrasant, elle se sentait perdue.

Elle était fière et déterminée, se tenant les jambes écartées, ses bottes de cow-boy fermement plantées sur le sol pour se donner un sentiment de stabilité qui lui faisait cruellement défaut. Serrant les dents, elle se concentra et balança sa main à nouveau pour diriger un autre trait de foudre à travers le désert. Instantanément, un éclair déchiqueté vola — dans la mauvaise direction.

— Non !

Teresa hurla alors que son camion noir explosait dans une boule de feu. Des flammes s'élancèrent, des panaches de fumée se tordirent dans le vent, et les pneus enflammés s'élancèrent de la carcasse du camion comme des frisbees infernaux. Alors que le tonnerre continuait de faire trembler le ciel et que le vent hurlait, Teresa regarda fixement la carcasse fumante de son camion.

— Fils de pute.

Elle donna un coup de pied dans le sable et pensa non seulement à l'incroyable longue marche pour retourner chez elle où elle avait hâte d'arriver, mais aussi à son téléphone cellulaire maintenant carbonisé. Elle ne pouvait même pas appeler quelqu'un pour l'aider. Elle était coincée, sans eau, sans nourriture, sans aucun moyen de revenir chez elle.

Elle avait grandi ici, donc le désert ne lui était pas inconnu. Mais l'idée d'une longue marche vers la ville à travers la pluie avec la tempête qui la pourchassait lui nouait l'estomac. Ajouté à cela, il y avait le fait qu'elle ne pouvait se défaire du sentiment qu'on l'observait...

Se raidissant, elle repoussa très loin l'idée d'observateurs invisibles. S'ils étaient là, quelque part, elle ne pouvait rien y faire. Ce qui était important maintenant, se dit-elle pendant qu'elle fixait le feu et la fumée noire qui tourbillonnait, c'était sa maîtrise. Comment diable pourrait-elle se protéger contre les futurs dangers, si elle n'arrivait pas à gérer ses propres pouvoirs?

«À quoi bon être une sorcière, se demanda-t-elle silencieusement, et être capable d'attirer la foudre du ciel, si on ne peut pas manipuler correctement la maudite magie?»

— Est-il possible de vivre une pire journée? murmura-t-elle, dégoûtée.

Comme si les dieux lui répondaient, Teresa entendit un lointain battement vibrant, tels les battements du cœur d'un géant. Le bruit de vrombissement semblait bondir du sol à ses pieds et dans sa poitrine, où il cognait au rythme de son cœur maintenant au galop. Abasourdie, elle resta là, essayant de comprendre, puis elle prit conscience d'autre chose.

Le bruit se rapprochait.

Elle se retourna, le regard scrutateur, s'efforçant de voir au-delà de ce qui l'environnait pour découvrir ce qui venait vers elle. Son cœur battait en cadence avec ce son qui semblait provenir d'un autre monde. Elle scruta les cieux sombres dans toutes les directions. Les ombres des montagnes escarpées s'élevaient dans le désert, grattant le ciel toujours agité d'éclairs en dents de scie.